707 823 8818

J'AI AVALÉ UN ARC-EN-CIEL

mate - matt   Homo sapiens
                           femelle
cognates
lignes = lines   accent
blog

dictionnaire

tapé = type

progrés

points de vue

capitaine
plante
herbacée

© 2017 Éditions Nathan, SEJER, 25, avenue Pierre-de-Coubertin,
75013 Paris, France

Loi n° 49-956 du 16 juillet 1949 sur les publications destinées à la jeunesse,
modifiée par la loi n° 2011-525 du 17 mai 2011

ISBN : 978-2-09-256607-7

Dépôt légal : mars 2017

ERWAN JI

J'AI AVALÉ UN ARC-EN-CIEL ☺

Nathan

To the Auks.

ABOUT

Si vous lisez ces lignes, vous êtes tombé sur mon blog.

C'est un drôle de mot, blog. Si mon grand-père s'était demandé ce que ça veut dire, il se serait mouillé le doigt et aurait tourné les pages de son épais dictionnaire. Moi, j'ai tapé le mot sur Google. C'est ça, le progrès. On n'a plus besoin de se mouiller le doigt.

D'après Google, un blog est une sorte de journal de bord dans lequel on raconte des choses et on exprime des points de vue. Un journal de bord, c'est plutôt pour les marins. Disons que le navire, c'est ma vie, et que j'en suis la capitaine.

Je m'appelle Capucine, mais on m'appelle Puce. C'est parce que Capucine, c'est le nom d'une plante herbacée, et moi je ne suis pas une plante herbacée. Je suis une Homo sapiens femelle de dix-sept ans, avec la peau mate et un accent de Montpellier.

Enfin, l'accent, c'est quand je parle français. Je vis aux États-Unis depuis que j'ai trois ans. Mon père m'a appris sa langue maternelle. Du coup je parle comme lui. Il paraît que c'est mignon. Je ne sais pas.

Dans ce blog, je vais évoquer ma vie, mais aussi *la* vie. Parce que ce qui compte quand on navigue, ce n'est pas le bateau. C'est l'océan, l'équipage, et les étoiles au-dessus de nos têtes.

J'ai décidé d'écrire en français, comme ça mes copains resteront loin de ce blog, et moi je pourrai parler d'eux sans me retrouver avec un procès aux fesses. Enfin, le français c'est magnifique, mais ça ne marche pas à tous les coups, figurez-vous. Mon père dit qu'il faut appeler un chat un chat. Ce qu'on va faire, c'est que j'utiliserai un peu d'anglais, et puis on appellera un *cat* un *cat*. J'espère que vous n'êtes pas allergique.

Bref. Vous êtes sur le blog de Puce. Larguez les amarres !

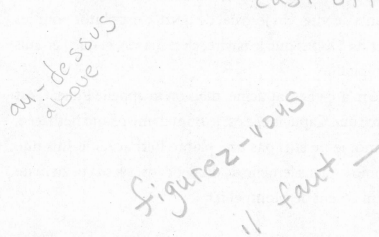

accent
maternelle
évoquer
compte
navigue
l'océan
figurez-vous
utiliserai
chat = cat
allergique

_____   m'a appris _____ _____

_____   sa langue
mon père
tu

il paraît que _____

                 ce mignon

FIRST
SEMESTER

août
Jeudi

AUGUST

Small Wonder

Jeudi 14 août

J'habite dans l'État du Delaware. Pour les petits malins qui préfèrent gribouiller plutôt qu'écouter en cours de géographie, c'est un État minuscule coincé entre le New Jersey, la Pennsylvanie et le Maryland.

La plupart de mes copains maudissent leurs parents de s'être installés ici. Faut dire, c'est pas très glamour. L'ambiance est molle, et il n'y a rien qui nous distingue vraiment des autres. Il y a des endroits, dans le Kentucky ou en Louisiane, quand on les voit on sait qu'on est là-bas. J'ai l'impression qu'ici, il n'y a pas d'endroits qui n'existent pas déjà ailleurs.

Sur les pancartes de bienvenue, le Delaware a deux surnoms. D'abord, *The First State*, parce que c'est le premier des treize États d'origine à avoir ratifié la Constitution. Les jeunes de mon âge s'en fichent, mais les anciens en sont fiers. Et puis *Small Wonder*, la Petite Merveille. Alors

13

là, je vois deux possibilités. Soit c'est d'une profonde ironie, soit c'est une blague cynique entre investisseurs parce que c'est un paradis fiscal.

Quand on est jeune et qu'on se destine à une vie exaltante, on dit à qui veut l'entendre qu'on ne fera pas de vieux os ici. Mais faut pas exagérer. On ne peut pas se plaindre de vivre dans le Delaware quand il y a des endroits qui s'appellent Gaza, Soudan ou Corée du Nord.

J'écris, j'écris, mais j'ai une pile de livres à lire pour mes devoirs d'été, et elle n'est pas loin d'arriver au plafond. C'est bien beau de bloguer, mais si je veux finir ma vie ailleurs que dans la Petite Merveille, je ferais bien de m'y mettre.

Senior
Vendredi 15 août

Au lycée, on n'est pas tous égaux. Il y a une hiérarchie à respecter.

Tout en bas, vous avez les *freshmen*. Ils ont quatorze ans, ils sortent du collège, la plupart sont timides et impressionnables.

Un cran au-dessus, il y a les *sophomores*. Ça fait un an qu'ils sont là, alors ils commencent à piger et à se détendre.

Un peu plus haut, vous avez les *juniors*. C'est l'année où beaucoup commencent à boire et à coucher ensemble, du coup ils se détendent encore plus ! Ils seraient les rois de l'école, s'il n'y avait pas les *seniors*.

Quand j'étais *freshman*, les *seniors* me paraissaient immenses. Leur assurance m'impressionnait. Les filles avaient de la poitrine, les garçons de la barbe. Ils se baladaient les clés à la main, parce que *eux* pouvaient conduire. Quelques couples étaient célèbres. On entendait parler de fêtes épiques auxquelles on n'était pas invités. Le président des élèves était un *senior*. En gros, l'école leur appartenait.

Ça me fait drôle de repenser à ça, parce que c'est mon tour. Cette année, je serai tout en haut de la chaîne alimentaire. Être *senior*, ça va être un peu comme si on était des ours bruns. On sera des prédateurs alpha, on mangera beaucoup, on sera léthargiques pendant l'hiver, et puis on verra souvent deux mâles se battre pour une femelle.

La rentrée n'est que dans cinq jours, mais aujourd'hui, je suis retournée à l'école pour la journée d'intégration des *freshmen*.

Au début, c'était bizarre. Avec les copains, on se regardait en souriant. On était fiers. On connaît le campus comme notre poche, on sait où sont les fêtes, on conduit... J'ai même de la poitrine ! On était un peu nostalgiques, aussi. Parce que pour les *freshmen*, c'était le premier jour, mais pour nous, c'était le début de la fin.

On a formé une haie d'honneur dans la rue qui mène au lycée. On a sifflé, applaudi, brandi des pancartes, et crié des encouragements pour les nouveaux. J'ai vu beaucoup de sourires surpris derrière les pare-brise. Autant les enfants que leurs parents, d'ailleurs. Ils devaient se dire qu'ils avaient fait le bon choix, qu'ils allaient payer vingt-cinq mille dollars par an, certes, mais pour quelque chose de spécial.

Parmi les activités de la matinée, chaque *freshman* a dû écrire une lettre à son soi futur. Décrire son état d'esprit, ses espoirs, ses aspirations. Les profs ne rendront les lettres aux *freshmen* qu'à la fin de leur année de *senior*, dans quatre ans. C'est une manière de visiter le passé sans s'encombrer d'une machine à voyager dans le temps. Personnellement, j'ai complètement oublié ce que je me suis écrit, mais je me rappelle avoir jeté un œil furtif à la lettre de mon voisin, Nick Xu. Il espérait « ne jamais tomber dans le piège de l'alcool ». Je veux être là pour voir sa tête quand il la relira à la fin de l'année parce que depuis, Nick est devenu l'organisateur de fêtes le plus populaire du lycée.

Après ça, les *freshmen* ont reçu un MacBook chacun, et ils ont pu assister à un sketch qu'on avait préparé pour eux. Mon ami Vaneck a fait sensation avec une imitation hilarante du shérif de l'école, Mr Klupalosczki.

Ensuite, chaque nouveau s'est vu attribuer un *senior buddy*, une sorte de guide qui devra l'aider tout au long de l'année. Ma *freshman* est minuscule, on dirait qu'elle sort de l'école primaire. Quand je l'ai vue avec son petit cartable rose et ses cheveux frisés, j'ai eu envie de la prendre dans mes bras. Je me suis souvenue à quel point j'étais perdue le jour de ma rentrée, alors je lui ai fait visiter.

Notre campus ressemble à celui d'une université, en plus petit. Au centre, il y a le *quad*, une grande étendue d'herbe avec une fontaine au milieu et des bancs un peu partout. Quand il fait beau, on y déjeune, on joue au frisbee, ou on s'allonge dans l'herbe. C'est le cœur du campus, avec plusieurs allées qui en partent comme des veines pour mener aux différents organes : la cafétéria, le bâtiment des sciences, le bâtiment des arts, le bâtiment des lettres (avec la grande bibliothèque et l'auditorium où ont lieu les messes, les assemblées et les pièces de théâtre), le petit gymnase, le grand gymnase et le manoir (une sorte de petit château avec quelques salles de classe, la petite bibliothèque, et des tunnels souterrains mystérieux). Un peu plus loin, derrière le manoir, il y a les terrains de *soccer* (votre football à vous), de football (celui de chez nous), de baseball, de lacrosse, de hockey sur gazon, et puis des courts de tennis et une piste de course.

Pour éviter des ennuis à ma *freshman*, je lui ai dit les choses à faire absolument (les devoirs de Mr Crinky), et les choses à ne surtout pas faire (regarder l'horloge et soupirer pendant la classe de Mrs Snippet).

Elle n'a pas beaucoup parlé. Elle a surtout hoché la tête. Quand je lui ai demandé si elle avait des questions, elle a voulu savoir si j'avais un petit ami. Elle a eu l'air déçue quand je lui ai dit non. Plus déçue que moi, en tout cas.

Je vais m'arrêter là, parce que j'ai rendez-vous avec mon livre d'histoire. Ô joie !

Feline Obesity
Vendredi 22 août

Lundi, c'est la rentrée. En attendant les réjouissances, je vais vous présenter ma famille.

Ma mère s'appelle Alana (« euh-lèye-na »). Elle est née dans le Kentucky, alors elle a un petit accent du Sud qui fait sourire. Elle a étudié la littérature française à Vanderbilt, une grande université du Tennessee. Elle a vécu en France, où elle a rencontré mon père, et puis quelques années plus tard, ils sont revenus aux États-Unis et elle est devenue prof de français dans mon lycée.

D'ailleurs, c'est pour ça que c'est mon lycée. L'inscription est gratuite pour les enfants des profs. Sinon, mes parents n'auraient jamais pu payer les frais de scolarité. Comme on dit ici, l'argent ne pousse pas dans les arbres.

J'ai souvent envie de lever la main en l'air et d'envoyer un *high five* à mon père pour le féliciter d'avoir séduit ma mère, parce que entre nous, elle est *out of his league*. Elle est très belle, et lui il est… très marrant. Vous me direz, c'est déjà pas mal. Ma mère a des yeux verts terribles, dont évidemment je n'ai pas hérité (j'ai les yeux marron complètement nuls de mon père). Mes copains disent qu'elle ressemble à Emily Blunt.

Mon père a du charme, mais il est moins impressionnant. Il est grand, mince, il a la peau mate, et il s'enferme dans la salle de bains toutes les trois semaines avec une tondeuse parce qu'il perd ses cheveux sur le dessus du crâne. Il s'appelle Antoine. Mes grands-parents adoraient Antoine de Saint-Exupéry. J'ai reçu *Le Petit Prince* en cadeau quand j'avais sept ans, et depuis c'est mon livre préféré.

Mon père aurait adoré être clown, jongleur ou acrobate, mais quand il avait mon âge ses parents n'ont pas voulu le laisser entrer à l'école de cirque (il leur en veut toujours). Son métier aujourd'hui, c'est auteur culinaire. Il passe ses journées à la maison à essayer des recettes et à les écrire. Ça tombe bien, parce que j'adore manger. Papa a un côté insouciant, enfantin, qui fait que je suis très proche de lui. Si je dois me disputer avec quelqu'un, ce sera plutôt avec ma mère.

À la maison, c'est ce que j'appelle un bordel linguistique de grande envergure. Ça change tout le temps. Parfois, mon père parle en anglais, ma mère répond en français et moi je suis paumée. Ça m'est même arrivé de commencer une phrase en français et de la terminer en anglais. C'est un peu *ridiculous* !

Je cherche sans cesse à enrichir mon vocabulaire en français. Je lis tous les livres qui me tombent sous la main, et dès que je vais aux toilettes, je fais des mots croisés (j'en rapporte toujours un gros paquet de nos vacances en France). Si vous ne connaissez pas le plaisir de faire des mots croisés aux toilettes, essayez, votre vie va changer (ça marche aussi avec le sudoku, mais on apprend moins de choses).

L'été dernier, pendant nos vacances en France, mon oncle m'a dit que je ne parlais pas comme les jeunes de mon âge. Je crois que c'est parce que je n'ai jamais vécu là-bas, du coup je ne connais pas tous leurs mots. Et puis quand vous parlez deux langues, parfois il y en a une qui « pollue » l'autre dans votre esprit. Une fois, mon père a rigolé parce que j'ai dit que j'avais mis mon pied dans ma bouche. En anglais on dit ça, mais en français on met les pieds dans le plat. Conclusion : ne vous inquiétez pas pour ma santé mentale si parfois j'écris des trucs bizarres, c'est juste un peu de pollution.

Mes parents sont cool. Je n'ai rien à leur reprocher, à part peut-être de m'avoir donné un nom de fleur. Il faut savoir que quand on m'appelle Puce, mes parents le prononcent bien parce qu'ils parlent français, mais comme le son « u » n'existe pas en anglais, la plupart de mes amis m'appellent « Pouce ». Résultat des courses, quand je n'ai pas un nom de plante ou un nom de bestiole qui gratte, j'ai un nom de doigt.

Les derniers membres de la famille sont notre chien, Hercule, et notre chat, Sacrebleu. Hercule est un pinscher, il est tout petit. Il a dix-sept ans, comme moi ! Il est immortel. Son truc préféré, c'est de faire des petits pets sournois pendant qu'il dort sur un coussin dans le salon et de faire l'innocent quand il se réveille. Sacrebleu est trois fois plus gros. Son truc préféré, c'est de manger, comme moi.

Les voisins ont adopté un chat le mois dernier. On leur a demandé si c'était un chat nain, mais ils ont eu l'air surpris. Je pense qu'il est possible que Sacrebleu ait un problème de poids.

21

Fantastic Four

Lundi 25 août

Après deux mois et demi d'anarchie vestimentaire, j'ai eu du mal à enfiler mon uniforme, ce matin : le polo blanc avec l'emblème du lycée, la jupe à carreaux bleue et verte, les chaussettes courtes, et les chaussures bourgeoises. Mon père dit que vous appelez ça des chaussures « bateau ». Il semblait sûr de lui, mais je tiens à préciser que c'est pour aller à l'école, pas pour faire du bateau.

Même si on s'en plaint souvent, l'uniforme a ses avantages. Par exemple, ça m'évite d'avoir à me prendre le champignon tous les matins sur ce que je vais porter. Et puis, vu la taille des garde-robes des autres filles, je ne pourrais pas rivaliser, alors ça m'arrange qu'on soit toutes pareilles.

La plupart du temps, je vais au lycée avec ma mère. (Je dois avoir fait un truc abominable dans une vie antérieure, parce que contrairement à tous mes copains, je n'ai pas le droit d'avoir une voiture à moi.) Ce matin, elle devait partir en avance pour faire des photocopies, du coup j'ai pris le bus, parce que le sommeil, c'est sacré. Je ne sais pas pour vous, mais quand mon réveil sonne, si le diable arrivait et m'offrait dix minutes de sommeil en plus contre la vie de mon père ou de ma mère, je pense que ça me ferait réfléchir. Je ne dis pas que je dirais oui, mais je ne dirais pas non avant d'avoir pesé le pour et le contre.

Les bus scolaires sont jaunes. En cours d'histoire l'année dernière, j'ai appris que le jaune a souvent été symbole d'infamie. Judas a été représenté avec une robe jaune par un peintre italien, on barbouillait de jaune le portail des traîtres en France, les prostituées dans l'Empire russe devaient posséder un passeport jaune, et les nazis ont forcé les Juifs à porter une étoile jaune pendant la guerre. Peut-être qu'on considère ceux qui nous amènent à l'école comme des traîtres ? Je sais qu'en France, le jaune c'est la couleur de la Poste. Ils apportent les mauvaises nouvelles, les scélérats !

À quelques sièges de moi, il y avait une fille de mon âge qui portait l'uniforme de mon lycée, mais que je ne connaissais pas. On est environ quatre cents. À part les *freshmen* en début d'année, on se connaît tous. Ça voulait dire que cette fille était une *transfer*, qu'elle arrivait d'une autre école.

Je l'ai remarquée tout de suite, parce qu'elle a des cheveux comme on n'en voit jamais. Ce sont des dreadlocks blond décoloré, qui s'arrêtent en haut de sa nuque. C'est très joli. Elle portait des lunettes en plastique noir, et elle lisait un livre, mais d'où j'étais, je n'arrivais pas à voir ce que c'était. J'aime savoir ce que lisent les gens, parce que si c'est un livre génial dont je n'ai jamais entendu parler, ça me ferait mal de le louper.

Au-delà de ses cheveux, le truc le plus remarquable chez cette fille, c'était le fait qu'elle portait un pantalon. On a le droit de le faire, mais les filles choisissent presque toujours de porter une jupe. Certaines n'aiment pas s'habiller comme les garçons, d'autres trouvent la jupe plus confortable. Même l'hiver, quand il y a dix centimètres de neige, on préfère avoir froid en jupe que chaud en pantalon.

Après être descendue du bus, j'ai retrouvé mes amis à la cafétéria. L'année dernière, on avait pris l'habitude d'y aller avant les cours pour partager un café à l'occasion de ce qu'on avait baptisé en rigolant le « FPC » (*Forever Pals Club*, le Club des Amis pour Toujours).

Au lycée, c'est comme en prison : on fonctionne par *cliques*. Il y a les Populaires, dont l'existence contredit l'idée qu'on est tous égaux ; les Artistes, qu'on reconnaît aux restes de glaise ou de peinture sur les doigts ; les Athlètes, qui adorent courir même quand il n'y a pas urgence ; les Hipsters, en quête constante du look ultime ; ou encore les Nerds, qui préfèrent ce qui n'est pas de notre monde et qui s'il y a un incendie chez eux sauvent leurs devoirs en premier.

Mes amis et moi, on n'appartient à aucune catégorie. On est à mi-chemin entre les Nerds et les Populaires. On fait des soirées vidéo et plateau télé, mais on va à des fêtes aussi. On fait nos devoirs, mais ça nous arrive de nous planter aux exams. On n'est pas les plus populaires, mais on connaît tout le monde. On ne passe pas notre temps à coucher les uns avec les autres, mais on peut parler de sexe sans rougir.

Quand je suis arrivée à la cafétéria, Sara était déjà là. C'est ma meilleure amie. Je l'adore, parce que je peux tout lui dire. Et elle écoute vraiment. Ce n'est pas si fréquent. Vous avez remarqué que beaucoup de gens ont un taux d'attention qui chute après trois secondes ? J'ai l'impression qu'il faut se dépêcher pour dire quelque chose à quelqu'un. Pour moi, un ami, c'est quelqu'un avec qui on peut prendre son temps.

Je me demande souvent si c'est le visage de Sara qui est trop petit ou ses lunettes qui sont trop grandes. En tout cas elle est marrante, parce qu'elle est toujours en train de les remonter. On éprouve une sorte de jalousie mutuelle. Elle voudrait avoir ma peau mate, et moi ses cheveux tout raides et tout blonds.

Sara est naïve et touchante, souvent sans le faire exprès. En deuxième année, elle avait lancé à notre prof de maths qu'il était *necrophiliac* (nécrophile) alors qu'elle voulait dire *narcissistic* (narcissique). Quand elle a dit ça j'étais en train de boire de l'eau, j'ai tellement rigolé que je l'ai recrachée par le nez.

Ce matin, elle était en colère. Elle venait de recevoir un point parce que sa jupe ne descendait pas jusqu'aux genoux (recevoir un point, c'est une punition pour avoir commis une infraction). Elle a dit qu'elle était «la victime injuste du système judiciaire véreux d'une école d'hypocrites».

Se faire avoir pour une jupe trop courte, c'est notre épée de Damoclès toute l'année, mais la plupart des profs ne disent rien, surtout les hommes, parce qu'ils ont peur qu'on leur demande pourquoi ils regardent nos cuisses. Mais là, manque de chance, Sara est entrée dans le bâtiment des lettres par-derrière, près du bureau du Klup, qui cherchait un *senior* à se mettre sous la dent pour fêter la rentrée.

Le Klup, c'est Mr Klupalosczki, le responsable de la discipline. L'orthographe de son nom est à l'image de la façon dont il nous traite. Quel intérêt de mettre un s, un c, et un z ensemble, à part pour emm… le monde ? Son prénom, c'est Robert. Certains élèves l'appellent Bob, mais seulement quand il n'est pas là.

Comme Sara avait envoyé un texto à Vaneck pour lui raconter sa mésaventure, il est arrivé avec des beignets de chez Dunkin' Donuts pour lui remonter le moral. Moi, je n'avais pas de moral à remonter, mais j'en ai mangé quand même.

Vaneck est un garçon extra. C'est la force tranquille du groupe. Il est grand, noir, et mince comme une allumette. Avec son long cou, il me fait penser à un diplodocus. C'est la personne la plus gentille que j'aie rencontrée dans ma vie. Il est aussi sympa avec les Nerds qu'avec les Populaires, toujours là pour rendre service, et toujours de bonne humeur. Au lycée, tout le monde l'adore. D'ailleurs, il est élu président de classe tous les ans. Il a été président des *freshmen*, des *sophomores*, des *juniors*, et cette année, il est carrément président des élèves (président de tout le monde, quoi). Sans lui, on serait des *nobodies*, mais comme il fait partie de notre groupe alors qu'il aurait pu choisir n'importe lequel, ça nous donne une certaine légitimité.

Soupe est arrivé juste avant la sonnerie. En vrai il s'appelle Eric, mais on l'appelle Soupe depuis qu'on est *freshmen*. Je vous raconterai pourquoi un autre jour.

Soupe, c'est le vrai bon copain. Tu ne vas pas forcément lui dire tous tes secrets, mais s'il te voit malheureuse pendant une fête, il va arrêter de danser et venir te réconforter. C'est un nounours. D'ailleurs, il ressemble à un nounours. Il a la tête ronde, il n'est pas très grand, et un peu enrobé. Il a des cheveux raides châtains qui lui tombent dans les yeux. Il a toujours trop de clés sur son trousseau, on dirait un gardien de prison. Il connaît Vaneck depuis l'école primaire. Il est plus proche de lui, et moi je suis plus proche de Sara.

Comme Soupe est arrivé tard, on n'a pas eu le temps pour le FPC, mais on s'est donné rendez-vous au déjeuner. On était contents de se retrouver. On ne se voit pas trop pendant l'été, sauf quand on va camper dans des festivals, ou pour aller au cinéma une fois de temps en temps.

Avant d'aller en classe, Soupe a dit qu'il avait réfléchi, et que notre groupe devrait s'appeler « *Fantastic Four* ». Sara et moi on s'est regardées, et on lui a dit que c'était nul.

« C'est vous qui êtes nulles », il a répondu.

College Prep
Mardi 26 août

C'est la fin d'après-midi. Mon MacBook est ouvert sur la table de la cuisine, à côté de mon goûter : un bol de lait d'amande, un paquet de cookies, et un pot de beurre de cacahuète. Ma mère est encore au lycée, et mon père est parti faire des courses, parce que ce soir au menu, c'est verrines de pêches au thon déstructurées et bavarois de courgettes mentholé. *Yummy !* Hercule dort dans son panier, et Sacrebleu est à l'affût pour intercepter d'éventuelles miettes.

Il faut que je commence mes devoirs, et ça me donne envie de pleurer. Quand j'ai ouvert mon ordinateur, c'était pour lire le chapitre deux de mon livre d'économie en ligne, intitulé « Les modèles économiques : échanges et commerce ». Mais j'ai vite bifurqué vers mon blog, et ça, ça ne s'appelle plus goûter, ça s'appelle procrastiner. Pour ceux qui ne sont pas fortiches en mots croisés, ça veut dire remettre à plus tard. C'est ma spécialité. Non, plus que ça, pour moi c'est un art de vivre. Ce serait intéressant d'analyser le problème et d'essayer de comprendre pourquoi je remets toujours tout à plus tard. Mais je ferai ça un autre jour.

Mon lycée n'est pas tout à fait un lycée comme les autres. C'est une *college prep,* une école privée qui prépare aux universités. Chaque semestre, on doit choisir sept matières. Une matière normale, c'est trente minutes de devoirs par soir. Une matière *honors*, c'est quarante-cinq minutes. Une matière *AP*, c'est une heure.

Ce semestre, je prends *AP Biology*, *AP Literature*, *Honors Spanish 4*, *Honors Physics*, *Economics*, *World History* et *Moral Theology*. Ça me fait cinq heures de devoirs par soir en moyenne, sans compter les profs les plus dingues qui nous en donnent plus pour satisfaire leurs tendances sadiques.

Les profs sont des terroriseurs professionnels. Ils adorent envahir nos vies et y semer la panique à coup d'évaluations. Ils ont tout un arsenal.

D'abord, les *quizzes*. C'est comme des petites bombes qu'ils lâchent sur nos têtes de temps en temps. Chaque fois il faut réviser, et comme on a sept matières, un soir sans révisions arrive aussi souvent qu'un épisode de *Game of Thrones* sans nudité.

Ensuite, il y a les attaques surprises nommées *pop quizzes*. C'est la blitzkrieg : on hurle, on supplie, et il y a toujours des victimes innocentes (genre moi quand j'avais oublié le câble d'alimentation de mon MacBook la veille et que je n'avais pas pu relire mes notes à la maison).

Et puis il y a les armes de destruction massive : les *tests*, trois fois plus longs et pénibles que les *quizzes*, les *midterms*, de gros examens pendant toute une semaine après les vacances de Noël, et les *finals*, la même chose juste avant l'été.

On finit l'école tous les jours à 14 h 30, mais ensuite on fait du sport pendant deux heures. On n'est pas chez nous avant 17 ou 18 heures, alors le temps d'escalader la montagne de devoirs et de révisions, forcément on se couche tard, et le matin on ressemble plus à des zombies qu'à des lycéens.

Je pense que c'est à cause de toute cette pression qu'il y a autant de fêtes le week-end. J'ai vu certains élèves craquer, faire des crises de nerfs à cause de la charge de travail. Tout le monde a besoin d'une soupape.

Pour définir le rapport qu'on a avec notre école, il y a deux trucs à savoir. Numéro un, on passe notre temps à la maudire et à la critiquer. Numéro deux, on l'adore.

Quand je suis arrivée il y a trois ans, je me suis tout de suite sentie chez moi. Aujourd'hui, je ne peux plus aller du bâtiment des arts au bâtiment des lettres sans dire bonjour à trente personnes que je connais sur le chemin. Quand l'une de nos équipes joue un match important, il y a toujours au moins la moitié du lycée qui y va pour l'encourager, même si c'est à deux heures de route. En hiver, on se retrouve tous dans les gradins, on partage des couvertures et on chante des chansons à la gloire de notre école. Contrairement à beaucoup de lycées, il n'y a pas de bagarres ici, et très peu de *bullying*.

Le *bullying*, c'est le harcèlement d'un élève, généralement par un abruti ou par un groupe d'abrutis. Il y en a plein dans les écoles publiques. Ici, ça n'arrive presque jamais. La plupart des gens ont un bon fond, même si les filles peuvent être assez cruelles entre elles. Soupe pense que c'est dommage parce que selon lui, les *bullies* préparent les gens au vrai monde et les obligent à s'endurcir. Quand il a dit ça je lui ai donné une claque, pour voir si ça l'endurcissait.

Comme la plupart des *college preps*, mon lycée est un microcosme bourgeois et élitiste. Ici, les élèves font tout ensemble : ils font la fête ensemble, ils partent en vacances ensemble, ils fument des joints ensemble, ils font du sport ensemble, et ils couchent ensemble. On a plusieurs profs qui étaient à l'école ici, et même la directrice est une ancienne de la maison.

Il y a trois catégories d'élèves : ceux qui sont riches et gâtés, ceux qui sont riches mais que leurs parents forcent à travailler le week-end pour se payer leur essence et leurs billets de concerts, et ceux qui ne sont pas riches. Sara et Soupe font partie de la première catégorie, Vaneck de la deuxième. Je fais partie de la troisième catégorie. La seule façon d'étudier ici dans ce cas-là, à part d'être l'enfant d'un prof qui y travaille, comme moi, c'est d'avoir reçu une bourse au mérite en ayant obtenu des résultats exceptionnels au collège.

Je me demande à quelle catégorie appartient la fille au pantalon qui était dans le bus hier matin. J'ai deux classes avec elle, AP Bio et World History, mais je ne lui ai pas encore parlé. Tout ce que je sais, c'est qu'elle s'appelle

Aiden. C'est plutôt un nom de garçon, mais il paraît qu'elle vient de Californie, et là-bas ils ont plein de hippies qui ne font jamais rien comme tout le monde.

Aujourd'hui, elle a déjeuné avec des Populaires, mais elle n'avait pas l'air à l'aise. Je suis sûre qu'elles l'ont invitée pour frimer parce qu'elle est nouvelle et qu'elle a un super look, et elle n'a pas dû oser refuser.

C'est Sara qui m'a dit qu'elle venait de Californie. Sara sait toujours tout avant tout le monde. J'ai l'impression qu'elle a des oreilles à rallonge, comme dans *Harry Potter*.

Sara et moi, on est des *Potterheads*. On a lu tous les livres de la série huit fois. Ce n'est pas la peine d'essayer de nous coller, parce qu'on sait tout. Quand on se fait des promesses, on jure sur la tête d'un personnage de la série, et on doit dire son nom en entier avec les deux prénoms et tout, sinon ça ne marche pas. C'est juste entre Sara et moi, parce que Vaneck, il serait capable de confondre un épouvantard avec un détraqueur, et Soupe, c'est un tel Moldu, je ne serais pas surprise s'il pense que Dumbledore est une marque de slips.

Allez, j'arrête de procrastiner, je lis mon livre d'économie.

Dès que j'aurai sorti le chien.

Two Changs

Mercredi 27 août

Hier soir, mon père a mis la touche finale à son dernier livre de recettes. Ce matin, il était de bonne humeur et il a cuisiné un petit déjeuner d'anthologie : œufs brouillés, bacon grillé, pancakes, pain perdu, et ses fameuses bananes au chocolat fondu dont il a le secret (qu'il ne veut pas révéler mais que je percerai un jour, aussi vrai que je m'appelle Puce).

Mon père exprime ses émotions en cuisinant. S'il se sent bien, il prépare un petit déjeuner américain. S'il est déprimé, il va plutôt chercher à retrouver les souvenirs de son enfance, alors il se lève tôt pour préparer des croissants, des baguettes, des madeleines… Il n'achète rien, il fait tout lui-même. Mes amis adorent ça. Quand je sens que mon père est contrarié le soir, je leur envoie un texto pour leur dire de venir prendre le petit déjeuner avec nous le lendemain matin.

Il y a des gens qui ne mangent pas par plaisir, mais par simple besoin. Pour eux, manger c'est comme se brosser les dents. Je ne suis pas comme ça. Je me perds plus facilement dans un pot de Nutella que dans les yeux d'un garçon. Ma gourmandise me vaut quelques kilos en trop, mais je n'en fais pas une obsession. Je suis comme tout le monde, j'aimerais bien avoir un corps parfait, le problème c'est que ce qu'on exige de moi en échange, c'est que je surveille tout ce que je mange et que je fasse du sport tout le temps. En gros, que j'aie une vie horrible.

Sara dit qu'on est tous des chocolats, et que moi, je suis enrobée d'une fine couche de caramel. Si je suis en bikini et que je dégringole du toit d'un immeuble, je pense qu'on peut me rattraper en crochant dans le caramel. Chose qu'on ne pourrait pas faire avec Grace Quinn (la reine des Populaires), parce qu'elle n'a que la peau sur les os. C'est bien beau de se contenter d'une feuille de laitue et d'un peu de carottes râpées au déjeuner, mais si c'est pour ne pas survivre à une chute du toit en bikini, est-ce que ça vaut vraiment le coup ?

En plus du petit déjeuner royal, ma mère m'a laissée choisir la musique dans la voiture, j'ai reçu un A pour mon premier *quiz* d'économie, j'ai appris qu'un garçon m'aimait bien, et on a regardé un film pendant le cours de religion. Le glaçage sur le gâteau, c'est quand j'ai appris que James serait mon binôme en *lab* de biologie cette année.

James Chang est un Nerd, et un vrai petit génie. Il a étudié la physique quantique et la programmation sans l'aide de personne, il a appris le japonais juste pour pouvoir lire des mangas, et il est aussi président du club de robotique (il conçoit des robots qui se battent en duel, répondent au téléphone, et même certains qui donnent à manger au chien).

Il est chinois, petit, fin, avec des cheveux noirs qui font toujours un épi derrière, comme s'il venait de se réveiller. Après les cours, il fait du tennis. Il a essayé la lutte une fois, mais Soupe l'a martyrisé. Le lendemain, il avait des bleus partout. Quand le Klup a vu ses bras, il lui a demandé si tout se passait bien à la maison. James lui a dit qu'il faisait de la lutte, et le Klup lui a répondu qu'il n'était pas assez costaud pour faire de la lutte, jeune homme.

La plupart du temps, James est déconnecté du monde qui l'entoure. Au début, je me demandais s'il avait un problème, mais en fait, c'est juste qu'il est souvent fatigué. Il fait tellement de trucs qu'il ne dort pas beaucoup. Du coup, parfois il roupille en classe. Notre prof de maths en première année l'a surnommé Sleepy. C'est le nom du nain qui dort tout le temps dans *Blanche-Neige*.

James et moi, on a un rapport privilégié. Il parle chinois à la maison comme moi je parle français, alors on s'identifie un peu l'un à l'autre. Un jour, il m'a raconté que quand il va en Chine pour les vacances et que les Chinois entendent son accent, ils le traitent de « banane ». Jaune à l'extérieur, blanc à l'intérieur.

Inutile de dire qu'en biologie, il assure. Souvent, la prof lui donne des trucs en plus à faire parce qu'il finit tout trop vite. Quand elle a annoncé les groupes de cette année, j'étais partagée. D'un côté, j'avais peur d'être un boulet pour James, mais de l'autre, je savais que c'était la garantie d'avoir des A dans tous mes *labs*. Je suis nulle en *labs*. Je casse des becs verseurs, j'oublie d'éteindre le feu, et je panique quand je vois tout le monde écrire des trucs alors que je n'ai pas encore compris ce qu'il fallait faire.

Aujourd'hui, on a commencé à étudier le comportement des drosophiles. Enfin, ça c'est le nom que leur donne la prof. Le reste du monde appelle ça des mouches à fruits.

On a commencé par aller s'asseoir à côté de notre binôme. Quand je suis arrivée près de James, il était en train de parler en chinois avec Naomi. Elle s'appelle Chang, comme lui, et comme elle est chinoise aussi, les profs qui ne les connaissent pas en début d'année leur demandent toujours s'ils sont frère et sœur. Ça les agace. Ils se connaissent depuis qu'ils ont trois ans, alors parfois on a vraiment l'impression qu'ils sont frère et sœur. Ils se disputent souvent. Ils se réconcilient toujours.

Naomi est l'équivalent féminin de James, en plus froide. La plupart des gens au lycée la trouvent hautaine et méprisante. Je pense que c'est parce qu'elle n'a jamais rien d'autre que des A et qu'elle est très compétitive. C'est la seule vraie amie de James. Ils parlent toujours en chinois, comme si c'était leur code secret.

Ils étaient en train de parler de chimie (je ne parle pas chinois, mais Naomi a gribouillé une formule, et James a secoué la tête et pointé la formule du doigt comme s'il n'était pas d'accord). Je me suis assise à côté de lui. J'ai croisé le regard d'Aiden, qui est le nouveau binôme de Naomi et qui venait de s'installer à côté d'elle. On s'est souri. Elle aussi, ça l'amusait d'entendre James et Naomi se disputer en chinois.

Avec James, on a identifié le sexe de nos mouches à la forme de leur abdomen, et ensuite, il a fallu les compter. On a dû se mettre par équipe de quatre, et diviser notre chambre à mouches en quatre compartiments pour que chacun se concentre sur une partie. On a fait équipe avec Aiden et Naomi.

Aiden a une odeur particulière. Je ne sais pas ce que c'est, mais c'est très agréable. J'avais envie de m'approcher pour la sentir de plus près, mais comme a priori je ne suis pas un chien, je me suis retenue.

On a relevé la tête au même moment, et on a attendu en silence que Naomi et James finissent de compter leurs mouches. Ensuite, Naomi a tenu à préciser qu'elle avait fini après nous uniquement parce qu'elle avait plus de mouches à compter. J'ai regardé Aiden, et j'ai vu une lueur dans ses yeux. Je parie que j'avais la même dans les miens. C'est parce qu'un sourire ne peut pas mourir. Quand on le retient pour ne pas froisser quelqu'un, il remonte et se transforme en une lueur dans les yeux.

Endives & Liturgy

Jeudi 28 août

Vous savez, ces trucs qu'on déteste faire, mais qu'on doit faire quand même ?

Attendre chez le médecin alors qu'on avait rendez-vous une heure plus tôt. Sentir la tiédeur des crottes du chien quand on les ramasse avec le sac plastique. Dire à un garçon que non, on n'a pas envie d'aller manger une glace avec lui. Se re-raser les jambes après s'être laissée aller et avoir le feu du rasoir. Apprendre des mots comme « céramique » ou « chaumière » en espagnol, juste pour avoir une bonne note à un *quiz* stupide sur les habitations en Andalousie.

À mon âge, la liste est longue. On est trop vieux pour être considérés comme des enfants, mais trop jeunes pour être acceptés comme des adultes. Les trucs qu'on déteste, on a du mal à les éviter. J'entends souvent dire que les adolescents sont rebelles. C'est faux, on n'est pas rebelles, on a juste grandi, et on aimerait que les gens s'en rendent compte.

Tout en haut de la liste des choses que je déteste faire, il y a « aller à la messe ».

Dans mon école, on doit prendre cinq cours de religion en quatre ans pour recevoir notre diplôme. Il y a une prière au début de la journée, une pendant le déjeuner, et plusieurs fois dans l'année, il y a de longues messes.

Le prêtre parle, la chorale chante, les grands-parents sourient, et moi je m'ennuie.

Ce matin, c'était la première messe de l'année.

La première chose que je fais quand j'entre dans l'auditorium, c'est de trouver Sara. Elle arrive toujours avant moi et me garde une place. Pendant la messe, on écoute de la musique en cachette. Les profs ne peuvent pas voir nos écouteurs sous nos tignasses. Sara a même une playlist rien que pour les messes sur son iPhone.

Ce matin, Vaneck a demandé s'il pouvait se joindre à nous. Je lui ai dit :

« Le jour où tu arrêteras de te raser la tête, tu pourras écouter de la musique pendant les messes. »

Ne pas avoir le son change notre interprétation des choses. Par exemple, très souvent, le prêtre, qui est sur scène devant l'assemblée, demande qu'on se lève. Et puis qu'on s'assoit. Et puis qu'on se relève, et puis qu'on se rassoit. Sans le son, on dirait que toute la salle est en train de jouer à Jacques a dit.

Parfois pendant les messes, j'ai l'impression qu'on n'est pas au lycée, mais dans une espèce de secte où tout le monde a pété les plombs. Les gens avec les mains tournées vers le ciel, le prêtre en toge qui embrasse la table et boit dans une coupe en or, l'assemblée qui murmure une prière, tous ensemble, avec des mots comme « Pardonne-nous » et « Toi notre sauveur »… Chaque fois, je regarde les autres, les profs surtout, la directrice, et je me dis que c'est dingue que tout le monde trouve ça normal.

Ce matin, je crois que Soupe a réussi à s'endormir debout. De loin, il avait l'air drôlement pieux, mais en y regardant de plus près, il était en train de piquer du nez.

À côté de lui, il y avait Vince, l'ex de Sara. Il m'a fait un signe de la main. Je déteste les signes de la main. Si je ne réponds pas, je suis malpolie, mais si je réponds, je prends un risque, parce que je ne peux jamais être sûre que c'est bien à moi qu'on a fait signe.

J'ai répondu quand même, parce que Vince est un copain, et s'il y en avait un de nous deux qui devait passer pour un idiot, je préférais que ce soit moi. Vince est un peu comme Sara, il fait souvent des trucs bêtes qui me font rire. L'année dernière, il a frotté son front comme un fou pendant une demi-heure pour faire croire qu'il avait de la fièvre et être dispensé d'un *quiz*, mais il l'a tellement frotté qu'il a gardé la marque pendant plus d'un mois. Les médecins ont dit que c'était une « décoloration temporaire de l'épiderme frontal ». Et ne levez pas les yeux au ciel, hein, parce que c'est une histoire vraie.

Je dis toujours que chacun fait ce qu'il veut, tant qu'il n'embête pas les autres. Si ça plaît aux gens de croire en Dieu, moi ça ne me dérange pas. Mais à mon avis, c'est juste un truc qu'on a inventé pour aider à faire passer l'arrière-goût amer de la vie. Quand mon père veut me faire manger des endives, il les enroule dans du jambon, puis de la crème, puis de la sauce Béchamel, et il met tout ça au four saupoudré de fromage. Les endives, c'est la vie. Le reste, c'est la religion.

Whatever

Dimanche 31 août

Tous les ans avec mes amis, à la fin du mois d'août, on allume des feux d'artifice. C'est notre aventure du début d'année. Je dis aventure, parce que les feux d'artifice ici, c'est toute une histoire.

Dans le Delaware, c'est interdit. On ne peut ni en acheter, ni en utiliser. Par contre, juste de l'autre côté de la frontière, en Pennsylvanie, il y a des magasins. Et pour en acheter dans ces magasins, il faut prouver que vous n'habitez pas en Pennsylvanie, parce que leur loi interdit d'en vendre aux locaux. Donc, le résident pennsylvanien ne peut pas acheter de feux d'artifice dans les magasins de son propre État, contrairement à celui du Delaware, qui lui peut en acheter, mais n'a pas le droit de les allumer, ni là-bas, ni quand il revient chez lui. Ça va, tout le monde suit ?

Hier pour aller au magasin, on a pris la voiture de Soupe. C'est une Volkswagen Jetta noire. Quand il en parle, si vous ne savez pas que « Cecilia » est une voiture, vous penseriez que c'est sa petite amie. Le jour où Vaneck s'est assis sur le capot, j'ai cru que Soupe allait s'évanouir.

Quand il est venu me chercher, il a parlé mécanique avec mon père. Mon père n'y connaît rien, et Soupe non plus. Ils utilisaient tous les deux des mots compliqués qu'ils avaient glanés ici et là, en espérant que l'autre n'y verrait que du feu. Quand ils se sont quittés, ils étaient tous les deux très fiers.

Après, on est allés chez Vaneck, où lui et Sara nous attendaient. Orcel était là. C'est le grand frère de Vaneck. J'aime bien quand Orcel est là. On dirait Denzel Washington en plus jeune. Chaque fois qu'il me dit bonjour, je perds toute notion de la façon dont il faut articuler un mot. Maintenant je ne dis plus rien. Je souris, je rougis, et je regarde mes pieds. Je connais mes pieds sur le bout des doigts.

Sara dit qu'Orcel m'aime bien. Mais quand on était *sophomores*, elle disait aussi que l'apocalypse était pour la fin de l'année.

Tous les ans, on a affaire au même type dans le magasin de feux d'artifice : Chuck, un vétéran de la guerre du Golfe avec une longue queue-de-cheval et des tee-shirts de Metallica, qui a toujours une leçon de vie à nous offrir. L'année dernière, c'était :

« Si tu cherches le soleil au fond de tes chaussures, tu n'y trouveras que des ampoules. »

Cette année, on a eu droit à :

« Quand tu lèves la tête, ce n'est pas toi qui regardes le ciel, c'est le ciel qui te regarde. »

On avait tous une théorie différente. Vaneck a dit qu'il parlait de Dieu, Sara de notre responsabilité écologique envers la planète, et moi j'ai dit qu'il était bourré. Soupe n'a fait aucun commentaire. Ça lui arrive souvent. Il pense que rien n'a d'importance parce que les ondes des téléphones portables et du wifi nous auront tous tués d'ici 2030.

On a présenté sa fausse carte d'identité, sur laquelle il s'appelle Olufemi Merz et a vingt et un ans, et on est repartis avec des feux d'artifice plein les bras. Direction notre endroit top secret, un coin reculé dans la campagne du Delaware. La station de police la plus proche est à une demi-heure, alors si quelqu'un les prévient, le temps qu'ils se pointent, on est déjà partis.

Quand on est arrivés, quelques Athlètes étaient déjà là. Ils faisaient un barbecue en attendant que la nuit tombe pour lancer leurs feux d'artifice. On avait pourtant juré de ne jamais partager notre endroit top secret, mais Sara a craqué la semaine dernière, quand John Michael l'a, je cite, « hypnotisée avec ses beaux yeux d'écureuil sauvage ».

Quand ils ont vu nos feux d'artifice, ils nous ont proposé de faire équipe pour essayer de lancer le meilleur feu d'artifice de l'histoire des feux d'artifice. Mais d'abord, il fallait attendre la nuit.

Pendant qu'ils dégustaient leurs steaks, leurs côtelettes, leurs saucisses et leurs chips, et rinçaient tout ça avec les sodas et les bières empilés dans leurs glacières, on a fait ce qu'on fait tous les ans, et partagé les plats qu'on avait apportés. Sara avait préparé une salade de pommes de terre, Vaneck une salade d'œufs au bacon, Soupe sa spécialité, des beignets de crevettes, et moi j'avais cuisiné des cupcakes à la myrtille et des muffins au chocolat.

Quelques joueurs de football sont venus voir s'ils pouvaient en avoir. Soupe leur a dit qu'il faudrait lui passer sur le corps. Ils ont rigolé, n'empêche qu'ils ne s'y sont pas frottés. Ils ont tous vu de quoi Soupe était capable l'année dernière quand est venu le temps des compétitions de lutte.

Lorsque la nuit est tombée, on a tous sorti nos iPhone pour s'éclairer, et John Michael a allumé la première mèche.

Au début, c'était magnifique. De belles bleues, de belles vertes... Comme chaque année, Vaneck enfonçait la tête dans les épaules parce qu'il avait peur qu'une fusée lui retombe dessus et lui «crame la boîte crânienne».

Mais ça n'a pas duré longtemps, parce que après deux minutes à peine, Joe Biglio, le plus lourd des joueurs de football (au propre et au figuré), a décidé que lui aussi voulait allumer des mèches. Je ne sais pas comment il s'y est pris, mais il a réussi à mettre le feu au stock. Avant qu'on ait pu se rendre compte de ce qu'il avait fait, on s'est retrouvés avec un bruit assourdissant, des étincelles partout, et des fusées aux fesses.

Les gens couraient dans toutes les directions. Parfois on s'arrêtait, à bout de souffle, on espérait que c'était fini, et puis on entendait un *pchiouuuuuu* et on voyait un truc mauve, orange ou vert nous arriver droit dessus, et on se remettait à courir en hurlant. Le meilleur feu d'artifice de l'histoire des feux d'artifice.

Quand la folie a pris fin, on a tous regardé Biglio avec de gros yeux. Il a haussé les épaules, et il a dit ce qu'il dit toujours, quelle que soit la situation :

« *Whatever.* »

C'est l'un de ces mots qui n'ont pas d'équivalent en français. J'ai demandé à mon père, et il pense qu'il faudrait combiner quatre expressions : «peu importe», «laisse tomber», «je m'en fous de toute façon», et «pffffffffff». Si tout ça fusionne, ça fait *whatever*.

Sur le chemin du retour, on s'est arrêtés chez Wawa (une chaîne de supérettes sur la côte Est où on adore aller pour manger des cochonneries). Sara et Vaneck voulaient un smoothie à la fraise et à la banane, et Soupe et moi on voulait un milkshake à la menthe et aux pépites de chocolat. Vaneck a payé pour Soupe. Officiellement,

Soupe avait oublié son portefeuille. Officieusement, il a des oursins dans les poches.

À l'intérieur, on a vu un groupe de femmes chauves. On se demandait ce que c'était, et puis on a compris que l'une d'elles faisait de la chimiothérapie et que toutes les autres s'étaient rasé la tête par solidarité. J'ai demandé à Sara si elle se raserait la tête pour moi. Elle a répondu : «Seulement si je suis sûre que tu y passes.»

Comme je suis quelqu'un qui voit toujours le verre à moitié plein, j'ai pris ça comme un oui.

SEPTEMBER

First Impression
Mardi 2 septembre

Ce matin, je me suis réveillée en mode dragon. Ça va durer six jours, sept si Dieu existe et m'en veut de ne pas croire en lui. Les migraines, la fatigue, les maux d'estomac… Pour les petits bonhommes qui vivent dans ma tête, c'est Waterloo. Franchement, je ne peux pas croire que ça soit fait exprès. On dirait plutôt un défaut de fabrication, sauf qu'il n'y a pas de service après-vente et qu'on va devoir faire avec jusqu'à la fin des temps.

Je dis toujours la même chose à mes parents : « Bonne nouvelle, je ne suis pas enceinte ! » Ça fait sourire mon père, mais pas ma mère. Alors, on établit un périmètre de sécurité autour de moi. Pendant une semaine, je suis *off limits*. On n'aura pas de discussion sur un sujet désagréable, genre la voiture qu'ils ne veulent pas m'acheter pour l'université l'année prochaine. On ne réveille pas un dragon qui sommeille.

Au lycée, les filles sont passées maîtres dans l'art de gérer ça sans attirer l'attention des garçons. Personnellement, je ne veux pas dramatiser, mais si un garçon apprend ce qui se passe, j'achète un faux passeport au marché noir, je trouve un chirurgien esthétique pour me refaire le visage, et je vais vivre au Venezuela.

L'une de nos techniques fétiches, c'est de garder un tampon à l'intérieur d'une chaussure, ou dans une manche. Comme ça, si ça arrive pendant un cours, on n'a pas à le récupérer dans notre sac, ce qu'un garçon verrait à coup sûr, parce qu'ils surveillent tout ce qu'on fait comme des espions.

L'autre jour, une copine m'a dit que Liam Costello m'aimait bien. Quand on aime bien quelqu'un, souvent on demande son numéro à l'un de ses copains, et on lui envoie un texto pour l'inviter à une *date*. Généralement, ça veut dire aller à une fête, manger une glace, ou se promener. Au moins, si la personne refuse, on peut faire comme si de rien n'était le lendemain au lycée. Mon père trouve que c'est nul, parce que quand il était jeune, il invitait les filles au cinéma, et il le faisait en face à face. Il est gentil mon père, mais aujourd'hui, plus personne ne fait ça.

Du coup, depuis quelques jours, j'attendais que Liam m'envoie un texto. Je commençais à me demander si j'avais pris du poids. Mon dernier petit ami m'a quittée il y a trois mois et depuis, j'ai un peu perdu confiance en moi. Quand j'étais avec Ben, je ne me souciais de rien. Aujourd'hui je doute de tout. En plus, comme il paraît que la première impression est la plus importante, ces derniers jours je me disais qu'il fallait que je sois bien tout le temps, au cas où Liam me regarderait. Ce matin avant d'aller au lycée, j'avais beau être en mode dragon, j'ai quand même changé trois fois de coiffure. Tout ça pour un garçon que je ne connais même pas. Bravo, Puce.

Pendant le cours de physique ce matin, on a eu un exercice d'évacuation. J'aurais préféré que ça arrive pendant le cours de religion, mais c'était déjà bien d'avoir dix minutes de répit au lieu de parler de moments cinétiques et d'inertie rotationnelle. Lorsque la sonnerie assourdissante a retenti, tout le monde a mis ses mains sur ses oreilles, et le prof nous a demandé de sortir dans le calme.

J'allais rejoindre Sara à l'autre bout du *quad* quand bim bam boum, qui est-ce qui vient me parler ? Liam Costello. Ça ne m'était jamais arrivé avant, un garçon que je ne connais pas, qui m'aime bien, et qui s'adresse à moi sans se cacher derrière son écran de téléphone. Liam est encore un *junior*, et pour des raisons de hiérarchie socio-sentimentale que j'expliquerai un autre jour, ça m'a d'autant plus impressionnée.

« *Hi* », il m'a dit.

« *Hi* », j'ai répondu.

« *Pouce, right ?* »

« *Puce.* »

« *I'm Liam.* »

Il m'a tendu la main, comme si on était à un entretien d'embauche. Je l'ai serrée, et j'ai souri. Mais j'ai vite arrêté. Un tampon venait de glisser de ma manche et était tombé à ses pieds.

Liam a cru que j'avais fait tomber mon stylo, et il s'est baissé pour le ramasser. Noooooon ! Ma première impression ! *Awkward !*

Je fais une pause pour expliquer *awkward*, parce que ma vie est truffée de moments comme ça, alors je risque de l'utiliser souvent. *Awkward*, en gros, c'est quand un truc vous met mal à l'aise. Genre :

1. Vous racontez une histoire à quelqu'un, et vous vous rendez compte en plein milieu que vous la lui avez déjà racontée.

2. Le dentiste vous pose une question alors qu'il a les doigts dans votre bouche.

3. Vous rencontrez de la famille en France et pensez devoir leur faire deux bises alors qu'ils en font trois.

4. Votre père vous dépose devant le cinéma où vous attendent vos copines, puis repart en klaxonnant et en faisant coucou avec la main (*true story*).

Quand il a vu ce qu'il avait dans la main, Liam a fait une drôle de tête.

Humiliée, écarlate, j'ai rangé cet idiot de tampon

dans ma chaussure, et je me suis tournée pour partir, parce qu'il fallait que je trouve l'adresse d'un chirurgien esthétique.

Mais là, Liam m'a dit le truc le plus inattendu du monde :

« Ça te dirait d'aller au cinéma avec moi samedi soir ? »

Ça m'a laissée sans voix. Entre ça et le serrage de mains, je me suis demandé s'il était membre d'un club secret de gens passionnés par tous les trucs que plus personne ne fait, comme envoyer un message par pigeon voyageur, regarder un film avec un magnétoscope, ou inviter une fille au cinéma en face à face.

« *Okay* », j'ai répondu finalement.

C'est dur de dire non à un garçon qui a de beaux cheveux bruns en bataille, de jolies fossettes, et qui ne vous invite pas par texto. J'ai pris sa main, et j'ai écrit mon numéro de téléphone dessus. Et puis je suis allée retrouver Sara et Soupe, qui m'attendaient en souriant comme deux idiots. Vaneck est arrivé juste après, et il a demandé pourquoi tout le monde souriait.

Slut & Wallpaper

Mercredi 3 septembre

En anglais, on dit qu'il ne faut pas juger un livre sur sa couverture.

Prenez Elodie Dickinson, par exemple. Blonde, un nœud dans les cheveux comme Alice au pays des merveilles, un uniforme tiré à quatre épingles, des joues qui rougissent quand les profs l'interpellent, et des petites fiches de révision à la main avant les *quizzes*. Elodie Dickinson est une élève modèle.

Et pourtant, c'est une *slut*.

Mon père m'a fait promettre de ne pas utiliser les gros mots qu'il m'a appris en français, alors je ne vais pas traduire, mais il faut bien appeler les choses par leur nom. Un type qui fait du pain pour son village, ça s'appelle un boulanger. Une fille qui a couché avec la moitié du lycée, ça s'appelle une *slut*. Je ne dis pas que c'est bien ou que c'est mal, hein, chacun fait ce qu'il veut de ses fesses, je vous explique juste comment ça s'appelle.

Ce matin en cours de littérature, Joe et Emily parlaient d'une fête qui a eu lieu cet été chez Nick Xu. Seuls les Populaires étaient invités. Elodie n'est pas une Populaire, mais quand tu obtiens le statut de *slut*, c'est comme le ticket doré dans *Charlie et la chocolaterie*, sauf qu'au lieu d'avoir accès à un endroit farfelu plein de bonbons, tu as le droit d'aller à toutes les fêtes pour l'éternité.

Pendant que j'écrivais mon commentaire d'un poème de John Keats, j'ai entendu Joe et Emily dire qu'Elodie avait couché avec trois Athlètes différents pendant la soirée. Autant vous dire qu'à huit heures du matin, mes céréales aux noix de macadamia pas encore digérées, j'ai moyennement apprécié l'image qui est apparue dans ma tête. Ce n'était pas la première fois que j'entendais parler des exploits sexuels d'élèves pourtant discrets. J'ai l'impression que ce sont toujours ceux auxquels on s'attend le moins qui font ce genre de trucs.

J'ai essayé de me concentrer sur Keats pour oublier ce que je venais d'entendre, mais j'ai été encore distraite, cette fois par Seemus, deux rangs devant, qui était en train de changer le fond d'écran de Tom Pearce pendant qu'il était aux toilettes. Normalement, personne ne fait de blague pendant le cours de Mr Crinky parce qu'il n'est pas commode, mais Seemus profitait du fait qu'il était occupé à expliquer à Katie la différence entre une métaphore et une allégorie.

Quand Tom est revenu, il s'est retrouvé devant un fond d'écran qui n'était plus lui et ses deux meilleurs copains sur une plage à Miami, mais un petit bouledogue avec une grosse érection.

Là où ça s'est compliqué, c'est quand Katie a compris la différence entre une métaphore et une allégorie (d'habitude elle ne comprend jamais rien), et que Mr Crinky s'est remis à passer dans les rangs pour lire nos commentaires. Le pauvre Tom n'a pas eu le temps de changer d'image avant de se ramasser un point et une invitation pour la *detention* après les cours.

Le prof a pris la classe à témoin pour annoncer qu'il espérait que ça «ferait passer à Mr Pearce l'envie d'utiliser son ordinateur portable pour se rendre intéressant».

Tag Day
Jeudi 4 septembre

Aujourd'hui, j'ai eu Honte.

Pourtant, la journée s'annonçait bien. C'était un *tag day*. On fait des *tag days* une fois par semaine. Ces jours-là, contre deux dollars donnés à l'entrée du lycée (et reversés à une œuvre de charité), on peut s'habiller comme on veut.

Il n'y a que trois catégories d'élèves qui portent quand même leur uniforme pendant un *tag day* :

1. Les radins, qui n'ont pas voulu dépenser deux dollars.

2. Les fainéants, qui ont eu la flemme de réfléchir à ce qu'ils allaient porter.

3. Les têtes en l'air qui ont oublié que c'était un *tag day*.

Quand je suis montée dans le bus, j'ai senti un vent glacial tourbillonner dans mon ventre. Tous les élèves de mon lycée étaient en uniforme. Là, comme dirait mon père, ça a commencé à sentir la choucroute.

Toute rouge, j'ai demandé aux autres (sans conviction) s'ils avaient oublié.

« *Tag day's tomorrow* », ils ont dit en rigolant.

Mais le bus avait déjà redémarré, et c'est comme ça que j'ai passé la journée en short, tee-shirt et Converse au milieu d'élèves en uniforme. *Awkward!*

Pour ne rien arranger, quand j'ai croisé le Klup, il m'a donné deux points d'un coup. Encore un point, et chaque point que je recevrai après ça me vaudra d'aller en *detention* après les cours. J'ai pensé à protester, mais il paraît que le Klup adore le petit paragraphe dans le règlement qui précise que si on conteste et qu'on a tort, on peut prendre plus que la sanction de départ.

Même ma mère a rigolé quand je l'ai croisée dans un couloir. Le seul qui a été sympa avec moi, c'est Vaneck. Il a passé son grand bras mince autour de mon cou, et il m'a dit que l'apparence, c'était dans la tête. Hier, il disait que les femmes qui portent des décolletés peuvent dominer le monde.

Lorsque je suis allée chercher mes livres dans mon casier, j'ai trouvé un mot de Liam Costello. Il me rappelait qu'on avait notre *date* après-demain, et me demandait si je voulais aller manger une glace chez Benny's après le cinéma (ils ont les meilleures glaces de l'histoire du Delaware). J'étais soulagée qu'il ne me propose pas d'aller chez Luigi's pour manger un bol de pâtes, parce que sur les trois *dates* que j'ai eues là-bas par le passé, j'ai fait des taches de sauce tomate deux fois et ça commence à bien faire.

Liam finissait son mot en disant qu'il avait hâte de me voir. Ça a réchauffé le vent froid que j'avais dans le ventre depuis le bus.

Je lui ai écrit que j'étais d'accord, que j'avais hâte de le voir aussi, et j'ai demandé à sa sœur en cours d'espagnol son numéro de casier pour y glisser ma réponse. Je lui ai fait répéter le numéro pour être sûre, parce que la dernière chose dont j'avais besoin, c'était de laisser un mot avec «J'ai hâte de te voir» dans le mauvais casier. Ce serait plus facile de s'envoyer des textos, mais l'utilisation des téléphones est interdite pendant la journée et les profs ne rigolent pas avec ça.

En parlant de profs qui ne rigolent pas, aujourd'hui Mr Brock a commencé à nous parler de la Seconde Guerre mondiale.

Quand je raconte à mon père ce qu'il nous dit, ça le rend fou. Mr Brock traite les Français de poules mouillées qui auraient tous parlé allemand sans l'aide des Américains. Ma prof de l'année dernière nous avait pourtant expliqué que sans l'URSS, on aurait moins fait les guignols. J'avais envie de lever la main pour rappeler à Mr Brock qu'il y avait aussi des résistants chez les Français et des violeurs chez les Américains, mais ça m'aurait coûté un point à coup sûr, et j'avais déjà une journée assez pénible comme ça sans me retrouver en plus en *detention* à cause d'un prof trop patriote.

À la fin du cours, il a annoncé que dans trois semaines, on serait notés pendant un débat à deux contre deux, et qu'il voulait savoir les groupes qu'on choisissait avant de quitter la classe. D'habitude, je préfère que les profs nous laissent le choix pour former nos groupes, mais quand c'est une classe où je n'ai pas de copains comme là, je déteste ça. Je vois tous ceux qui se connaissent se mettre ensemble, je me crispe, et je prie pour que quelqu'un de pas trop nul me demande de faire équipe avec lui.

Comme c'était une journée complètement ratée, j'étais sûre que j'allais me retrouver avec Eugene (que je soupçonne d'être un psychopathe). Mais par chance, Aiden m'a demandé si je voulais travailler avec elle. À son sourire quand j'ai dit *yes*, je dirais qu'elle a entendu tout le soulagement qu'il y avait dans ces trois petites lettres.

Après les cours, c'était l'Activity Fair sur le *quad*. C'est comme une foire avec des stands partout, et tous les clubs se battent pour attirer les élèves avec de la musique, des bonbons, du faux champagne et des cupcakes. Il y a une vingtaine de clubs au lycée : le club de lecture, de théâtre, d'échecs, d'écologie, le journal de l'école…

Comme chaque année, je me suis inscrite au club de français. Ma mère est la modératrice, alors j'y vais de temps en temps pour aider les membres à faire leurs devoirs, ou pour regarder des films avec Romain Duris (j'estime que nous sommes faits l'un pour l'autre depuis que mon père m'a montré *L'Auberge espagnole* quand j'avais dix ans).

Pour la première fois de ma vie, je me suis inscrite pour Mock Trial. Je n'avais jamais fait partie de ce club avant. Mais quand je suis passée devant leur stand, Miss Mastoroudis (une jeune prof très cool) m'a interpellée :

« Pas la peine de t'arrêter, on ne recrute que des élèves en uniforme. »

Ça m'a fait rigoler, et du coup je me suis inscrite. Comme quoi, une bonne blague peut convaincre aussi bien qu'un verre de faux champagne (même si le cupcake à la vanille promis à la signature n'a rien gâché).

Je vous laisse sur un texto de Sara, qui apparemment est en train de faire ses devoirs de biologie.

Jellyfish have no brain, no heart and no bones. Say what??! #mindblown
Les méduses n'ont pas de cerveau, pas de cœur, et pas d'os. Hein ??! #surlecul

Cheesy

Samedi 6 septembre

D'après la hiérarchie socio-sentimentale du lycée, la plupart des élèves sortent avec ceux de leur classe. Les *freshmen* sortent entre eux, les *sophomores* sortent entre eux, et ainsi de suite. Mais les filles aiment aussi sortir avec un garçon une classe au-dessus. La règle de base, c'est que plus l'écart de classe est grand, plus l'écart de beauté entre les deux peut être grand aussi. Par exemple, un *senior* moyen peut sortir soit avec une *senior* moyenne, soit avec une *junior* mignonne, soit avec une *sophomore* très mignonne (l'écart d'attractivité sera compensé par le prestige dont bénéficiera la *sophomore* en étant avec le *senior*).

Avec Liam c'est bizarre, parce que c'est moi qui suis plus vieille que lui. Il est très mignon. Il ressemble à Taylor Lautner, avec un visage moins rond et un air moins stupide.

Ce soir, il est passé me chercher à la maison. Devant l'insistance de Sara, j'avais accepté de mettre un peu de mascara et du gloss transparent. La coquetterie, c'est pas trop mon truc. Le maquillage, c'est joli mais c'est trop contraignant. Le mascara me stresse. Si tu as le malheur de cligner des yeux après en avoir mis, tu t'en mets partout. Pouvoir pleurer ou se frotter les yeux quand on veut, c'est quand même une liberté fondamentale.

Je veux bien essayer d'être jolie, mais si c'est pour mettre mon visage en prison, c'est pas la peine. Quant aux vêtements, j'adore faire les magasins, mais pas porter des trucs trop pompeux. Les talons, c'est inconfortable, et on ne peut pas marcher correctement, on dirait des mini-échasses. Mon but dans la vie, c'est d'être *mignonne*. J'ai abandonné *belle*.

D'abord, on est allés au Rialto, un petit cinéma poussiéreux mais charmant qui ne passe que des films des années 80 et 90. Liam dit qu'aujourd'hui Hollywood fait du cinéma pour écervelés. Je ne suis pas d'accord avec lui, mais je dois avouer que *Gremlins* était un sacré bon film (depuis que je suis rentrée, je n'arrête pas de regarder sous mon lit au cas où il y aurait des monstres).

Après, on est allés chez Benny's et on a mangé de la glace à la vanille avec des petits bouts de pâte à cookie pas cuite (c'est à la bouche ce que Channing Tatum est aux yeux).

J'ai passé un bon moment. J'ai appris que Liam jouait au rugby. Le truc ennuyeux, c'est qu'il n'aime pas lire. Il a lu *Harry Potter* mais ça ne compte pas, parce que même ceux qui n'aiment pas lire ont lu *Harry Potter*. L'autre truc ennuyeux, c'est qu'il est super chrétien. Il a dit des trucs moralisateurs sur des copains à moi pendant la soirée, et je n'ai pas trop aimé. Ça, c'était dans la colonne des mauvais points. Dans la colonne des bons points, le rugby a donné à Liam des bras et des fesses A+, et il a des longs cils. Non, en fait ça c'était un mauvais point parce que ça m'a rendue jalouse.

Après la glace, on a fait une promenade. Sur un petit pont au-dessus de la rivière, il m'a pris la main, et il a fait un commentaire sur la beauté de la lune qui se reflétait dans l'eau. J'étais un peu gênée. Pas par la main, mais son commentaire était un peu *cheesy*, quand même. En d'autres termes, c'est une chose que la lune soit belle, c'en est une autre de le faire remarquer avec des mots qui semblent sortir tout droit d'un roman à l'eau de rose.

C'est étrange, les relations humaines. Tu ne connais pas un garçon, et trois jours plus tard, ta main est dans la sienne, et il te parle de la lune.

Parfois pendant la balade, j'avais l'impression de ne pas être moi, d'être sortie de mon corps et de me regarder avec Liam. Je me demande si les hommes préhistoriques faisaient ça. Se promener, se prendre la main, faire un commentaire sur la grosse boule brillante dans le ciel qui fait un peu peur. Et puis tomber nez à nez avec un tigre à dents de sabre et mourir avant d'avoir pu s'embrasser, quelle tragédie.

Après la balade, Liam m'a raccompagnée. Au moment de se séparer, je me demandais s'il allait m'embrasser, et lui se demandait sûrement s'il devait m'embrasser. Comme il ne se décidait pas, je lui ai dit au revoir et je suis rentrée bredouille. J'étais un peu déçue. Quand je le vois avec ses copains à l'école, il a l'air sûr de lui. Il marche comme s'il était président du monde. Et puis ce soir avec moi, parfois on aurait dit Hercule pendant un gros orage. C'était pas très attirant.

J'ai passé l'heure suivante à tout raconter à Sara et à analyser le texto qu'il m'avait envoyé après. On fait ça souvent. On décortique les textos. Chaque lettre, chaque signe de ponctuation a son importance. Quand j'ai raconté à Sara pour le coup du baiser qui n'arrive pas, elle a utilisé le même mot pour qualifier Liam que mon prof d'histoire pour les Français pendant la guerre.

The Alchemist
Mardi 9 septembre

Parfois, je m'entends parler, et je n'aime pas qui je suis. Ou plutôt, je n'aime pas la version de moi que je suis en train d'être. Ça dépend à qui je parle. La conversation, c'est comme le tennis, on s'adapte à l'autre. J'aime mes amis parce qu'ils me permettent d'être une version de moi que j'apprécie. D'une certaine façon, à travers eux, c'est moi que j'aime.

La pire version de moi, je la dois à Grace Quinn, la reine des Populaires. Elle est magique. Elle est comme une alchimiste, mais au lieu de transformer le plomb en or, elle transforme les gens en débiles. Quand je lui parle, j'ai l'impression de ne dire que des choses idiotes. Et comme je n'ai pas de chance, il se trouve qu'elle est aussi la capitaine de mon équipe de hockey.

Elle est blonde, grande, super maigre, et elle a la peau marron-orange parce qu'elle fait des UV tout le temps. Elle adore faire des sourires, et puis dire des trucs dans le dos des gens à qui elle a fait des sourires. Si vous vous dites qu'elle est complètement cliché, vous avez raison. Moi aussi je me dis ça, chaque fois que je la vois. Et pourtant elle existe.

Si une fille est trop jolie, Grace a de grandes chances de la détester, et la plupart des Populaires aussi (enfin, juste les filles, parce que les garçons voudront coucher avec elle). Prenez Winter Azoni, par exemple. Je trouve que c'est la plus belle fille du lycée. Elle est adorable, et pourtant j'entends toujours les filles Populaires la critiquer quand elle n'est pas là. Sara m'a dit qu'elles avaient même créé un hashtag, *#stupidwinter*. Ce n'est pas très malin, parce que leurs tweets sont mélangés avec ceux des gens qui détestent l'hiver.

Aujourd'hui, après l'entraînement, Grace m'a demandé si je sortais avec quelqu'un « ces temps-ci » (pour Grace, les petits amis sont comme des fruits, à déguster selon les saisons). J'ai furtivement pensé à Liam, mais comme il n'est pas mon petit ami, j'ai répondu non. Elle m'a regardée d'un air désolé, et puis elle m'a dit que je devrais venir à sa fête ce week-end, qu'en tant que membre de son équipe, j'étais invitée, et qu'il y aurait plein d'Athlètes. Sérieusement, il fallait voir ses yeux briller, on aurait dit qu'elle venait de m'offrir une chance de marcher sur la lune.

Je l'ai remerciée, et puis on est parties chacune de notre côté, elle au téléphone avec son nouveau petit ami, et moi les mains dans les poches. Je crois que je cherchais où j'avais mis les clés de ma personnalité.

Salad & Ketchup
Vendredi 12 septembre

Ce soir en rentrant chez moi, j'ai collé un post-it au-dessus de mon bureau. J'ai écrit en grosses lettres rouges :
NE JAMAIS PLUS ÉCOUTER VANECK
Tous les étés, je suis maître-nageuse à la piscine municipale pour avoir de l'argent de poche pendant l'année scolaire. Cette année, il fallait aussi que je commence à

mettre de côté pour l'université, alors j'ai décidé de travailler le week-end.

Quand j'en ai parlé à Vaneck, il m'a dit :

« Viens travailler avec moi ! Tu verras, on rigole tout le temps, c'est génial. »

J'étais sceptique. Vaneck travaille dans un fast-food, et quand on pense à la vie d'un employé de fast-food, « génial » n'est pas le premier mot qui vient à l'esprit. Mais il paraît qu'il faut faire confiance à ses amis, alors j'ai postulé.

Ce soir, c'était mon premier soir.

Vaneck et moi, on ne doit pas avoir la même définition de « rigoler tout le temps ». J'ai eu envie de pleurer, de hurler, de me terrer au fond d'un trou, de croire en Dieu pour pouvoir le supplier de ne pas me punir comme ça. Je n'ai pas rigolé une seule fois.

Vaneck m'avait dit que je serais en caisse, parce que toutes les filles sont en caisse. Dès mon arrivée, on m'a annoncé que j'étais en cuisine.

Si vous voulez savoir à quoi ressemble la cuisine d'un fast-food pendant une heure de pointe, imaginez la salle des machines du *Titanic*, au moment où les mécaniciens apprennent qu'ils vont heurter un iceberg.

Lorsque je suis entrée dans la cuisine, deux garçons plongeaient des dizaines de panières de nuggets dans de l'huile bouillante, deux autres préparaient des salades, trois garnissaient des dizaines de burgers en même temps, et un grand gars baraqué emballait tous les produits et les envoyait en caisse en les faisant glisser sur des espèces de rails. Pas une seule fille à l'horizon. Elles étaient toutes en caisse. Avec Vaneck.

Quand il m'a vue, le grand gars baraqué (qui avait des piercings et des tatouages partout) a fait des pas immenses pour venir me saluer. Sans rire, il devait porter des bottes de sept lieues sous son pantalon, parce qu'il ne lui a fallu que trois pas pour se retrouver devant moi. Avec mes petites jambes, il m'en aurait fallu au moins huit.

« Ah, la voilà ! il s'est exclamé. Les gars, on a une nouvelle. Dites bonsoir à la nouvelle. »

Et là, sans lever les yeux de ce qu'ils étaient en train de faire, les sept autres gars ont dit en même temps :

« Bonsoir, nouvelle ! »

Et puis ils ont tous rigolé. Pour rigoler, il faut être détendu. Ça m'a surprise qu'ils y parviennent, vu la jungle dans laquelle ils se trouvaient. Moi, j'ai eu un sourire crispé.

« *Capoutchini ?* » a demandé le grand gars baraqué en lisant l'étiquette sur mon polo.

« *Capucine. But you can call me Puce.* »

« *Nice. I'm Matt.* »

Il m'a expliqué qu'il était chef de cuisine.

« Comme un chef d'orchestre, il a dit, sans violon et sans contrebasse, mais avec des steamers et des toasters. »

On voyait bien qu'il était différent des autres cuisi-
niers. Nous, on avait l'air d'idiots avec notre casquette
du fast-food enfoncée jusqu'aux oreilles, mais Matt portait une casquette de Titi et Grosminet vachement cool, *really*
comme s'il avait reçu un passe-droit. À la façon dont il
donnait des ordres aux autres, j'ai senti qu'il était chez
lui. La cuisine, c'était son territoire.

Il m'a accompagnée à mon poste et m'a expliqué quoi
faire (il parlait super vite).

« Peter ici présent va t'envoyer des plateaux avec les
pains qu'il aura toastés. Tu me dis combien tu en as de
chaque sorte, et moi je te dis quoi faire dessus. Pour
le burger classique, c'est ketchup, petits oignons, cornichons – attention que les cornichons ne se touchent pas
pour que le client en ait dans chaque bouchée. Pareil
pour les cheeseburgers, mais tu ajoutes une tranche de
cheddar. Tu suis ? » *shake*

J'ai hoché la tête, et il a continué en parlant encore plus
vite qu'avant, et en garnissant des pains en même temps
pour illustrer ce qu'il disait. *pickles*

« Ceux-là, c'est sauce orange, gros oignons, salade, cornichons – attention que les cornichons ne se touchent
pas – deux tranches d'emmental disposées en étoile.
C'est ce qui fait la diff' entre un grand burger et un burger
moche. Tu ne vas pas nous faire des burgers moches,
toi, si ? »

J'ai fait non de la tête, tout en me disant que j'étais tout à fait le genre à faire des burgers moches (raison pour laquelle ils auraient dû me mettre en caisse).

« Tu feras gaffe, il a continué. Jamais de salade sur le ketchup. C'est la base. Tous les nouveaux se trompent. »

En tout, il y avait huit burgers différents. Au fur et à mesure, je répétais tous les ingrédients dans ma tête parce que j'avais peur d'oublier.

Évidemment, c'est exactement ce qui s'est passé. Matt est parti, a recommencé à donner des ordres à tout le monde, et très vite, je me suis mélangé les pinceaux.

Mais Peter était super sympa. En plus de toaster ses pains, il m'aidait discrètement à faire mes garnitures. Il m'a expliqué qu'il était polonais, et que son vrai nom c'était Piotr, mais qu'ici on l'appelait Peter parce que c'était plus facile à prononcer. Étant moi-même habituée aux gens qui prononcent mal mon nom, je me suis promis de toujours l'appeler Piotr, et avec un accent impeccable s'il vous plaît.

Au bout de vingt minutes, je pensais être devenue une vraie petite spécialiste, mais Matt est arrivé derrière moi, a pris le plateau que j'étais en train de préparer, et l'a jeté à la poubelle. Il m'a dit de recommencer, que ce n'était pas grave.

« Qu'est-ce que j'ai fait ? » j'ai chuchoté à Piotr.

« Salade et ketchup, il a chuchoté avec son accent polonais. Pas de problème. Tous les débutants font erreur. »

J'ai pris une grande inspiration, et j'ai recommencé.

Matt m'a demandé d'appuyer sur le champignon, parce que les choses sérieuses allaient commencer. J'avais le pied enfoncé à fond sur l'accélérateur, et il me disait d'appuyer sur le champignon !

C'est le moment qu'a choisi Vaneck pour passer sa grosse tête de diplodocus entre deux machines à boissons pour voir comment je me débrouillais. Je lui ai jeté un regard noir. Il le méritait, pour m'avoir entraînée dans cette galère. J'aurais pu vendre des vêtements, distribuer des prospectus à vélo, repeindre des clôtures... Dans le calme et la sérénité. Au lieu de ça, j'ai choisi le chaos.

Ça a duré quatre heures. Les plus longues de mon existence. Quand je sentais les larmes arriver, je les ravalais en me disant que dans la vie, il y a toujours un bon moment pour répondre à un mauvais moment. Le moment où j'ai mis de la salade sur le ketchup, c'était le mauvais moment. Normalement, demain, je recevrai une compensation. Ça tombe bien, parce que j'ai décidé d'aller à la fête chez Grace, et Liam sera là aussi. Je demande officiellement aux dieux des compensations que la mienne me parvienne sous la forme d'un bisou entre les deux joues, d'avance merci.

Sex, Hugs, and Rock 'n' Roll

Dimanche 14 septembre

Hier, j'ai passé l'après-midi au Mordor. Non, je n'ai pas de poils sur les pieds et non, je n'ai pas d'anneau à détruire pour sauver le monde, mais j'ai décidé d'appeler le fast-food où je travaille comme ça parce que j'ai super peur d'y aller mais qu'il faut y aller quand même.

Après six heures d'enfer là-bas, j'ai à peine eu le temps de rentrer chez moi et de manger un morceau que la sonnette retentissait déjà.

C'était Liam, qui venait me chercher pour m'accompagner à la fête de Grace Quinn. Ma mère l'a laissé entrer avant que j'aie pu finir de manger, ce qui fait que quand il m'a vue, j'avais encore la bouche pleine de spaghettis aux courgettes. Qui n'a pas rêvé d'avoir la bouche pleine de spaghettis aux courgettes au moment de retrouver le garçon qui doit l'embrasser plus tard dans la soirée ?

Il a eu le bon sens de parler à ma mère pour que je puisse finir de manger. Un point pour Liam.

Après un brossage de dents et dix recommandations de ma mère (mon père n'était pas là, d'habitude c'est lui qui dit à ma mère que ça suffit après trois ou quatre), on est partis.

Dans la voiture de Liam, il y avait un sac en papier marron avec une bouteille à l'intérieur.

«Tu vas boire?» je lui ai demandé.

«Non, je conduis. C'est pour Grace.»

Deux points de plus pour Liam. Un point parce qu'il n'est pas assez bête pour boire et conduire en même temps, et un autre parce qu'il avait prévu la taxe d'entrée, que personnellement, avec tous ces burgers à faire dans l'après-midi avec ces cornichons qui ne se touchent pas et ces fromages en étoile, j'avais complètement oubliée.

Quand on va à une fête, soit on donne de l'argent à l'hôte pour participer, soit on apporte de l'alcool. Ce qui n'est pas facile, parce que ici, l'alcool est interdit avant vingt et un ans. Alors il y a quatre possibilités:

1. Se cotiser avec ses amis et aller au magasin avec une fausse carte d'identité (dangereux).

2. Demander à un grand frère ou une grande sœur d'en acheter pour soi (humiliant).

3. Aller voir un dealer d'alcool (effrayant).

4. Attraper une bouteille de liqueur qui traîne à la maison dans la réserve des parents, en verser dans une bouteille en plastique, et apporter ça à la fête (pathétique).

De toute façon, je ne bois pas d'alcool. Je n'aime pas le goût, et puis je fais attention parce que certains garçons sont de vrais *assholes*. Ils te font boire jusqu'à ce que tu ailles t'allonger dans une chambre parce que tu as la tête qui tourne, et ils essaient d'en profiter pour coucher avec toi. C'est marrant, on n'utilise pas les mêmes mots pour en parler. Ils appellent ça «s'amuser», j'appelle ça «violer».

Lorsqu'on est arrivés, la fête battait déjà son plein. Grace a ouvert les bras en grand et m'a fait un *hug*, un *hug* à Liam, puis elle l'a dévisagé, et elle m'a regardée avec un petit sourire. Rendre jalouse Grace Quinn, ça a ajouté un quatrième point dans la cagnotte de Liam. Mais j'espérais qu'elle s'en irait vite, pour que son influence d'alchimiste destructrice de neurones ne m'affecte pas devant lui.

À l'intérieur, tous les Populaires étaient là.

Dans le petit cosmos du lycée, la planète des Populaires est unique en son genre. Pour y habiter, il faut être soit très riche, soit très beau (de préférence les deux), soit avoir une spécialité qui plaît aux autres habitants de la planète (par exemple, être une *superstar* parmi les Athlètes, vendre de la drogue, ou mettre constamment les profs au défi). Il faut aussi être *junior* ou *senior*, car un Populaire doit pouvoir conduire (malgré le fait qu'ils dépendent entièrement de la générosité de leurs parents, les Populaires aiment vivre dans l'illusion qu'ils sont indépendants).

Sur la planète des Populaires, des fêtes ont lieu presque tous les week-ends. Lorsque les parents d'un Populaire s'absentent, la planète tout entière est en ébullition, car un Populaire digne de ce nom ne manquera jamais une occasion d'organiser une fête. Sans parents, la maison entière est à disposition pour boire, danser, et faire des choses condamnées dans les sermons de l'église à laquelle ils vont le dimanche matin.

Mes amis et moi vivons sur notre propre planète. Elle

est plus discrète, rien qu'à nous. Un petit astéroïde, quoi. Le samedi soir, on a des habitudes différentes de celles des Populaires. L'une de nos préférées, c'est de passer la nuit dans une vieille cabane abandonnée qu'on a aménagée dans la forêt. Soupe l'a trouvée quand il avait dix ans. On a passé une bonne partie de nos week-ends de deuxième année à la rénover pour en faire notre quartier général. On fait des feux de camp, on se raconte des histoires effrayantes, on fait griller des marshmallows, Soupe joue de la guitare, Sara nous raconte les derniers potins, Vaneck imite les profs, on refait le monde, on glisse de fausses araignées dans le sac de couchage de Soupe, et pour les occasions spéciales, on fume un ou deux joints qu'on a échangés à Seemus contre des pâtisseries que j'ai faites.

Quelques fois dans l'année, on va à des fêtes ensemble, mais c'est plutôt rare. Autant vous dire que si je n'avais pas voulu passer du temps avec Liam, je ne serais jamais allée chez Grace Quinn sans mes amis.

Très vite, on a été séparés. Joe Biglio m'a arraché Liam parce qu'il lui manquait un partenaire pour une partie de Beer Pong (un jeu avec des gobelets remplis d'alcool et une balle de ping-pong). Grace m'a amenée au bar et a insisté pour que je boive un shot de vodka avec elle. Remarquant que j'étais mal à l'aise, JM m'a demandé si je voulais un jus d'orange. Il a dû le répéter trois fois, parce que avec les enceintes qui hurlaient, je ne comprenais rien à ce qu'il disait.

JM, c'est John Michael. C'est mon Populaire préféré. Quand on ne le connaît pas et qu'on le voit avec ses copains, on imagine que c'est un imbécile superficiel, mais en fait pas du tout. Il est doux, intelligent, sympa, et bien élevé en plus. Malheureusement, il était beaucoup trop beau pour échapper aux griffes des Populaires. Je pense que toutes les filles du lycée ont fantasmé sur lui au moins une fois. Il est grand, musclé, bronzé, et avec son sourire, il sait que s'il n'a pas de bonnes notes, il pourra toujours faire des pubs pour une marque de dentifrice.

Comme on ne s'entendait pas parler, on est sortis dans le jardin. On a croisé Elodie Dickinson qui se dirigeait vers l'escalier en tenant la main d'un gars avec une crête qui va dans un autre lycée.

JM m'a demandé comment j'allais, et si mon ex Ben me manquait.

« Bien sûr qu'il me manque, j'ai dit. Mais c'est la vie, il faut avancer, *you know* ? »

J'ai vite changé de sujet, parce que comme à chaque fois, ça me retournait le ventre de penser à Ben. On a parlé dix minutes, et puis la copine de JM est venue le chercher pour danser, et moi je suis partie chercher Liam.

Je l'ai retrouvé dans la cuisine, avec Grace. Elle chuchotait à son oreille, la main sur son épaule.

Le poignard dans le dos, c'est une spécialité des Populaires. Sara m'a souvent parlé de filles qui draguent les garçons dont leur meilleure amie est amoureuse.

Grace voulait faire voir à tout le monde qu'elle était la plus belle, et pour ça, rien de mieux que de montrer à tous qu'un garçon préférait être avec elle plutôt qu'avec la fille avec qui il était arrivé.

Quoi faire ? Soit je laissais Liam seul avec Grace, mais je n'étais pas venue pour ça, soit j'allais les rejoindre, mais je ne voulais pas avoir l'air *needy* (quelqu'un qui a besoin qu'on s'occupe d'elle tout le temps).

Quand j'ai vu Grace comme ça, tentant d'assiéger Liam, j'ai pensé à la collection complète des *Astérix* de mon père, et je me suis dit que moi aussi j'avais besoin de potion magique pour résister à l'envahisseur.

Je suis repartie dans le salon. J'ai trouvé une bouteille qui traînait, je me suis versé un demi-verre, et je l'ai avalé avant de pouvoir changer d'avis. Je ne sais pas ce que c'était, mais j'ai eu l'impression de boire ce truc qu'on met sur une plaie pour la désinfecter. J'ai fait la grimace, j'ai frissonné, et je me suis promis de ne plus jamais boire ce breuvage infect. Et puis, lentement, j'ai senti une vague de chaleur monter en moi, et je me suis détendue. J'ai pris une grande inspiration, et je suis retournée dans la cuisine.

« *Excuse me* », j'ai murmuré à Grace de ma voix la plus douce.

Elle s'est écartée. Je l'ai remerciée d'une voix encore plus douce, j'ai pris Liam par la main, et je suis partie avec lui, laissant Grace comme deux ronds de flan. Les petits bonhommes qui vivent dans ma tête se tapaient dans la main et se donnaient des *hugs* en se félicitant.

On a traversé l'agglutinement d'adolescents qui dansaient sur une chanson rock, et j'ai emmené Liam dehors. J'avais la tête qui tournait, parce que j'avais bu ma potion magique vraiment vite, et la façon dont je venais de tenir tête à Grace avait fait couler de l'adrénaline dans mes veines.

Liam souriait. Il était vraiment craquant. J'ai senti mon ventre faire des trucs bizarres.

«Merci», il a dit.

«Pourquoi?» j'ai répondu.

«Grace me collait.»

«Tous les garçons veulent être avec elle.»

«Pas moi.»

«Elle est jolie.»

«Toi, tu es jolie.»

J'ai posé ma tête contre son épaule. Je lui ai donné un point de plus dans ma tête.

«*You're pretty too*», je lui ai dit.

On a rigolé, parce que *pretty* est plutôt un mot pour décrire les filles. Liam m'a demandé si j'avais bu.

«Juste un peu de potion magique», j'ai répondu.

Il a posé sa main sur ma nuque, et il m'a fait des petites caresses avec ses doigts. J'ai frissonné.

J'ai relevé la tête, et on s'est embrassés. J'avais peur d'être maladroite, parce que je n'avais embrassé personne depuis Ben, mais je crois qu'il était plus nerveux que moi.

Ensuite, on est allés danser. On a vu Nick Xu traverser la pièce à quatre pattes, avec un abat-jour sur la tête et un boxer Tortues Ninja par-dessus son jean.

Le petit ami de Grace est arrivé. Ils sont montés à l'étage, et on ne les a plus revus. JM a reçu un coup de poing du garçon avec la crête, qui pensait qu'il draguait Elodie. JM lui avait juste demandé ce qu'elle pensait de leur prof d'espagnol pour faire la conversation.

Liam a fini la soirée avec sept points. Avec Sara, on a qualifié sa prestation de « début encourageant. »

Zombee
Samedi 20 septembre

Ce matin, je suis allée chez Sara pour aider sa famille à faire le tri dans leurs affaires pour la *garage sale* du lycée. C'est quand on vend tous les trucs dont on n'a plus besoin. Une fois dans l'année, toutes les familles participent à une *garage sale* géante, dont les bénéfices sont reversés à une association.

Le père de Sara était content de faire de la place, parce

que en tant que *prepper*, il en a bien besoin. Les *preppers* sont des gens dont la passion est de se préparer pour l'apocalypse. Quand je dis apocalypse, c'est pour regrouper dans un même mot catastrophe nucléaire, invasion extraterrestre, tsunami, éruption volcanique, ou toute autre chose qui pourrait faire l'objet d'un film hollywoodien, et dont les *preppers* pensent qu'elle pourrait menacer la survie de leur famille.

Jack collectionne les rations, les batteries, les générateurs, le matériel de survie, les bidons d'eau… Leur sous-sol est rempli de trucs comme ça. Ça agace la mère de Sara, qui pense que c'est de l'argent jeté par les fenêtres. Ce qui n'a pas empêché Jack d'acheter un abri antiatomique en Virginie récemment.

J'adore discuter de ça avec lui. Souvent je lui parle de scénarios apocalyptiques, et je lui demande ce qu'il ferait. Il me prend toujours très au sérieux. Comme ce matin, quand je lui ai demandé quelle arme il choisirait pour combattre des zombies, et qu'il m'a répondu :

« Tu vois, Puce, sans hésiter, je vais te répondre le katana. Tu peux leur couper la tête indéfiniment et protéger ta famille. Alors qu'avec une mitraillette ou un fusil à pompe, tu finis toujours par manquer de balles. Et là tu fais quoi, hein ? »

J'ai approuvé de la tête, et j'ai dit qu'effectivement, je ne savais pas ce que je ferais si ma mitraillette ou mon fusil à pompe venaient à manquer de balles.

Sur le campus, on a déposé toutes les affaires aux mamans bénévoles dans le petit gymnase.

Les parents ici, c'est quelque chose. La plupart des mamans sont très belles, et passent beaucoup de temps à la salle de sport. La plupart des papas portent des costumes très chers, et passent beaucoup de temps au travail. Ils ont la tête haute, les épaules droites, et ils sentent l'après-rasage qui coûte cher. Quand ils viennent au lycée, on voit que ça les barbe un peu d'être là, mais qu'en même temps, ils aiment ce symbole de leur réussite sociale, cette *college prep* formidable et hors de prix où leur enfant va grâce à eux.

Il y a deux ans, pendant nos vacances en France, j'ai rencontré un garçon qui m'a demandé pourquoi je n'étais pas obèse, puisque je vivais en Amérique. C'est là que j'ai compris que le reste du monde voit notre pays par un trou de serrure. Là où je vis, je vois surtout des gens très en forme faire du jogging, aller à la salle de sport, et faire leurs courses à Whole Foods, une chaîne de magasins bio.

Il y avait la famille Chang (celle de James, pas de Naomi). Il m'a fait un petit signe de la main, et puis il s'est fait enguirlander en chinois par son père parce qu'il lambinait.

Après ça, j'avais rendez-vous avec Aiden à la bibliothèque, parce que notre débat du cours d'histoire est pour bientôt, et qu'on n'avait encore rien préparé.

Lorsque je suis arrivée, Aiden était assise à une table et gribouillait sur un carnet. Un bandeau noir retenait ses dreadlocks en arrière. Elle portait un chemisier blanc cintré avec les manches retroussées, et des bretelles. C'était la première fois que je voyais quelqu'un porter des bretelles dans la vraie vie. Peut-être qu'elle fait partie du club secret de Liam où les gens font des trucs que plus personne ne fait.

Elle a refermé son carnet, et elle a chuchoté :

« *Hi, Capucine !* »

J'ai souri. Pour une fois qu'on ne prononçait pas mon nom comme si j'étais un cappuccino.

Je me suis assise en face d'elle, et j'ai remarqué qu'elle avait un piercing. Un pic sous la lèvre. Ça doit être pénible de l'enlever à chaque fois pour venir au lycée, mais le Klup ferait une crise cardiaque s'il voyait ça. Je voulais demander à Aiden si ça lui avait fait mal, mais j'ai pensé qu'on avait déjà dû lui poser la question mille fois, et personne n'aime entendre une question pour la millième fois (la pire c'est « Qu'est-ce qui ne va pas ? » quand je suis en mode dragon).

On a sorti nos MacBook, et on a commencé nos recherches sur l'utilisation de l'arme atomique pendant la guerre.

Aiden est super intelligente. Quand je proposais un mauvais argument, elle me donnait un contre-argument du tac au tac, et quand c'était elle qui disait un truc qui ne tenait pas debout, elle rigolait et se corrigeait avant même que j'aie pu répondre.

Elle est drôle, aussi. On a pouffé de rire plusieurs fois, et on a dû s'excuser parce qu'on dérangeait des gens.

On a surtout parlé d'Eugene le psychopathe. C'est le garçon le plus bizarre du lycée. Il a toujours le dos voûté, la tête baissée, et il est roux avec plein de taches de rousseur. Il dit des trucs super étranges et complètement *out of the blue*, du style : «J'ai trois chats, et ils aiment les cacahuètes. » Ou encore : «Linux, c'est mieux que Windows. » Quand c'est sur toi que ça tombe, tu fais oui de la tête et tu te dépêches de passer ton chemin.

Aiden m'a fait remarquer que même quand Eugene a une expression neutre, à cause de l'inclinaison de ses lèvres vers le bas on a toujours l'impression qu'il n'est pas content. C'est comme un sourire à l'envers. Je lui ai raconté que l'année dernière, quand le prof d'art a demandé de quels animaux on avait peur, tout le monde a répondu les araignées et les serpents, mais lui a dit les bactéries. Et quand le prof a demandé ce qu'on préférait manger, tout le monde a cité le Nutella et le *mac and cheese*, sauf Eugene qui a dit du vinaigre à la petite cuillère.

Aiden a pris un air sérieux, et elle a dit que si quelqu'un devait un jour arriver avec une kalachnikov et dézinguer tout le monde, ce serait lui. On est restées silencieuses un moment, l'air grave, et puis on s'est regardées, et on a éclaté de rire. Comme notre voisine soupirait, on a décidé d'aller boire un café au rez-de-chaussée.

En bas, j'ai demandé à Aiden ce qu'elle lisait dans le bus le jour de la rentrée. Elle a sorti un livre sur un petit monstre poilu qui rêve de devenir pianiste mais qui n'a pas de bras. Aiden veut devenir illustratrice de livres pour enfants, et elle lit beaucoup de livres comme ça pour progresser. J'ai demandé si je pouvais voir ce qu'elle gribouillait quand je suis arrivée. Elle a résisté un peu, et puis, timide, elle a fini par ouvrir son carnet. C'était un dessin en couleurs d'une abeille morte-vivante, la langue pendante et les pattes en avant, avec écrit à côté : *Zombee.*

J'ai rigolé. La modestie a fait rosir ses joues. Elle a décroché la page, et elle m'en a fait cadeau.

Elle m'a posé des questions sur ma famille et mes amis, et elle m'a parlé de sa vie en Californie. J'ai adoré la version de moi que j'étais avec elle. D'habitude, je passe ma vie à combattre ma médiocrité. Là, j'ai eu l'impression d'être drôle, intéressante, intelligente. C'est génial de rencontrer quelqu'un qui débloque une nouvelle version de vous que vous ne connaissiez pas.

En anglais, on ne fait pas la distinction entre « copain » et « ami ». On utilise le mot *friend* pour les deux. J'aime que le français permette d'être plus précis. Quand j'ai pensé à mon après-midi avec Aiden, j'y ai pensé en français, pas en anglais. Je me suis dit qu'il était très probable qu'on devienne copines. Mais encore plus probable qu'on devienne amies.

The Denzel Theorem
Samedi 27 septembre

Ça fait déjà un mois que les cours ont repris. Je commence à croire ma grand-mère, qui dit que le temps passe plus vite quand on vieillit. Cela dit, c'est très relatif. Certains cours me paraissent toujours aussi longs. Hier en physique, j'ai dû tenir mes paupières avec mes doigts parce qu'elles n'arrêtaient pas de se refermer. Sara m'a même proposé du scotch.

Un endroit où je ne pourrai jamais m'endormir, c'est le Mordor. Même quand il n'y a pas de clients, on n'a pas le droit de se tourner les pouces. C'est comme une règle implicite qui interdit formellement le Ne Rien Faire.

Si vous n'avez pas de burger à préparer, vous devez gratter le gril pour enlever les résidus de steak. Si vous avez gratté le gril, vous devez laver votre poste. Si votre poste est propre, vous devez remplir la poche de ketchup de la cuisine. Si la poche est pleine, vous devez ramener des tranches de fromage de la réserve. Et ainsi de suite.

Aujourd'hui, je croyais être arrivée en bas de la liste, apercevoir le Ne Rien Faire au bout du tunnel, mais Chandra est passée et m'a demandé d'aller nettoyer les rainures des pieds de table avec une brosse à dents.

J'ai cru à une blague. D'ailleurs, j'ai gloussé. Parfois quand on me fait une blague, je glousse. Mais Chandra a sorti une brosse à dents de la poche de son chemisier, et j'ai arrêté de glousser.

Ce qui est effrayant, c'est que cette règle atroce est en train de me traumatiser. Même dans la vie de tous les jours, j'ai l'impression qu'on va m'engueuler si je ne fais rien. Par exemple en cours d'économie, quand je finis un exercice avant les autres. Avant, je vagabondais sur Internet en attendant. Maintenant je panique, et je demande au prof ce que je peux faire. Je ne me reconnais plus. C'est bien de mettre de l'argent de côté pour l'université, mais si c'est pour devenir inapte au Ne Rien Faire, je ne sais pas si ça en vaut vraiment la peine.

Par chance, je ne travaillais pas ce soir, et j'ai pu rejoindre mes amis pour Movie Night. On fait ça chez Soupe, parce qu'il a un grand écran et une mini-salle de ciné. Avant le film, les filles préparent le pop-corn à l'étage dans la cuisine, pendant que les garçons discutent de leurs grandes théories cinématographiques en bas. La fois suivante, on inverse.

« Je me demande si je devrais me remettre avec Vince », Sara a dit alors qu'on terminait de cuisiner.

Elle a penché la casserole de caramel, qui a dégouliné sur le pop-corn.

« Il te manque ? » j'ai demandé.

« Un peu. Ou alors j'en ai marre d'être toute seule. Y'a une différence ? »

« Si c'est juste pour le sexe, non. Si c'est pour te marier avec lui plus tard, carrément. »

J'ai expliqué à Sara qu'en Pologne, se remettre avec un ex, on appelle ça « réchauffer une vieille côtelette ». C'est Piotr qui me l'a dit hier soir au Mordor. Sara a répondu que ça ne lui déplairait pas de faire mariner la côtelette, de la réchauffer, et de la manger avec ses doigts toute la nuit. Beurk.

Quand on est descendues avec nos deux saladiers remplis de pop-corn caramélisé tout chaud, Vaneck et Soupe se disputaient pour savoir lequel des deux ferait un meilleur Batman. Je connais mon Soupe. Il se retenait de dire que Vaneck était noir, mais il en mourait d'envie.

Sara a dit à Vaneck qu'on ne peut pas être Batman quand on a peur des guêpes, et j'ai rappelé à Soupe qu'il était incapable de garder un secret, et qu'à la première personne qui soupçonnerait son identité secrète, il se mettrait à rougir sous son masque, ce qui serait un problème parce que le masque de Batman ne couvre que le haut.

On a toujours du mal à se mettre d'accord sur le film qu'on va regarder. Du coup, pour se décider, on en revient souvent à la règle ultime, celle qui nous met tous d'accord : le théorème de Denzel, qui stipule que tout film avec Denzel Washington a été, est, et sera toujours, un grand film.

Pendant *Man on Fire*, j'ai échangé des textos avec Liam, qui était en train d'essayer de lire *Le Petit Prince*. Il disait qu'il s'ennuyait. Je lui ai répondu que seul un idiot s'ennuierait en lisant ce livre, alors il a dit qu'il ne s'ennuyait pas tant que ça. Je ne lui ai pas répondu, pour le faire un peu mariner, comme la côtelette de Sara. Il ne faut jamais abuser des textos, sinon le garçon croit qu'on est folle de lui, et on ne l'intéresse plus. C'est leur héritage ancestral de chasseur qui fait ça.

Quand je suis rentrée chez moi, je me suis disputée avec ma mère, parce qu'elle voulait que je mette des vêtements de côté pour les donner à Goodwill pour les nécessiteux. Son avis, c'est que j'ai trop de vêtements. Mon avis, c'est que mon placard est trop petit et donne l'impression que j'ai trop de vêtements. J'ai claqué la porte de ma chambre. C'est hyper important. Quand je la ferme normalement, ma mère arrive trente secondes plus tard pour un deuxième round. Quand je la claque, je suis tranquille au moins jusqu'au lendemain matin.

Non-Asian Dad

Lundi 29 septembre

Avec Aiden, on a reçu un 96 % pour le débat.

C'était un carnage. Une boucherie. Une exécution sommaire.

Emily et Seemus n'étaient pas bien préparés. On était presque gênées. Mais on voulait avoir une bonne note, alors tel un boxeur qui combat un ami et doit le mettre K-O, on a fermé les yeux et lancé les arguments qui tuent.

Après la classe, le prof nous a félicitées. Ça m'a fait bizarre de recevoir des compliments de sa part, parce que généralement, il n'en a que pour trois filles : Naomi, Fang et Raylin, qui sont toutes les trois d'origine chinoise. Mr Brock est marié à une Vietnamienne, et il adore tout ce qui est asiatique. C'est le prof le moins objectif de l'histoire des profs. Hier, Shing-Shing parlait à sa voisine, et il lui a gentiment demandé d'arrêter. J'ai fait la même chose, et il m'a donné un point !

Ma chance, c'est que Mr Brock aime autant manger que moi, et il accepte de faire sauter les points quand on lui prépare des pâtisseries.

Ce soir, pendant que j'étais en train de touiller ma pâte pour faire des muffins aux framboises, ma mère m'a demandé si je ne ferais pas mieux de m'occuper de mes devoirs plutôt que de « m'amuser ».

J'avais besoin de soutien. Mais Hercule dormait, Sacre-bleu se léchait les fesses, et mon père lisait *Le Monde* sur sa tablette dans le salon. Personne pour comprendre que quand on cuisine des muffins aux framboises avant d'avoir pu finir ses devoirs, c'est qu'on a été la victime d'une sombre injustice.

Avant que ma mère ne parte, je lui ai dit :

« C'est quand même pas de ma faute si tu t'es mariée avec Papa et pas avec un Chinois. »

OCTOBER

Monkeys in a Zoo

Mercredi 1er octobre

Si l'ennui était en pierre, le cours de religion serait un monument.

Pendant la classe, je me jette des petits défis pour épicer ces minutes qui ressemblent à des heures : nommer les cinquante États dans ma tête, ou citer tous les présidents dans l'ordre chronologique. Quand je suis trop fatiguée, je me contente de compter le nombre de fois que le prof dit « *Interesting* » (il répond ça dès qu'on fait un commentaire, tout en nous donnant l'impression qu'on vient de dire le truc le moins intéressant du monde). Quand j'en ai vraiment marre, je demande à aller aux toilettes, et je fais des pas de fourmi sur le chemin du retour.

Maintenant je peux ajouter « bloguer » sur ma liste de tue-l'ennui. Je fais semblant de prendre des notes sur mon MacBook, mais en fait je vous écris. Que vous le vouliez ou non, vous trempez dans mes combines, vous êtes dedans jusqu'au cou !

Aujourd'hui, la religion tombe sur la dernière heure de la journée. C'est toujours un cours particulier. On est fatigués, on sature, et ce qu'on acceptait à huit heures, on ne l'accepte plus. On est comme des singes au zoo qui reçoivent un bol de nourriture le matin, et quand vous revenez avec le même l'après-midi, ils vous le balancent à la figure, parce qu'ils en ont assez de toujours manger la même chose.

Tout à l'heure, quand le prof est sorti pour aller chercher un livre dans son bureau, Tyler et JM ont commencé une partie de *whiffle ball*. Tyler avait trouvé une petite batte en explorant les vieux placards de la classe. JM a roulé ses chaussettes en boule pour faire une balle. On s'amusait tellement à faire des paris et à compter les points qu'on a fini par oublier le prof. Quand il est revenu, il a trouvé Tyler la batte à la main, en train de jeter des baisers en l'air pour remercier son public. Il lui a donné un point. JM s'en est sorti sans encombre parce qu'il cherchait sa balle-chaussettes qui était tombée sur le clavier de Sara, et le prof a cru qu'ils travaillaient sur leur exposé.

Depuis, la classe est devenue beaucoup moins drôle. Michael Snyder fait un exposé sur Jonas et le coup du poisson dans lequel il a vécu pendant trois jours et trois nuits. À la base, elle est plutôt marrante, cette histoire, mais comme Michael Snyder a le don de m'horripiler à chacun de ses mots, ça fait dix minutes que je souffre en silence. Il y a des gens comme ça. Dès qu'on les rencontre, on sait que le Choixpeau magique les enverrait à Serpentard.

La famille Snyder est une dynastie dans l'histoire du lycée. Les parents de Michael, ses frères et sœurs, et même certains de ses cousins ont été élèves ici. Je déteste les dynasties, tout le monde sait que ceux qui en font partie sont acceptés d'office sans tenir compte de leur score au test d'entrée. Je parie que Michael Snyder a obtenu un score ridicule.

La cloche sonne. On pousse un soupir de soulagement.

J'allais refermer mon ordinateur, mais il faut que je vous raconte le truc génial qui est en train de se passer : Michael vient d'aller voir Sara pour la convaincre d'arrêter d'ignorer les textos qu'il lui envoie régulièrement pour l'inviter à venir à une fête avec lui. Ce gros nul a un faible pour elle depuis qu'on est *freshmen*.

Parfois Sara m'énerve, dit des trucs agaçants, et j'oublie pourquoi elle est ma meilleure amie. Et puis d'autres jours, elle dit à un membre d'une dynastie qu'elle préférerait qu'on lui greffe une trompe d'éléphant à la place du nez plutôt que de sortir avec lui, et je me rappelle pourquoi je l'aime.

Beethoven's Music

Vendredi 3 octobre

Mock Trial, c'est un faux procès dans lequel de vrais lycéens jouent les faux avocats et les faux témoins dans un vrai tribunal présidé par un faux juge incarné par un vrai juge ou un vrai avocat. *dared*

Je n'avais jamais osé m'inscrire avant cette année, parce que ça prend un temps fou, et comme j'ai déjà plein de classes difficiles, le hockey après les cours, mes dossiers d'inscription pour l'université à préparer, le Mordor le week-end, la dernière saison de *Ray Donovan* en retard, plus un garçon mignon qui fait déborder le vase, j'avoue que j'appréhende un peu. Mais c'est ma dernière année de lycée, et mon père dit que c'est une bonne occasion d'améliorer mon *public speaking* avant d'entrer à l'université.

Je suis arrivée dans la salle de classe de Miss Mass' pour la première séance de Mock Trial avec dix minutes d'avance. Une quinzaine de personnes étaient déjà là. Surtout des Nerds, mais pas tous. Il y avait James, Naomi, Cristina, David, Elodie, Colleen, Raylin Geoffrey, JM, Tyler, Earl, Payas, et même Eugene (le psychopathe). Je me suis dit que j'avais une bonne chance de faire partie de l'équipe titulaire qui sera choisie le mois prochain, parce qu'à part James, Naomi, Raylin et Payas qui sont des génies, je devrais avoir ma chance contre les autres.

qui — verb
que —→ noun

Je me suis assise au fond, près de la fenêtre. J'ai attrapé *Nos étoiles contraires* dans mon sac à dos et j'ai commencé à lire. Au lycée, tous ceux qui lisent l'ont déjà lu, mais moi j'ai tellement de livres sur ma table de nuit que j'ai souvent un wagon de retard sur les autres. Quand j'étais *sophomore*, j'ai entendu parler de «Peeta» et de «Gale» pendant des mois sans savoir de qui il s'agissait, et quand j'ai enfin lu *Hunger Games*, ça n'intéressait plus personne.

«Je peux m'asseoir?»

C'était Aiden. J'ai enlevé le sac qui était sur la chaise à côté de moi, et elle s'est installée.

«Je ne savais pas que tu faisais Mock Trial», j'ai dit.

«C'est ma première fois.»

«Moi aussi.»

Elle m'a souri, mais elle a arrêté quand elle a vu qu'Eugene était assis devant nous. Ça m'a fait rigoler, mais Eugene s'est retourné, du coup j'ai avalé ma salive de travers.

Il a fixé Aiden avec ses yeux verts perçants qui font peur. Ça a duré un long moment pendant lequel personne n'a osé parler, et puis il a dit à Aiden :

osé

«Tes cheveux sont comme la musique de Beethoven.»

«*Thanks*», Aiden a répondu, l'air réjoui.

«C'était pas un compliment», Eugene a répondu en fronçant les sourcils.

Miss Mass' a pris la parole. Elle nous a expliqué comment formuler des questions, faire des «objections, votre honneur» et tous ces trucs-là. J'avais l'impression d'être dans un épisode d'une série judiciaire. On a même regardé l'enregistrement d'une compétition de Mock Trial d'il y a quelques années. Le grand frère de Vaneck jouait un témoin myope qui jurait avoir vu un accident de voiture mais qui n'avait pas ses lunettes ce jour-là.

Quand on est sorties, Aiden a proposé de me raccompagner chez moi en voiture. Ma mère devait rester pour une réunion, le bus ne passait qu'une demi-heure plus tard, et je n'avais pas beaucoup de temps avant de commencer au Mordor, alors j'ai dit «*thank you thank you thank you*».

Sur la route, on a écouté Abba, un groupe suédois des années 70 que je ne connaissais pas. Aiden joue du violon dans un groupe qui reprend leurs chansons. Je lui ai demandé si je pouvais venir les voir jouer, et elle m'a donné un petit papier vert où était imprimée la liste de leurs concerts.

En fait c'était un très mauvais plan de rentrer avec elle pour gagner du temps, parce qu'on est restées vingt minutes à parler dans la voiture devant chez moi, et j'ai été en retard quand même.

Pour la peine, j'ai dû nettoyer tous les toasters de la cuisine en arrivant. Quand Chandra m'a annoncé ça, je lui ai dit :

«Tes ordres sont comme la musique de Beethoven.»

Elle était ravie. Elle ne saura jamais que ce n'était pas un compliment.

Penance

Mardi 7 octobre

Avec le temps, on s'habitue à toutes ces petites choses qui ponctuent la vie d'un lycée catholique. Les prières au milieu du déjeuner, les interminables messes, et même le prêtre qu'il faut appeler « *father* » (au début, à chaque fois que je le voyais, je lui disais « bonjour monsieur », et il me regardait comme si je venais de lui faire un doigt d'honneur). Il reste quand même une chose à laquelle je ne m'habituerai jamais : la pénitence.

Trois fois dans l'année, on passe une heure dans l'auditorium, assis devant un grand écran qui diffuse des questions en boucle pendant une heure, avec des chants grégoriens en fond sonore. Elles sont basées sur les dix commandements mais taillées sur mesure, spécialement pour nous. Ai-je agi d'une manière agressive envers mes pairs ? Ai-je respecté mes parents ? Suis-je allé à l'église ?

Hier matin, quand la question « Me suis-je livré à des activités sexuelles, avec quelqu'un ou avec moi-même ? » est apparue, il y a eu un paquet de rires étouffés, et beaucoup se sont mis à murmurer pour exprimer toute leur fierté d'être pécheurs.

C'est super bien fichu, le système des péchés. Il suffit de se confesser, et on repart de zéro. C'est un peu comme une partie de Mario Kart, quoi.

À chaque pénitence, les deux tiers des élèves font la queue pour aller parler à un prêtre dans les coulisses et demander à Dieu d'effacer leur ardoise. Sara y va à chaque fois. Pas par piété, mais parce qu'elle adore bavarder.

Moi, j'ai passé l'heure de pénitence les yeux fermés, mes écouteurs cachés sous mes cheveux, comme pendant les messes. J'ai passé un excellent moment avec Mumford & Sons, et je dois confesser que je ne me suis absolument pas remise en question.

Quelques heures plus tard, après les cours, on voulait passer un peu de temps ensemble avec Liam. Non, si je dis ça vous allez croire qu'on voulait parler de politique en buvant une tasse de thé. La vérité, c'est qu'on voulait s'embrasser avec la langue et glisser nos mains dans l'hémisphère Sud. Voilà, c'est dit. Donc, comme des milliers d'élèves avant nous, on a cherché un endroit tranquille sur le campus.

D'abord, il a proposé sa voiture. J'ai refusé. On n'est pas des bêtes.

«Ne propose rien qu'une princesse n'accepterait pas», je lui ai dit.

De toute façon, Liam n'est arrivé ici que cette année, alors il ne connaît pas très bien le campus, et il n'avait pas grand-chose à proposer. Je l'ai emmené dans les tunnels sous le manoir, l'endroit le plus connu pour «passer du temps» avec quelqu'un. Il n'a pas voulu rester, parce qu'il avait entendu dire que le Klup connaissait la planque. À mon avis, il avait surtout entendu la légende qui raconte qu'un fantôme malicieux nommé Red Feather hante les lieux depuis des années.

On a tenté le labo multimédia au deuxième étage de la grande bibliothèque, mais Vince et Payas étaient déjà là pour faire le montage de l'émission de l'école. Les coulisses de l'auditorium étaient occupées par des élèves qui auditionnaient pour la pièce d'hiver, et les labos de chimie étaient fermés à clé. Il y avait bien une salle dans le bâtiment des arts qui était libre, mais ils avaient essayé une nouvelle mixture pour faire de la poterie pendant la journée, et ça sentait les pieds.

On a fini par trouver un coin tranquille derrière les rangées de ballons de basket, dans la réserve du petit gymnase. Pas exactement le genre d'endroit où je m'imaginais embrasser un garçon quand j'étais petite, mais après une demi-heure d'errance, on a tendance à revoir ses attentes à la baisse.

Le problème, c'est que pendant que j'étais avec Liam, je n'étais pas en train de faire mes devoirs, du coup j'ai dû les finir tard à la maison, je n'ai pas assez dormi et ce matin, je me suis réveillée avec une tête de grand-mère alcoolique, et j'ai eu du mal à suivre la leçon sur les syllogismes en cours de littérature.

Pour ne rien arranger, j'ai vu Katie Christy flirter avec Liam dans les couloirs ce matin. Depuis que les autres filles savent qu'on se voit, elles tournent autour de lui comme des vautours. Ça me donne envie d'écrire mon nom sur une grosse étiquette et de la lui coller sur le front.

En même temps, on n'est pas ensemble. Techniquement, il peut voir d'autres filles. Les garçons sont compliqués. Ils vous envoient des textos, ils vous accompagnent à des fêtes, ils «passent du temps» avec vous, mais vous ne savez jamais ce qu'ils veulent vraiment.

J'étais devant Katie dans la file d'attente pour le déjeuner. J'ai pris la dernière part de flan. Je dois confesser quelque chose : je n'aime pas le flan, mais je l'ai entendue dire qu'elle adorait ça.

Hook Up
Mercredi 8 octobre

Lorsque Sara est arrivée à la cafétéria ce matin, elle portait un foulard. Elle faisait comme si de rien n'était, mais nous on ne voyait que ça. Vaneck a fait remarquer qu'elle ne portait jamais de foulard. Soupe a ajouté qu'elle risquait de recevoir un point. Quant à moi, j'ai rappelé d'un air narquois que la seule fois où je l'avais vue porter un foulard, c'était l'année dernière, un matin où elle essayait de cacher un suçon.

En entendant ça, Soupe s'est levé et s'est mis à harceler Sara pour voir si son foulard dissimulait une morsure d'amour.

« Ne me touche pas avec tes grosses pattes d'ours », Sara a dit, et elle l'a repoussé.

Elle a remonté ses grandes lunettes sur son petit nez et a attendu que Soupe se rassoie pour commencer son histoire.

Depuis une semaine, Vince et Sara échangeaient des textos remplis de sous-entendus. Hier soir, Vince est venu chez Sara, et il a planté une grosse pancarte en bois dans son jardin devant la fenêtre de sa chambre. Dessus, il avait écrit : *You complete me*.

« Hugh Grant dans *Love Actually* », Soupe a lancé.

« Pas du tout, j'ai dit fièrement, c'est Tom Cruise dans *Jerry Maguire*. » (Sara et moi, on est incollables en comédies romantiques.)

Lorsqu'ils se tournent autour, Sara et Vince aiment communiquer avec des citations de films. Pour la convaincre de sortir avec lui l'hiver dernier, Vince écrivait tous les jours une réplique totalement *cheesy* dans la couche de neige accumulée sur le pare-brise de son amoureuse.

Sara a fait monter le suspense en buvant lentement une gorgée de café. Elle a pris son temps pour bien nous énerver, et puis elle a révélé qu'elle avait fait entrer Vince dans sa chambre en cachette, et qu'ils avaient « *hooked up* ».

Ça demandait précision, parce que *hook up* a deux sens. Ça peut vouloir dire, soit s'embrasser et se peloter un peu, soit carrément coucher ensemble. Au lycée quand on utilise ce verbe, c'est généralement dans le premier sens, mais comme Sara et Vince étaient un couple jusqu'à cet été et qu'ils avaient déjà couché ensemble, on était en droit de poser la question. Ce qu'a fait Vaneck.

Après un nouveau moment de suspense, Sara a avoué qu'ils l'avaient fait. Son visage rayonnait.

J'étais contente pour elle. Sara n'aime pas être toute seule, et elle sera plus heureuse avec un petit ami. Là où ça m'a fait bizarre, c'est quand j'ai vu la tête de Vaneck. Il avait l'air déçu. C'était surprenant, parce que ce n'est pas son genre de juger les gens, et encore moins ses amis. Quoi qu'on fasse, il est toujours là pour nous soutenir.

Il a dit qu'il devait partir, il a pris son sac à dos, et il est sorti de la cafétéria. Il avait à peine touché à son café. C'est à la façon dont Soupe s'est dépêché de le rattraper, le visage défait, que j'ai compris ce qui se passait.

Sara m'a regardée sans comprendre. Elle a toujours été comme ça, *oblivious*. Elle n'est pas perspicace pour comprendre ce que ressentent les gens autour d'elle. Ce qui est un problème, parce que c'est souvent à moi que revient la tâche de lui expliquer ce qu'elle devrait comprendre toute seule.

Sauf que là, je n'avais aucune envie de lui dire la vérité. J'ai vite changé de sujet, et évoqué le *quiz* d'espagnol qui nous attendait. Pendant que Sara parlait de pronoms relatifs et de verbes irréguliers, je ne pouvais pas m'empêcher de repenser à la scène. J'étais choquée par ce que je venais de comprendre. Et par le fait qu'un jour ou l'autre, ça va certainement être à moi d'expliquer à Sara que Vaneck est amoureux d'elle.

Pep Rally
Vendredi 10 octobre

Après la sonnerie aujourd'hui, tout le monde s'est rassemblé dans le grand gymnase pour le *pep rally*. On s'est répartis dans les gradins selon notre classe : *freshmen, sophomores, juniors, seniors*, avec les profs qui formaient un cinquième groupe.

Les trois quarts des élèves avaient le visage peint aux couleurs de l'école, et des faux tatouages de chiens de prairie sur les bras. Moi, j'avais une moitié du visage blanche et une autre verte. Sara avait carrément peint ses cheveux en vert avec une bombe. Comme en plus c'était un *tag day*, tout le monde avait choisi des vêtements verts et blancs.

En tant que président des élèves, c'était à Vaneck d'animer le *pep rally*. Il était au centre du terrain de basket avec un mégaphone. Il portait une perruque frisée, comme Ronald McDonald, mais au lieu d'être rouge elle était verte, et il avait un pantalon de bouffon vert avec un tee-shirt blanc sur lequel était écrit le nom du lycée en graffiti. À ses côtés, il y avait Isidore, notre mascotte. C'est un grand chien de prairie en peluche adorable. Dans le costume se cache un élève dont l'identité est gardée secrète.

D'abord, la fanfare a joué plusieurs versions punchy et déjantées de chansons connues, pour mettre de l'ambiance. Ensuite, les *cheerleaders* ont réalisé une chorégraphie avec plein de roues, de saltos, de pirouettes, et des trucs où deux filles portent une autre fille et la font tournoyer en l'air. Elles ont fini par une pyramide humaine géante, et tout le monde a applaudi. La plupart des garçons avaient les doigts dans la bouche pour siffler le plus fort possible. Enfin, surtout les *juniors* et les *seniors*, parce que les plus jeunes sont encore un peu tendres pour oser siffler devant une bande de filles en mini-jupe.

Après est venu le moment de la compétition entre les classes. J'ai fait le jeu où on devait envoyer un ballon dans un but minuscule les yeux bandés. Soupe et Sara ont fait équipe dans le jeu où il fallait enrouler l'autre de papier toilette sans le déchirer. Soupe se débrouillait super bien, et il ne restait plus que les *sophomores* en compétition avec eux, mais Sara a éternué juste quand Soupe essayait d'enrouler le papier toilette autour de son visage, et on a perdu.

Ensuite, on a gagné le concours de hurlements. Chaque partie des gradins devait crier, tour à tour, pour voir quelle classe faisait le plus de bruit. Vaneck mesurait les décibels avec un appareil qu'il portait autour du cou. Le plus drôle, c'était de regarder la tête des profs quand leur tour est arrivé. Ils s'égosillaient pour faire du bruit, mais ils n'étaient pas assez nombreux pour rivaliser avec nous. Le seul qui ne criait pas, c'était Mr Brock, parce qu'il avait la bouche pleine de la tarte au citron que Colleen Carts lui avait préparée pour échapper aux deux points qu'elle a reçus hier. Un pour avoir oublié d'éteindre son téléphone portable, et un autre pour avoir dit « *shit !* » quand il s'est mis à sonner.

Le langage ici, c'est un sujet sensible. D'habitude, on déguise les mots interdits en mots autorisés. Au lieu de dire *God*, on dit *Gosh*. Au lieu de dire *shit*, on dit *shoot*. Au lieu de dire *hell*, on dit *heck*. Au lieu de dire *fuck*, on dit *fudge*. Ce qui est très bête, parce que *fudge* ça veut dire caramel mou, et ça n'a pas beaucoup de sens de dire à quelqu'un qui nous énerve d'aller se faire caraméliser.

Parfois, on n'ose même pas prononcer de mot du tout. *Fuck* c'est comme Voldemort, c'est Celui-Dont-On-Ne-Doit-Pas-Prononcer-Les-Lettres. Alors au lieu de le dire, on dit « *the F-Word* ».

À la fin du *pep rally*, tous les capitaines ont présenté

leur équipe. Les garçons ont sifflé leur admiration pour notre équipe de hockey (ça m'a fait rougir, même si je suis sûre qu'ils sifflaient pour Grace et pas pour moi). Quant aux filles, elles ont surtout sifflé pour JM, qui est capitaine de l'équipe de baseball, et puis pour Seemus, qui s'est mis torse nu et a gonflé ses biceps lors de la présentation de l'équipe de football, avant de se faire rappeler à l'ordre par le Klup. Je voulais siffler quand ils ont présenté les lutteurs, parce que Liam et Soupe en font partie, mais comme je suis nulle pour siffler, la seule chose qui est sortie de ma bouche est un bruit de coussin péteur. Heureusement, à part Sara qui était à côté de moi et qui a explosé de rire, personne n'a entendu.

J'ai passé mon temps à regarder partout pour trouver quel élève manquait. Je voulais découvrir qui se cachait dans le costume d'Isidore, mais il y avait trop de monde qui bougeait partout. On aurait dit les drosophiles du cours de biologie.

Entre deux jeux, je suis allée le voir, mais évidemment il ne m'a pas parlé. Il m'a juste fait coucou avec la main, comme Mickey à Disney World. Je me suis mise tout près de son visage, et j'ai fait ma grimace la plus marrante, celle où je tire la langue et où j'ai les yeux globuleux d'une rainette qui voit une sauterelle appétissante.

Je l'ai entendu rigoler sous son masque. J'ai tendu l'oreille. C'était un rire bizarre, saccadé. Je ne sais pas trop comment le décrire, mais c'est l'idée que je me fais du rire d'un âne. Malheureusement, je ne connais personne au lycée qui rigole comme un âne.

Après le *pep rally*, j'avais rendez-vous avec James pour terminer un *lab*. Les deux dernières fois que j'avais travaillé avec lui, il avait apporté des gâteaux de lune, ces petites pâtisseries chinoises délicieuses que cuisine sa mère. J'espérais secrètement qu'elles deviendraient notre petite tradition.

Quand je suis arrivée au labo, il ne lui restait qu'un gâteau de lune, mais il l'avait gardé spécialement pour moi. Le problème, c'est que ce n'est pas des mains que j'ai, c'est des usines à maladresse. J'ai lamentablement laissé tomber le gâteau de lune, qui a atterri sous une table. Le temps de le récupérer, James avait compté :

« Six secondes », il a dit, l'air grave.

Tout le monde sait que la *five-second rule* indique que si un aliment ne reste pas par terre plus de cinq secondes, il est acceptable de le manger.

Il m'a tapoté l'épaule, compatissant. J'allais jeter la pâtisserie à la poubelle, déçue, et puis je me suis souvenue que la vie était courte, alors j'ai dit à cette règle débile d'aller se faire caraméliser et j'ai mangé le gâteau de lune.

Homecoming

Samedi 11 octobre

Parfois, je pense à ce que je ferais si j'étais pleine aux as. Sara dit qu'elle achèterait un appartement gigantesque dans le Upper East Side, avec des statues de Brad Pitt partout, un jacuzzi au milieu du salon, et « des maillots de bain tout neufs pour les invités ». Ah, et aussi un grand placard pour cacher les statues de Brad Pitt les jours où il lui rend visite. Vaneck, lui, deviendrait propriétaire de son équipe de basket préférée, les Sixers de Philadelphie. Quant à Soupe, il achèterait toutes les voitures de collection qu'il dévore des yeux dans *The Beautiful Automobile*, un mensuel auquel il est abonné depuis qu'il a huit ans. Moi, je n'ai besoin ni de statues, ni de voitures, ni d'équipe de basket. Je suis raisonnable. Je me contenterais d'une maison en chocolat.

Même si j'étais riche, je resterais attachée à mon école, et j'y retournerais tous les ans pour Homecoming. C'est le jour où les anciens élèves sont invités à revenir, une fois dans l'année. J'y suis allée cet après-midi. C'était festif sur le campus. Il y avait un match de football, les *cheerleaders* qui donnaient de la voix sur le bord du terrain, des jeux éparpillés un peu partout, et des stands avec des brochettes et des barbes à papa. Les profs étaient là aussi, avec leurs conjoints et parfois, une poussette. Ils étaient

106

tout heureux de revoir leurs anciens élèves, qu'ils soient devenus médecins, avocats, ou tailleurs de haie. *hedge trimmers*

J'ai fait le tour du campus avec Liam. On a croisé Orcel, le frère de Vaneck. J'ai rougi encore plus que d'habitude, parce que après l'avoir dépassé, je me suis retournée, et je suis presque sûre qu'il regardait mes fesses. Pourquoi est-ce que les garçons regardent autant nos fesses ? J'ai vu des garçons regarder des fesses comme je regarde des cookies aux pépites de chocolat. J'en ai parlé avec Sara, et pour nous, les fesses arrivent quatrième sur notre ordre de reconnaissance visuelle d'un garçon. Ça donne : visage, bras, pectoraux, fesses, et jambes. Mais nous, on assume. Les garçons n'assument pas du tout. Quand je surprends Vaneck à regarder les fesses d'une fille, il me dit que je me trompe, qu'il ne regarde pas ses fesses, qu'il est juste « amateur de beaux textiles ». *a little weak*

Comme j'ai un petit faible pour Orcel, ça m'a fait plaisir qu'il regarde mes fesses. Ou qu'il apprécie le textile de mon Levi's 501.

Je n'ai pas pu rester trop longtemps, parce que je devais travailler. Je me motivais en me disant que chaque tranche de cornichon posée sur du pain me rapprochait un peu plus de ma maison en chocolat.

Sur la route du Mordor, il y avait des collégiens qui proposaient de laver des voitures sur un parking pour financer un voyage au Pérou. J'ai dit à Liam de s'arrêter, mais il a refusé. Je n'ai pas compris. Si c'était lui qui cherchait à financer un voyage au Pérou, il aimerait bien que les gens s'arrêtent.

Ce n'était pas très grave, mais ça m'a un peu contrariée. Je me demande combien de moments comme ça il faut cumuler pour n'avoir plus envie de passer du temps avec quelqu'un. Est-ce que tous ces couples qui divorcent le font parce qu'ils sont arrivés à trente moments comme ça ? Cinquante ? Cent ? Quand j'étais avec Ben, je n'en ai jamais vraiment eu. Lorsqu'il faisait un truc qui m'énervait, je le lui disais. Parfois on se disputait, mais on en parlait, et à la fin on était plus proches qu'au début. Avec Liam, c'est un peu l'inverse.

Il n'y avait pas beaucoup de clients au Mordor ce soir, alors on a surtout fait les imbéciles en cuisine avec Matt, Piotr, et un autre gars qu'on appelle Black Jack. Comme beaucoup de Jack ont travaillé ici, Matt leur a donné des surnoms pour les différencier. Il y a eu Old Jack, Crazy Jack, et Little Jack. Et puis Dead Jack, qui malheureusement n'aura jamais su son surnom.

J'aime bien Black Jack. Il travaille juste devant mon poste, là où on plonge tous les trucs panés dans l'huile. De temps en temps il glisse un nugget dans le bac à salade qui est sur ma table à garniture. Je l'enroule dans une belle tranche de cheddar avec un peu de sauce au poivre par-dessus, et c'est le genre de petits moments qui rendent ma vie grandiose.

Vaneck était là aussi. Ça me fait tout drôle d'imaginer

qu'il a des sentiments pour Sara. En tout cas aujourd'hui, ça n'avait pas l'air de le perturber, parce que je l'ai vu offrir des sundaes à un groupe de filles quand la chef avait le dos tourné. Il y en a même deux qui lui ont laissé leur numéro de téléphone. Vaneck me les a montrés en faisant un moonwalk. Il devrait essayer sa technique avec Sara, parce qu'elle adore les sundaes.

Normalement, on est obligés de laisser nos téléphones dans nos casiers, mais aujourd'hui je l'avais gardé dans ma poche, parce que avec Aiden, depuis le début de la journée, on s'envoyait les textos avec les syllogismes les plus stupides possible, et c'était trop distrayant pour que je m'en passe. Elle m'en a envoyé plein, mais celui-ci est mon préféré :

Dinosaurs were huge. My appetite is huge. My appetite is a dinosaur.
Les dinosaures étaient énormes. Mon appétit est énorme. Mon appétit est un dinosaure.

Soupe

Mercredi 15 octobre

Aujourd'hui était le premier jour de l'uniforme d'automne. Je dois mettre des collants sous ma jupe. J'ai horreur de ça. Ça gratte, c'est trop serré, ça me prend un temps fou pour les enfiler le matin, et ils sont tellement fins qu'à la moindre occasion, ils craquent, ça fait des trous, et j'ai l'air d'une clocharde. Le pire, c'est le chemisier. Ça aussi, ça gratte. On est mal à l'aise. On a toutes envie de porter un tee-shirt sous notre pull, mais si on est vues sans col par le Klup, on reçoit un point. J'ai vu des filles découper le col d'un chemisier et le coller sous leur pull pour faire comme si. Le seul avantage de l'uniforme d'automne, c'est que les collants nous camouflent un peu, et si on n'a pas de petit ami, on peut rester plus longtemps sans se raser les jambes.

Évidemment, pendant que nous on galère, les garçons se la coulent douce. Ils portent un pantalon, une chemise et une cravate. Trop dur ! Sauf Vaneck, qui préfère le nœud papillon. Ça a contribué à le rendre populaire. C'est un peu comme Aiden avec ses dreadlocks, quand tu la vois une fois, tu ne peux plus l'oublier.

Je refais souvent le nœud de cravate de Soupe. Il se débrouille toujours pour qu'elle arrive trop haut, et il a l'air d'un clown. Parfois, quand j'ai les mains autour de son cou dans un couloir et que j'arrange sa cravate, les gens se moquent de nous. Je suis soit sa mère, soit son amoureuse. Ça m'amuse beaucoup. Pas les commentaires, mais le fait que Soupe rougisse et me demande de me dépêcher.

Puisqu'on parle de Soupe, je crois que j'avais promis de vous raconter comment il a reçu son surnom.

Quand on était *freshmen* (à l'époque, tout le monde l'appelait encore Eric), il était enfant de chœur. Il faisait partie des quelques élèves qui aident à installer les grandes croix en bois, les bougies, les coupes en or et les hosties, et qui tiennent la Bible ouverte pour que les prêtres puissent lire devant le micro, sur scène, dans l'auditorium.

Un jour, juste après une messe, il est arrivé en cours de français avec les lèvres bleues. Je n'étais pas là, parce que je fais espagnol, mais Vaneck m'a tout raconté. Monsieur lui a demandé s'il avait avalé un Schtroumpf. («Monsieur», c'est l'autre prof de français avec ma mère, les élèves l'appellent comme ça.) Soupe n'a rien répondu, mais quand il est allé s'asseoir, tout le monde a pu remarquer qu'il ne marchait pas droit. Monsieur lui a demandé s'il avait un problème, et Soupe a répondu une phrase mythique :

« I'm in the soup, sir. I had too much Jesus. »

Là, qu'on parle anglais ou pas, normalement on ne comprend rien. «Être dans la soupe», c'est une vieille expression pour dire qu'on est dans le pétrin. J'ai appris ça plus tard. C'est le genre d'expression que seuls vos grands-parents connaissent.

Ce que j'ai appris aussi, c'est qu'après la messe, les prêtres étaient partis à une réception, et ils avaient laissé Soupe finir de tout ranger, y compris les coupes en or dans lesquelles il restait du vin rouge. Comme il prend la religion très au sérieux et qu'on lui avait appris que c'était le sang du Christ, il n'avait pas osé les vider dans l'évier. Il avait hésité pendant un moment, et ne sachant pas quoi faire, il avait pensé que la décision la plus respectueuse était de boire le sang de Jésus lui-même pour éviter de jeter le liquide sacré. Six coupes en or plus tard, Soupe avait bu trop de « Jésus ». Et comme Monsieur adore donner des surnoms à ses élèves, Eric est devenu Soupe dans sa classe, les élèves ont repris le surnom, et une semaine plus tard tout le lycée l'appelait comme ça.

Morp
Samedi 18 octobre

Top 3 de mes soirées préférées depuis que je suis au lycée :

1. La soirée feu de camp en deuxième année (la première fois que Ben m'a embrassée).

2. La fête costumée chez Nick Xu en troisième année.

3. Tous les Morp.

Morp, c'est Prom à l'envers. Prom, c'est le bal de promo à la fin de l'année. Très formel, très élégant, très ordonné. Tout l'inverse de Morp, où on s'habille avec des vêtements fluo souvent déchirés, et où on n'a pas de partenaire attitré. Une soirée où le temps s'arrête, et où la musique électronique traumatise nos tympans, qui accueillent volontiers le supplice dans une ambiance de *rave*.

Morp est l'événement de l'année qu'on attend avec le plus d'impatience. Pour les profs, c'est l'inverse. C'est parce qu'il y a toujours des débordements, des *PDA* (*Public Displays of Affection*, autrement dit des couples qui s'embrassent et se pelotent devant tout le monde), et des élèves qui arrivent saouls.

Ce soir avant Morp, j'étais invitée chez Haley Robinson pour me préparer avec quelques autres filles. Sa maison est gigantesque. On peut faire tenir trois maisons comme la mienne à l'intérieur.

Lorsqu'on est arrivées avec Sara, quelques filles étaient en train de se maquiller au sous-sol en chantonnant *Shake it Off*. Certaines lissaient leurs cheveux, d'autres coupaient des tee-shirts et les aspergeaient avec des bombes de peinture fluorescente. Lee était là aussi. La plupart

des filles étaient en soutien-gorge, mais elles ne faisaient
pas attention à lui parce qu'une fille en sous-vêtements,
pour Lee, c'est aussi excitant qu'un gratin de cafards avec
une sauce aux verrues est appétissant, si vous voyez
ce que je veux dire.

Haley nous a fait un *hug* et nous a demandé si on avait
faim. Il y avait des boîtes à pizza ouvertes et des canettes
de coca sur les tables. Sara a dit non, du coup j'ai été obligée de dire non aussi pour ne pas passer pour la morfale
de service. Je lui en ai voulu un peu, parce que ça sentait
super bon.

Pendant que Sara rejoignait Lee qui voulait écrire des
messages en fluo sur ses bras et ses jambes, Colleen Carts
a proposé d'accrocher des tresses jaunes et vertes à mes
cheveux.

Colleen est passionnée par la course à pied. Elle court
tout le temps, partout. Elle est super mince, parce qu'elle
brûle des calories sans arrêt. Par contre, j'étais avec elle
en maths l'année dernière, et comme on dit en anglais,
elle n'est pas le couteau le plus aiguisé du tiroir. Sa tête
est aussi lente que ses jambes sont rapides.

Pendant qu'elle accrochait des tresses à mes cheveux,
elle m'a dit que j'avais une belle poitrine. J'ai dit merci.
Un compliment, c'est comme un puits dans un désert :
tu ne sais pas s'il en viendra un autre plus tard, alors pro-
fites-en quand il est là.

On a peint nos visages, nos bras et nos jambes avec

de la peinture qui brille dans le noir. On a écrit des trucs comme «MORP» ou «SENIORS» et dessiné des symboles tribaux. Le petit frère d'Haley a pris plein de photos, et on est parties à l'école.

La plupart des groupes avaient fait comme nous et s'étaient retrouvés chez quelqu'un pour se préparer. Mais contrairement à nous, les Populaires et la plupart des Hipsters avaient bu, et ils sont arrivés à l'école encore plus joyeux que nous. Dans ma tête je leur ai souhaité de ne pas croiser le Klup, parce qu'il avait promis que quiconque agirait de manière suspecte ou sentirait l'alcool soufflerait dans un alcootest devant un *state trooper* (un policier à cheval avec un grand chapeau).

Comme moi, presque toutes les filles portaient une mini-jupe et un débardeur, du maquillage sur les bras et les jambes, et un bandeau fluo dans les cheveux. J'avais même des lacets jaune fluo. J'adore les chaussures. J'en ai vingt paires. Avant de travailler au Mordor, je passais des heures entières dans des magasins de chaussures avec Sara le week-end, juste pour les regarder. On dit parfois que les yeux sont le reflet de l'âme, mais c'est complètement faux. En vrai, c'est les chaussures.

À l'intérieur du gymnase, c'était un véritable sauna. Il y avait de la buée sur les vitres et des lumières fluorescentes qui clignotaient partout. Les basses étaient puissantes et faisaient vibrer les haut-parleurs.

Je me suis mêlée à la foule avec Sara. Soupe et Vaneck

se dandinaient comme deux idiots en rigolant de l'autre côté de la salle. Je leur ai fait un signe de la main. Vaneck m'a répondu. Soupe était trop occupé à essayer de danser avec Emily Christy, qui n'avait pas l'air d'avoir envie de danser avec lui.

J'ai dansé à côté de Sara pendant un bon quart d'heure, mais c'est vite devenu insupportable, parce que Vince était là aussi, et ils se papouillaient dès que Mrs Snippet avait le dos tourné. J'ai décidé d'aller prendre un peu l'air, et j'ai rejoint le petit gymnase, où on pouvait boire de l'eau, manger des bonbons, et reposer ses oreilles.

Vaneck était assis à une table, seul. J'ai demandé deux verres d'eau à l'une des mamans volontaires.

« Ça va ? » j'ai demandé en m'asseyant.

« Super », il a dit, d'un ton qui penchait légèrement vers le sarcasme.

En même temps, qu'est-ce que je voulais qu'il dise ? Eh bien non Puce, ça ne va pas, je viens de voir Sara embrasser Vince avec la langue et je suis jaloux ? Je me suis approchée de lui, et j'ai chuchoté :

« Pourquoi tu ne m'as jamais dit que tu aimais Sara ? »

Dans ses yeux surpris, j'ai vu qu'il envisageait de nier, et puis il s'est ravisé. Il a haussé les épaules.

« Je ne lui aurais rien dit », j'ai continué.

Il allait me répondre, mais son regard a été attiré par quelque chose derrière moi. Un *wow* a traversé ses lèvres.

Je me suis retournée. Aiden venait d'arriver. Dans un monde où le fluo dominait, où les lumières clignotaient, où chacun cherchait à avoir l'air le plus cool possible, elle faisait figure de reine de la soirée.

Ses dreadlocks hirsutes quasi blanches avaient des reflets bleus et semblaient électriques. Son jean troué par endroits, ses tennis adorables que je n'avais jamais vues nulle part ailleurs, son tee-shirt blanc aux manches retroussées sur lequel elle avait elle-même dessiné sa propre version d'Isidore, et toute une série de tatouages fluo sur les bras… on ne pouvait que l'admirer. C'était son premier Morp dans le Delaware, et elle nous donnait à tous une leçon.

Elle s'est avancée dans la salle, hésitante. Je me suis excusée auprès de Vaneck, et je suis allée la voir.

Quand elle m'a vue, elle a souri, et elle a dit mon nom comme personne d'autre ne dit mon nom. Je n'ai pas honte d'avouer qu'à ce moment-là, je l'ai trouvée attirante. Oui, c'est une fille, et moi aussi je suis une fille, mais on peut apprécier les belles choses. Et puis si Sara a le droit d'avoir un *crush* pour Mila Kunis, j'ai bien le droit d'avoir un *crush* pour Aiden.

On est allées danser. Vaneck nous a rejointes, et puis Soupe, Tyler, Payas, Elodie et Colleen sont venus danser avec nous. Le Klup a fini par séparer Vince et Sara pour cause de *PDA*, alors on a accueilli Sara aussi. Ensuite, Liam est arrivé avec ses copains. Il a essayé de m'embrasser mais j'ai esquivé, parce que je n'avais pas envie d'avoir le Klup sur le dos. Ça l'a vexé. Je déteste ça chez les garçons. Ils se vexent beaucoup trop facilement, dès qu'on chatouille un peu leur fierté. Il faut qu'ils se détendent.

Liam n'aime pas danser, alors il m'a demandé si je voulais aller dans le petit gymnase pour discuter. Je n'avais pas envie d'arrêter de danser, mais je l'ai suivi à contrecœur. On a échangé des banalités pendant quelques minutes, et puis j'ai dit à Liam que je voulais retourner danser. Il a fait la même tête que quand j'ai esquivé son baiser, et puis il a dit qu'il allait retrouver ses copains, et qu'il me ramènerait chez moi quand ce serait fini.

J'ai passé le reste de la soirée à danser avec Aiden et Henry. On était tous en transe, nos corps comme des marionnettes dont la musique tirait les ficelles. Ces moments-là sont hors du temps. On n'est pas sur la planète Terre, dans le Delaware, ou à l'école. Nos cerveaux sont branchés directement sur la musique, et plus rien d'autre n'existe.

Lorsque la soirée a pris fin, j'ai dit au revoir aux autres et j'ai retrouvé Liam dehors. Il faisait frais. Il a passé son bras autour de mes épaules. Je me suis sentie un peu coupable de l'avoir laissé tomber.

Quand on est arrivés à sa voiture, il a ouvert sa portière, mais je l'ai refermée, et je l'ai embrassé. Il a joué avec mes fausses tresses. J'ai caressé son dos sous son tee-shirt avec mes mains froides, et il a frissonné. J'ai senti

118

qu'il se passait un truc dans son pantalon. Il était un peu gêné, mais j'ai rigolé, et il a rigolé aussi.

Après ça, il m'a déposée chez moi. Plutôt que d'aller me coucher, j'ai ouvert mon MacBook, et j'ai écrit tout ça. Je suis triste, parce que c'était mon dernier Morp.

La vie adulte a intérêt d'être à la hauteur.

The Mouse Fairy
Jeudi 23 octobre

Quand j'étais petite et que je perdais une dent de lait, je la mettais sous mon oreiller. Au matin, la fée souris l'avait remplacée par un jouet. La fée souris est née du fait que mes parents n'arrivaient pas à se mettre d'accord. En France, c'est la petite souris qui ramasse les dents. Aux États-Unis, c'est la fée des dents. Du coup, ils ont décidé de créer la fée souris, une souris avec des pouvoirs de fée dont mon père me disait toujours qu'elle portait une jolie petite robe blanche.

Quand j'avais huit ans, mon cousin Miles m'a appris que la fée souris était une invention. J'ai pleuré un litre de larmes, minimum. Et quand j'ai fermé les vannes, j'ai décidé de ne plus jamais croire ce que disent les gens.

On m'envoie en colonie de vacances en Caroline du Nord l'été suivant? Je soupçonne qu'il s'agisse en réalité d'un piège pour m'envoyer à «Pétaouchnok» (je ne connaissais pas cette ville, mais mon père disait toujours qu'il ne voulait pas aller à des conférences là-bas). Ma maîtresse me dit que le nombril est la cicatrice du cordon ombilical? Ça me paraît trop gros, j'émets un doute.

Aujourd'hui, j'avais rendez-vous avec mon prof d'histoire après les cours. Il voulait me convaincre de participer à un concours d'essais. J'ai résisté un peu, et puis quand il a dit que je pouvais gagner un voyage en Europe et rater une semaine d'école, j'ai demandé où il fallait signer.

En fermant la porte du bureau de Mr Brock, j'ai vu les membres du Diversity Club qui sortaient de leur salle. Ils se réunissent tous les jeudis pour parler d'identité et de sexualité. Leur nom officieux, c'est le club LGBT (*Lesbian, Gay, Bisexual, Transgender*). Je n'y suis jamais allée, mais ce club m'est sympathique parce que je sais que la plupart des élèves qui ont fait leur coming out n'y sont parvenus que parce qu'ils ont trouvé des oreilles attentives là-bas pour les aider à franchir le cap. Qui a dit qu'une école catholique ne pouvait pas *aussi* rendre service?

Alors que les membres du club se dispersaient dans le couloir, j'ai aperçu des dreadlocks blond décoloré entre

Lee et Becca. Surprise, je suis restée immobile, la main sur la poignée de la porte, me demandant si Aiden aimait les filles, ou si elle était juste une fervente supportrice de la tolérance et de l'être-bien-dans-ses-baskets. J'ai essayé de l'imaginer avec une fille, et je me suis demandé si peut-être, elle s'intéressait à moi.

En rentrant à la maison, j'ai essayé d'effacer cette question de ma tête, car au fond, je savais qu'elle était injuste, et un peu égocentrique aussi. Malgré tout, je n'ai pas pu m'empêcher de repenser à toutes nos longues discussions, tous nos moments délicieux, tous nos fous rires, et de prier un dieu auquel je ne crois pas que l'amitié d'Aiden ne soit pas comme la fée souris.

Halloween
Vendredi 31 octobre

Chaque année avant Halloween, mes amis et moi on passe des heures à discuter de nos déguisements. Nos copains de l'école préfèrent organiser une fête comme si c'était un week-end normal, et décorer le salon avec quelques citrouilles et des toiles d'araignées, mais nous on est trop geeks pour laisser passer une occasion de jouer avec la *pop culture*.

L'année dernière, on avait choisi l'univers de Tim Burton. Soupe avait trouvé un costume de Batman super cool dans un vieux magasin de New York, Vaneck était Willy Wonka, avec son chapeau haut de forme, sa canne et ses lunettes bizarres, et Sara était Beetlejuice, avec son costume à rayures noires et blanches. Avec Ben, on était Katrina Van Tassel et Ichabod Crane, du film *Sleepy Hollow*. On avait passé la soirée à un concert organisé en plein air à Greenville, où habite Soupe. C'était une bonne soirée. À part pour Soupe, qui au moment d'une envie pressante s'était rendu compte que Batman n'avait pas prévu de braguette sur son costume.

Cette année, on était particulièrement fiers de notre thème :

« Personnages de Steven Spielberg après invasion zombie »

Vaneck était Indiana Jones, Soupe Peter Pan, Sara le soldat Ryan, et moi Abraham Lincoln. Pour avoir l'air de zombies, on a reçu l'aide d'Anna, la grande sœur de Sara, qui travaille dans la production de comédies musicales à Broadway. C'était le premier Halloween qu'elle passait ici, alors on a sauté sur l'occasion.

On est allés directement chez Sara après les cours. Quand Anna a terminé de nous maquiller, on avait l'air tellement cool qu'on a éclaté de rire. On a pris plein de photos géniales que Sara s'est dépêchée de poster sur tous les réseaux sociaux. On a reçu des tonnes de *likes* des autres élèves de l'école.

Cette année, on avait décidé de passer la soirée à Philly, ce qui tombait bien parce que le groupe d'Aiden donnait un concert là-bas. Philadelphie est la ville où on va le plus souvent. Elle n'est qu'à une demi-heure du lycée, alors qu'il faut au moins deux heures et demie pour aller à New York ou à Washington. La négociation avec nos parents a pris du temps, parce que c'est une ville qui a mauvaise réputation. On l'appelle presque tous Philly, mais certains l'appellent Killadelphia pour faire peur, et disent qu'on n'est pas un vrai habitant de la ville tant qu'on ne s'est pas fait agresser.

Dans les rues, on a croisé des tas d'enfants déguisés qui sonnaient chez les gens pour le traditionnel *trick-or-treating*. Quand la porte s'ouvrait, les enfants criaient : « *Trick or treat !* » L'idée c'est que si vous ne leur donnez pas de bonbons, ils vont recouvrir votre maison de papier toilette ou faire disparaître tous vos nains de jardin. Les enfants découvrent le concept du chantage, sponsorisés par leurs parents. Bravo !

Quand j'ai vu le visage de Sara, je me suis dit que sous son casque de soldat, elle avait secrètement envie d'avoir à nouveau douze ans pour pouvoir faire comme eux. Et sous ma fausse barbe d'ancien président zombie, moi aussi.

Au fond du Café Kafka, un endroit hipster qui était fier de proposer vingt-cinq variétés de café biologique différentes et aucune sorte de sucre, Aiden et son groupe étaient en train de régler leurs instruments. Les versions zombies du soldat Ryan, de Peter Pan et d'Indiana Jones sont allées trouver une table pendant que j'allais lui dire bonjour.

Quand elle m'a vue, elle a éclaté de rire.

«Jolie barbe! elle a dit. Zombie Abe Lincoln?»

«Ouais, j'ai répondu. Joli chapeau.»

Elle portait un costume noir, un chapeau melon et une petite moustache. Elle faisait un beau Charlie Chaplin aux yeux bleus.

Je ne voulais pas la déranger, mais elle a insisté pour me présenter les autres membres de son groupe. Il y avait Lucy, la guitariste, une jolie fille avec des tatouages sur les bras, qui portait une perruque blonde et la célèbre robe blanche de Marilyn Monroe, et puis Franklin, un grand gars enrobé qui jouait du clavier et qui portait un beau costume gris. Il avait les cheveux gominés et une fine moustache.

«Clark Gable», il m'a dit en voyant que j'étais perdue.

«Cool.» Je ne sais pas qui est Clark Gable, mais je parie qu'il joue dans des films en noir et blanc.

Et enfin le batteur, Charlie, qui m'a fait un signe de la main. Il portait des habits de cow-boy, et avait une cigarette posée derrière l'oreille.

« Clint Eastwood ? » j'ai demandé.

« John Wayne, il a dit en souriant. *Nice costume.* »

« *Thanks* », j'ai répondu.

Ils avaient tous l'air un peu plus âgés que nous. Ça a fait paraître Aiden encore plus cool. Elle m'a dit qu'elle était contente que je sois venue, et je n'ai pas pu m'empêcher de repenser à la semaine dernière, quand je l'ai vue avec le Diversity Club.

J'ai souri en retrouvant les autres. Un Indiana Jones noir zombie écoutant attentivement un soldat Ryan avec de grandes lunettes et de la poitrine. Au moment où je me suis assise, Sara a posé sa main sur le bras de Vaneck. Elle riait aux éclats. Vaneck souriait.

Je me demande s'il a une chance. Peut-être que Sara a des sentiments pour lui et qu'elle ne s'en rend pas compte. Ou peut-être qu'elle ne le verra jamais comme ça et qu'il est coincé dans la *friend zone* pour l'éternité.

Le groupe d'Aiden a joué des reprises pendant presque une heure. Mes chansons préférées ont été *Gimme! Gimme! Gimme!* et *Mamma Mia* en versions jazz.

Pendant que mes amis sortaient, je suis allée voir Aiden et ses partenaires qui étaient en train de ramasser leurs instruments, et j'ai félicité tout le monde.

Je voulais inviter Aiden à se joindre à nous, mais j'ai pensé qu'elle avait certainement quelque chose de prévu avec son groupe. Je lui ai dit au revoir, et j'ai rejoint les autres.

ride

On s'est baladés dans les rues de Philly. Il y avait des groupes d'étudiants partout qui faisaient la fête, beaucoup de gens déguisés, de concerts... et par chance, personne ne nous a demandé si on préférait recevoir des coups de couteau ou abandonner notre portefeuille. *wallet*

AIDEN > I didn't get to thank your friends for coming. Tell them 4 me?

Je n'ai pas pu remercier tes amis d'être venus. Tu le feras pour moi ?

MOI > Sure thing. They all loved it. I think Soup's in love with Lucy :)

Pas de problème. Ils ont tous adoré. Je crois que Soupe est amoureux de Lucy :)

AIDEN > Aww that's cute. Sorry, she's already taken :(

Ooh c'est mignon. Désolée, elle est déjà prise :(

Sur le chemin du retour, Sara m'a prise par le bras. On a parlé de Liam et de Vince pendant que les garçons essayaient d'avoir l'air de durs à cuire pour que personne n'ose nous agresser. C'était plus facile pour Vaneck que pour Soupe. J'imagine que vous n'avez jamais vu un zombie grassouillet avec les collants verts de Peter Pan, mais croyez-moi, ça ne fait pas très peur.

Quand on est arrivés à la voiture, Vaneck a ouvert la

portière pour Sara, puis pour moi (je pense qu'il l'a fait pour moi juste pour camoufler le fait qu'il voulait le faire pour Sara, mais j'ai joué le jeu). Avant que je ne m'assoie, il m'a dit que ma barbe était de travers, et il l'a remise en place.

Sur la route, j'ai fait remarquer que c'était certainement notre dernier Halloween ensemble. L'année prochaine, on sera tous dans des universités différentes, et il y a de grandes chances qu'on soit assez loin les uns des autres.

Il y a eu un long silence.

Pour ne pas qu'on sombre tous dans une déprime collective, Soupe a proposé qu'on continue de se déguiser chaque année pour Halloween en respectant un thème commun, même si on ne vit pas dans la même ville. On a tous accepté avec enthousiasme. Ça m'a remonté un peu le moral, mais une forme de mélancolie était née, et elle ne m'a plus quittée de la soirée.

Soupe l'a senti. Avant de se séparer chez Sara, il m'a fait un long *hug*.

J'y ai vu une certaine logique. Moi, triste d'avancer vers le monde adulte, réconfortée par Peter Pan. C'est aussi pour ça que j'aime mes amis. Tous les quatre, on a peur de ce qui nous attend. Mais avoir peur ensemble, ce n'est pas comme avoir peur tout seul. Si chacun prend un bout de la peur, elle devient moins forte. C'est pour ça que Soupe m'a fait un *hug*. Que Sara m'a pris le bras dans la rue. Et que Vaneck a remis ma barbe en place. Ils sont mon équipage, et peu importe où ira le bateau.

NOVEMBER

Lockdown
Mardi 4 novembre

Vous avez déjà vécu un moment qui ressemble plus à un film qu'à la vraie vie ?

Cet après-midi, juste après le déjeuner, j'avais cours de religion. Ça n'étonnera personne si je dis que je me trouvais donc… aux toilettes. J'étais en train d'étaler mes six rangées de feuilles de papier toilette habituelles sur le siège, une en haut, une en bas, deux de chaque côté l'une sur l'autre pour ce que j'appelle « une assise hygiénique et sans stress », quand j'ai entendu une voix sortir du haut-parleur du couloir. Pas trop concernée, j'ai fait ce que j'avais à faire, et je me suis dit qu'il y avait peut-être une prière surprise, ou qu'un élève était appelé à l'accueil.

Quand je suis sortie trois minutes plus tard, le couloir était désert. Pendant une heure de classe, c'est plutôt normal, sauf que j'étais près de la grande bibliothèque, où il y a toujours des élèves qui circulent.

J'ai à peine eu le temps de froncer les sourcils que j'ai entendu quelqu'un chuchoter :

« *Capoutchini !* »

C'était la directrice, dont la tête dépassait de l'entre-bâillement de la porte de son bureau, et qui me disait de rappliquer illico presto.

Je me suis dépêchée de la rejoindre. À l'intérieur de son bureau, il y avait Naomi Chang, qui se tenait debout au centre de la pièce, et qui contrairement à moi, avait l'air de savoir ce qu'elle faisait là.

La directrice a passé la tête dans le couloir ; elle a regardé à droite, à gauche, puis elle a refermé la porte et tourné le loquet. Elle est allée jusqu'à la fenêtre, s'est assurée qu'elle était bien fermée, puis elle a tiré les stores et nous a plongées dans la pénombre. Elle nous a demandé de nous éloigner de la fenêtre et de nous asseoir par terre. C'est là que j'ai compris qu'on était en *lockdown*.

Deux fois dans l'année, on nous demande de nous soumettre à un exercice qui consiste à s'enfermer dans la salle de classe où on se trouve, et à ne plus faire aucun bruit. C'est comme si toute l'école se recroquevillait sur elle-même et essayait de se faire toute petite. Jusqu'ici, j'avais toujours été en classe pendant les *lockdowns*, mais Soupe m'avait dit un jour que quand on n'est pas en cours, on a trois minutes pour trouver une salle avec un adulte, après quoi tout est fermé à clé, et on est coincé dans un couloir ou pire, dehors.

Naomi s'est assise près du radiateur, et je me suis installée à côté d'elle. La directrice s'est mise en tailleur en face de nous. Quand on fait un *lockdown* avec un prof, même si on n'est pas censé parler, on chuchote toujours un peu, et on se fait des blagues dans l'obscurité. Avec la directrice, j'ai décidé qu'il ne valait mieux pas.

Cinq minutes ont passé, qui se sont transformées en dix minutes. Puis quinze. Puis vingt. Je n'avais jamais vu un exercice durer plus de cinq minutes.

Naomi a murmuré à côté de moi :

« Ça, ce n'est *pas* un exercice. »

« Je sais, j'ai répondu. C'est trop long. »

Tout à coup, un téléphone a vibré sur le bureau. La directrice a décroché et s'est mise à chuchoter.

Normalement, on n'a pas le droit de communiquer avec l'extérieur pendant un *lockdown*, mais c'était la directrice, et je me suis dit qu'elle devait avoir une bonne raison de répondre. Le coup de l'exercice qui n'en était pas un me terrifiait. Il y a de plus en plus de tueries dans les écoles et les centres commerciaux depuis quelque temps, et je commence à devenir paranoïaque.

J'étais en train de me demander si Eugene avait fini par se décider à tous nous éliminer de la surface de la terre, quand au milieu des chuchotements de la directrice a émergé une phrase qui nous a fait froid dans le dos :

« Ne dis rien aux élèves, Robert, je ne veux pas qu'ils paniquent. »

La directrice a raccroché. J'ai tourné la tête vers Naomi. Elle m'a regardée, la bouche ouverte.

J'ai dit à la directrice qu'on avait entendu ce qu'elle disait, et qu'au stade où on en était, le mieux était peut-être encore de nous dire ce qui se passait, et qu'après, Naomi et moi on déciderait si ça valait le coup de paniquer ou pas. Le cas échéant, on promettait de paniquer en silence.

Elle a réfléchi, et elle a fini par nous révéler que la banque de l'autre côté de la rue avait été braquée une heure plus tôt, et que les deux bandits étaient introuvables. Ils étaient partis à pied avec des sacs remplis d'argent, et la police avait peur qu'ils se cachent sur le campus.

Naomi et moi, on a décidé de ne pas paniquer. D'abord, des bandits assez intelligents pour réussir à partir avec des sacs d'argent n'iraient pas s'enfermer dans un campus rempli d'ados qui passent leur temps à tweeter, et ensuite, je préférais largement cette version à celle avec Eugene.

Histoire de penser à autre chose, j'ai commencé à parler avec Naomi.

« Si tu te maries avec James, tu prendras son nom ? » j'ai murmuré.

Naomi n'a pas rigolé. Je ne sais pas si c'est parce qu'elle ne trouvait pas ma blague drôle (moi je trouvais ça très fin), ou parce qu'elle n'aimait pas que je la branche sur le dossier James – son amoureux secret – mais en tout cas elle a fait ce truc où elle lève les sourcils et soupire et me donne l'impression que je suis une petite fille qui vient de dire une grosse bêtise.

«Pourquoi je me marierais avec lui?» elle a demandé.

«Pourquoi pas?»

«On est juste amis.»

«Vous avez dix-sept ans. Ça peut changer.»

«Et toi? Il me parle de toi, parfois. Peut-être que c'est toi qui te marieras avec lui.»

Étais-je possiblement en train de déceler une once de jalousie dans la voix de Naomi Chang? Et si la jalousie n'est pas l'indice le plus flagrant d'une présence de sentiments amoureux, alors je n'y connais rien (ce qui est, soyons lucides, tout à fait possible).

«Qu'est-ce qu'il te dit sur moi?» j'ai demandé.

«Il dit que tu es de bonne humeur tout le temps. Que lui, il est neutre, mais que quand on est neutre à côté de toi, on a l'impression d'être grincheux.»

«Il a dit ça?»

«Pas exactement. Il a dit que son énergie potentielle était de zéro, mais que si on déclarait que l'énergie potentielle de Puce représentait le zéro, alors la sienne devenait négative. J'ai juste traduit en des termes que tu comprendrais.»

«Parce que je suis nulle en sciences.»

«C'est ça.»

J'allais complimenter Naomi pour son tact, mais c'est

le moment qu'a choisi la directrice pour prendre la parole au micro et annoncer la levée du *lockdown*.

Plus tard, on a appris que la brigade de déminage avait dû se poser en hélicoptère sur le terrain de baseball, parce que les braqueurs avaient laissé un sac dans la banque, et la police craignait qu'il y ait une bombe à l'intérieur. Mais il n'y avait pas de bombe, et les deux braqueurs n'ont jamais été retrouvés.

Un jour, vous êtes deux gredins qui fomentent un plan scabreux dans le Delaware. Le lendemain, vous êtes millionnaires au Costa Rica. C'est aussi ça, la vie, et c'est pour ça que Naomi devrait comprendre que l'amour et l'amitié sont comme les braquages de banque : tout peut changer très vite.

Thanks, Please
Samedi 8 novembre

Je travaille au Mordor depuis deux mois, et je commence à comprendre de quoi Vaneck me parlait. Maintenant, lorsque j'arrive en cuisine, le sourire n'est jamais très loin de mes lèvres.

Ce que voulait dire Vaneck, c'est que si vous faites un travail pénible entouré de gens drôles et agréables, alors le travail peut devenir drôle et agréable, et à la fin vous ne remarquez même plus qu'il est pénible. Évidemment, on n'a pas toujours la chance de travailler avec des gens comme ça. Mais mon fast-food est une sorte d'exception, et je crois que c'est parce qu'il se trouve juste à côté de la fac. La plupart de mes collègues sont étudiants, certains sont au lycée, d'autres comme Piotr sont étrangers, et ils ont toujours des choses intéressantes à raconter.

Lorsque je suis arrivée il y a deux mois, je regrettais de ne pas être en caisse, mais je ne savais pas encore que tout le monde préfère être en cuisine. Comme on n'a pas affaire aux clients, l'ambiance est plus festive. On fait des concours pour savoir qui peut préparer un plateau de douze cheeseburgers le plus rapidement possible. Matt est imbattable, mais j'ai le deuxième meilleur temps ! Hier, on a essayé de tenir une heure pendant le *rush* en ne communiquant que par des mimes. J'ai tellement ri quand Black Jack a mimé « avec ou sans fromage ? » et que Matt a répondu « aucun problème ! » que j'ai dû courir aux toilettes pour ne pas mouiller ma culotte.

Bon, du coup, mon surnom pour le fast-food a du plomb dans l'aile. Le Mordor, c'est la région des ténèbres, a priori il n'y a rien de drôle et d'agréable. On peut y mouiller sa culotte, mais pour des raisons très différentes.

Mais je vais le garder quand même, parce que dans la vie, pour savoir où aller, il vaut mieux se souvenir d'où on vient.

Ce qui m'amuse le plus, c'est le fait qu'on dise « *please* » tout le temps. Et quand je dis tout le temps, je n'exagère pas. C'est un moyen de désamorcer la tension. Quand une fille en caisse vous demande d'un air un peu supérieur de vous dépêcher pour emballer un produit dont elle a besoin, alors que vous avez déjà un milliard de choses à faire, son « *please* » est la seule chose qui vous empêchera d'aller chercher une machette pour lui découper la tête. On a pris l'habitude de le dire à la fin de chaque phrase, et on ne s'en rend même plus compte.

Par exemple, un dialogue que j'ai entendu hier entre Matt et Vaneck :

« *Eight hamburgers, please.* »

« *Eight hamburgers no problem, please.* »

« *Thanks, please.* »

« *You're welcome, please.* »

Il faudra que je demande à Mr Crinky si « merci s'il te plaît » peut être considéré comme un oxymore.

Le seul problème, c'est que tous mes collègues ne sont pas drôles et agréables. Il y a aussi Harry et Chandra.

Ils sont *managers*, et font partie de ces êtres humains qui se prennent beaucoup trop au sérieux. Ils s'énervent si on ne porte pas nos surchaussures en cuisine, quand Matt met sa casquette à l'envers, ou quand Piotr sifflote le *Boléro* de Ravel. Ils n'ont pas compris qu'on est des animaux, qu'on va tous mourir un jour, et que du coup il faut se détendre parce que rien n'est vraiment important. Je suis sûre que si je disais à Harry ou Chandra qu'on est des animaux, ils rigoleraient comme si c'était une blague.

Ils se baladent avec deux plumes plantées dans les fesses. Une parce qu'ils sont fiers d'être humains, et une autre parce qu'ils sont fiers d'être Harry et Chandra.

Chandra est un vrai cauchemar. Son amertume de travailler au Mordor ressort par tous les pores de sa peau. Pour se venger d'être là, elle s'en prend à ceux qui ont la mauvaise idée d'avoir de grands projets pour l'avenir. On est une sorte de miroir pour elle, et elle n'aime pas l'image qu'on lui renvoie. Quand on parle de nos études, elle arrive souvent de nulle part et se mêle à la conversation pour faire un commentaire désobligeant.

D'autres fois, elle me pose une question, et elle attend impatiemment que j'aie fini de lui répondre pour pouvoir me donner sa réponse à elle. Mais je n'ai rien demandé, moi !

Harry est encore pire, parce que en plus d'être constamment collé à nos baskets pour nous engueuler, il est *creepy*. On l'a surnommé Creepy Harry. La première fois qu'il m'a vue, il m'a dit que mon polo m'allait bien, en regardant ma poitrine. *Creepy*. Une autre fois, il m'a proposé de me ramener en voiture, seul. *Creepy*. Quand

Liam est venu me chercher l'autre jour, Harry m'a demandé si je ne m'ennuyais pas avec quelqu'un d'aussi jeune. *Creepy!*

Chaque fois que je rentre chez moi après avoir travaillé avec Harry ou Chandra, je reprends mes cours de la semaine et je m'assure de bien tout savoir. Je ne veux pas devenir comme eux.

Je crois que tout ce travail a enfin fini par payer, parce que hier soir, Mr Brock m'a appris que j'avais fait deuxième au concours d'essais, et j'ai gagné un voyage d'une semaine en Pologne (mon essai était sur l'insurrection de Varsovie en 1944, Piotr m'avait raconté l'histoire de ses grands-parents pendant des heures en cuisine). En plus, j'ai le droit d'emmener une copine avec moi. Vous savez ce que j'ai pensé en apprenant ça? J'ai pensé *thanks, please.*

In the Sky with Diamonds
Vendredi 14 novembre

Ma grand-mère m'a dit un jour : « Le mensonge est un chemin facile que les gens bien n'empruntent pas. »

Ce soir, j'étais invitée à l'anniversaire d'Aiden. Je devais travailler, et si j'avais dit la vérité à Creepy Harry, il aurait refusé de changer mes horaires. Alors, j'ai fait ce que n'importe quelle fille de mon âge aurait fait : j'ai dit que je faisais partie de la chorale de l'école et qu'on avait un concert que je ne pouvais pas manquer. On ne peut pas dire que c'était un chemin facile, parce que j'avais tellement peur qu'il me demande de chanter pour vérifier que je me suis entraînée sur *Ave Maria* toute la semaine. Je crois que j'ai traumatisé Hercule.

Grâce à mon mensonge, j'ai même eu le temps de rentrer me coiffer avant d'y aller. Sara m'a aidée à me faire un chignon désordonné. Ça prend du temps, mais c'est vachement joli. C'était la coiffure parfaite pour aller avec mon jean troué, mes vieilles tennis blanches achetées à Paris il y a deux ans, et le petit cardigan noir sur mon tee-shirt des Red Hot Chili Peppers.

En entrant dans la voiture, je n'ai pas aimé ce que j'ai vu. Liam avait mis trop de gel. Le gel, c'est comme le maquillage : si ça saute aux yeux, vous êtes à côté du bon goût.

« Je sens les frites ? » j'ai demandé.

« Si tu sens les frites, je te touche pas », il a répondu.

« Sympa. »

Il s'est penché vers moi, et après avoir remarqué que je ne sentais pas les frites, il a essayé de m'embrasser. J'ai tourné la tête. Beaucoup de garçons ont des problèmes de vue. Ils ne voient pas quand on est contrariées. Et même s'ils ont un éclair de génie, ils ne comprennent pas qu'il ne faut pas s'approcher de nous quand on est contra-riées. Mettez-les devant un crocodile avec la gueule ouverte et vous verrez, ils essaieront de l'embrasser.

Aiden fêtait son anniversaire chez Lucy, qui habite dans une maison avec d'autres étudiants, près de l'Université du Delaware. Quand elle a ouvert la porte et que je l'ai vue sans sa perruque de Marilyn, j'ai réalisé que depuis le concert d'Halloween, ce n'était pas son visage que je lui associais dans ma tête, mais celui de Marilyn Monroe.

L'année dernière, j'ai entendu Seemus dire à Tom qu'il avait eu sa meilleure séance de masturbation en pensant à « Marilyn ». Il parlait peut-être de l'une de leurs copines, mais j'ai toujours pensé qu'il parlait de Marilyn Monroe. Je me demande s'il l'a imaginée en noir et blanc.

En fait, Lucy a de longs cheveux noirs, qu'elle avait attachés au-dessus de sa tête avec un crayon gris planté au milieu.

« *Capouce* ? » elle a demandé.

« Capucine. Puce. Lui c'est Liam. »

Un grand type est apparu derrière elle, mal rasé, le torse nu sous un veston en cuir sans manches, avec une bouteille de bière à la main et un joint à la bouche. Il a dit qu'on était les plus beaux lycéens qu'il avait jamais vus, « surtout la fille », et puis il voulait savoir si on aimait Dostoïevski. Lucy nous a demandé de l'excuser. On l'a excusé, et puis on est entrés.

Au milieu du salon, un couple d'étudiants dansait sur une chanson des années 60 que je connaissais bien, parce qu'elle est sur la bande originale de *Dirty Dancing*.

J'ai reconnu quelques copains du lycée, ceux du Diversity Club, assis par terre en cercle autour d'un jeu de cartes, et Franklin et Charlie, que j'avais rencontrés à Halloween, qui discutaient avec Aiden à l'entrée de la cuisine.

Elle portait une salopette en toile un peu retroussée sur ses chevilles, dont une seule des deux bretelles était attachée, avec un débardeur noir en dessous. Ses cheveux étaient juste assez longs pour une petite queue-de-cheval, et les quelques mèches rebelles étaient tenues par des barrettes. Pour une fois, elle ne portait pas ses lunettes, qui dépassaient d'une poche de sa salopette, avec deux ou trois pinceaux. C'était comme d'habitude : elle ne ressemblait à aucune autre personne que j'avais déjà vue dans ma vie.

Quand elle nous a aperçus, elle est venue à notre rencontre. On s'est fait un *hug*, et puis je lui ai offert un cadeau d'anniversaire. La plupart des gens auraient dit un truc super attendu, genre «tu n'aurais pas dû», mais Aiden a fait ça sans parler. Elle m'a regardée avec un petit sourire au coin des lèvres, et elle a posé sa main sur mon épaule en secouant doucement la tête. Ça voulait dire la même chose, mais j'ai trouvé ça beaucoup mieux.

Et puis il y a eu la grande secousse, le séisme psychologique : Lucy est arrivée derrière Aiden, a passé les bras autour de sa taille, Aiden a tourné la tête, et elles se sont donné un baiser.

Ça a déclenché un petit tremblement de terre dans ma tête. J'ai ressenti un sentiment flou, désagréable. Je n'étais pas contente de voir Aiden embrasser Lucy. Je ne sais pas pourquoi. Peut-être que si je voyais Sara embrasser une fille, je ressentirais ça aussi, mais ce n'est pas demain la veille que je pourrai vérifier, parce que Sara sursaute dès qu'elle entend parler d'une fille avec une autre fille.

Pendant la soirée, j'ai écouté Aiden parler aux autres invités, et je me suis rendu compte d'une chose : elle ne change pas. Contrairement à moi, elle est toujours la même version d'elle-même, que ça soit en groupe, à l'école, ou seule avec moi. Je me demande si c'est ça, la maturité.

Lorsque Lucy nous a murmuré qu'il y avait des chambres libres à l'étage, Liam m'a demandé si je voulais monter. Sans rire, depuis quelques jours, je ne sais pas ce qu'il a, mais on dirait qu'il vient de sortir de prison. En même temps, c'est peut-être stupide ce que je dis, parce qu'il paraît que les garçons pensent au sexe tout le temps et que c'est «normal». Sara dit que c'est comme une petite musique dans leur tête qui ne s'arrête jamais.

La troisième fois qu'il a parlé de monter pour «visiter», j'ai fini par lui dire qu'il avait autant de chances de coucher avec moi dans cette maison que mon chat de remporter la prochaine élection présidentielle. À en juger par sa réaction, je dirais qu'il ne doit pas trouver mon chat très charismatique.

Un peu avant minuit, on allait commencer une partie de Flip Cup, quand j'ai senti quelqu'un me prendre la main. Sans un mot, Aiden a attrapé mon cadeau sur la table et m'a emmenée dans une chambre. Et puis elle a refermé la porte derrière nous.

Elle savait que je devais bientôt rentrer et voulait ouvrir le cadeau avec moi. Ça m'a fait plaisir, mais j'avais peur que ça ne lui plaise pas, ce qui est bien plus *awkward* quand la personne le déballe en face de vous. Parfois à Noël, je vois des visages déçus tenter de feindre la joie, et ce sont les visages les plus laids du monde.

Sur le bureau dans la chambre, il y avait un cadre avec une photo d'Aiden et Lucy bras dessus bras dessous, portant chacune un dossard avec un numéro, devant ce qui ressemblait à la ligne d'arrivée d'un marathon.

Le lit était défait. Je me suis demandé si Aiden couchait

avec Lucy (faut pas croire, nous aussi on a la petite musique dans la tête). Aiden a commencé à déballer le paquet cadeau.

« Pourquoi tu ne m'as pas dit que c'était ta petite amie ? » j'ai demandé en prenant le cadre entre mes mains.

Pour moi c'était une question évidente, mais elle a eu l'air de surprendre Aiden. Elle a haussé les épaules.

« Je ne savais même pas que tu étais *gay* », j'ai ajouté.

« Ça t'embête ? »

« Non, pas du tout. »

J'ai reposé le cadre sur le bureau.

« Tout va bien alors », elle a dit en souriant.

Je lui en voulais un peu. Oui, c'est vrai, elle n'avait rien fait de mal, mais quoi, ça ne vous est jamais arrivé d'en vouloir à quelqu'un qui n'a rien fait de mal ?

Quand Aiden a vu ce qui était dans le paquet, ses yeux bleus se sont allumés derrière ses lunettes.

Il y a deux semaines, j'ai trouvé un magasin sur Internet qui propose de transformer les dessins de vos enfants en peluches. Je leur ai envoyé celui de la *zombee* d'Aiden, et une semaine plus tard, j'ai reçu une abeille morte-vivante absolument géniale, parfaitement identique au dessin d'Aiden, avec la langue qui pendait et tout.

« *Happy birthday* », j'ai dit, un peu gênée.

Sans un mot, elle m'a prise dans ses bras. On est restées comme ça pendant un long moment. Aiden a cette odeur particulière, et je ne me lasse pas de la sentir. Elle sent comme la peau d'un bébé, enroulé de linge frais, qui aurait légèrement trempé dans la vanille.

On était bien, l'une contre l'autre. Je ne sais pas si les garçons peuvent comprendre. Quand on a des amies, on se touche beaucoup. On se prend la main, on se prend dans les bras, on met la tête sur l'épaule de l'autre quand on est fatigué… et ça fait du bien. C'est l'expression de notre amitié, comme un baiser est l'expression de l'amour. Peut-être que les garçons ont la petite musique dans la tête parce qu'ils n'ont pas ça dans leur vie. Ils ne se touchent jamais ! On a tous besoin de contact humain, et si les garçons n'en ont que pendant le sexe, alors je comprends qu'ils en aient envie tout le temps.

Après le long *hug*, on est ressorties de la chambre juste à temps pour le gâteau d'anniversaire. Aiden m'a donné un petit morceau pour Hercule et Sacrebleu. C'est aussi ça, l'amitié. Une personne qui sait ce qui compte pour vous, et qui fait comme si ça comptait pour elle aussi.

Tryouts
Mardi 18 novembre

Souvent dans la vie, on voit des choses qu'on a déjà vues. Ce soir, j'ai vu un truc que je n'avais jamais vu avant.

C'était les auditions pour Mock Trial. Après les cours, j'ai passé trois heures avec Aiden et les autres dans la petite bibliothèque du manoir, à attendre notre tour. C'est un endroit très ancien et très majestueux, avec tout un tas de vieux livres sur l'histoire de l'école et du Delaware. Il y a cette odeur d'un autre temps qu'on trouve dans toutes les vieilles bibliothèques. Comme si elles résistaient au passage à la modernité, et restaient figées à la même époque pour toujours. Ça fait partie de mes odeurs préférées, avec les pages des vieux livres de recettes de mon père, l'essence, l'herbe qui vient d'être tondue, et Aiden.

J'étais un peu nerveuse, parce que j'avais appris que je passerais mon audition avec Elodie Dickinson et Naomi Chang. Elles auditionnaient toutes les deux pour des rôles d'avocates, Elodie pour l'accusation, et Naomi pour la défense. Comme j'étais témoin pour l'accusation, Naomi allait faire mon contre-interrogatoire, où elle était censée montrer qu'elle était une bonne avocate en me faisant passer pour une idiote. Si ça vous a échappé,

Naomi est ultra-compétitive et n'a que des A depuis qu'elle est *freshman*. Oh, et la pitié, elle ne connaît pas. Du coup, j'étais à peu près sûre qu'elle allait me manger toute crue à la sauce Chang.

Entre deux fous rires avec Aiden sur des sujets divers et variés, je discutais avec JM. Enfin, pour être honnête, j'ai regardé beaucoup plus que j'ai discuté. J'ai regardé ses pommettes, ses épaules, ses cheveux... quand on voit ça on a envie de tout toucher. Est-ce que les gens qui vivent près de l'Himalaya disent « bof » quand on leur en parle, parce qu'ils le voient tous les jours ? Parce que ça fait plus de trois ans que je vois JM, et je ne dirai jamais « bof ».

Aiden a beau ne pas le regarder avec les mêmes yeux, elle a très bien compris l'effet qu'il a sur nous. L'autre jour, j'étais chez elle pour faire nos devoirs de biologie, et elle a gribouillé une caricature sur son iPad pour me faire rigoler. On reconnaissait quelques Populaires atta-blées autour d'un grand banquet, avec une serviette autour du cou et des couverts dans chaque main. Sur la table, JM était allongé, nu, ligoté comme un rôti.

Lorsque mon tour est venu, j'ai auditionné pour le rôle de Dorian Lawson, experte en explosifs. Je n'ai jamais rêvé d'être experte en explosifs, mais comme il n'y avait aucun témoin « princesse ninja accompagnée de sa fidèle licorne supersonique », j'ai pris ce qu'on me proposait.

Elodie était très tendue. Avant de quitter la petite

bibliothèque pour se rendre dans la salle d'audition, elle a mis des fausses lunettes qui n'avaient même pas de verres. Quand je lui ai demandé *what the fuck she was doing*, elle m'a dit qu'on ne prend pas les gens au sérieux s'ils ne portent pas de lunettes. Elle avait aussi une perruque blanche dans son sac à dos, comme les avocats anglais. Elle l'a montrée à tout le monde et a demandé si c'était *too much*. Comme on a tous rigolé, elle l'a remise dans son sac.

Sur le chemin de la salle d'audition, Naomi s'est approchée de moi.

« *Hey Puce.* »

Dans la bouche de Naomi, c'était une phrase complètement improbable. Naomi dit très rarement « *hey* » aux gens. Son truc, c'est plutôt de lever les yeux au ciel parce qu'il y a quelque chose que tu ne fais pas assez bien ou pas assez vite.

« *Hey yourself* », j'ai dit.

« Je peux faire ton contre-interrogatoire de deux façons. Juste assez bien pour avoir le rôle, ou alors… je peux te massacrer. »

Là, je ne suis plus très sûre, mais je m'imagine bien en train de déglutir de manière totalement exagérée, comme dans les dessins animés.

« *Okay*, j'ai répondu. *Good to know.* »

« Je veux bien être sympa… si tu fais quelque chose pour moi. »

On s'est arrêtées de marcher. Elodie a continué toute seule en marmonnant son texte.

« Si je fais quoi ? » j'ai demandé.

J'avais peur qu'elle me demande un truc abominable, du genre assassiner Raylin pour qu'elle soit sûre d'avoir les meilleures notes. J'étais loin d'imaginer ce qu'elle s'apprêtait à me dire.

« *If you teach me about boys.* »

« De quoi ? »

« Tu sais… comment tu fais pour leur parler… pour qu'ils aient envie d'être avec toi… »

Naomi Chang voulait *mes* conseils pour parler aux garçons ? J'étais flattée. C'était vachement diabolique comme marché, mais un peu touchant aussi.

« Tu ne peux pas te retenir pour ton audition, je lui ai répondu. Ce ne serait pas juste pour toi. Fais de ton mieux, et moi je me débrouillerai. »

Elle semblait déçue.

« T'en fais pas, j'ai ajouté. Je t'expliquerai quand même des trucs sur les garçons. »

Alors, Naomi Chang a fait une chose que je ne l'avais jamais vue faire avant : elle a souri !

Snowflake

À chaque première neige, il se passe la même chose.

Les flocons commencent à tomber, l'élève le plus près des fenêtres le remarque et s'exclame « *Snow !* ». Tout le monde lève la tête. Certains se mettent debout, expriment leur excitation, et puis le prof invite tout le monde à se rasseoir, et la classe reprend.

Cette année, ça ne s'est pas passé comme ça. On était en cours de littérature. C'est moi qui ai dit « *Snow !* ». Mr Crinky s'est approché de la fenêtre, et au lieu de nous dire de retourner à nos places, il a demandé à ceux qui n'étaient pas debout de se lever aussi, de trouver un partenaire, et de ne pas se rasseoir avant d'avoir écrit quatre vers dans lesquels la neige était une métaphore.

Je me suis mise avec Naomi. On a parlé de garçons au téléphone toute la soirée hier, et maintenant on est copines. J'avais un peu peur qu'elle veuille tout faire toute seule, mais elle était de bonne humeur, et elle m'a demandé sur quoi j'aimerais écrire. Je voulais vous expliquer la métaphore, mais un poème ça ne s'explique pas, ça se lit.

I go to the store to buy an apple with a snowflake.
« Water's no good here », says the cashier.

I look down in my palm and see the wet mark,
a useless dot, the relic of a thing gone.

(Je vais au magasin pour payer une pomme avec un flocon
de neige.
« On n'accepte pas l'eau, ici », dit le marchand.
Je baisse les yeux et vois la trace mouillée sur ma paume,
Un point inutile, la relique d'une chose qui s'en est allée.)

Black Friday
Vendredi 28 novembre

Hier, c'était Thanksgiving. On était dans la banlieue de New York chez ma tante Gwen. Elle avait fait un feu dans la cheminée. J'adore l'odeur du bois, le crépitement des flammes, la sensation de chaleur quand on approche la main de la vitre. En plus, ma mère avait fait du chocolat chaud. Ça m'a rappelé mon enfance, quand j'allais faire des bonhommes de neige avec les gamins du quartier, et que je rentrais pleine de boue et de neige en claquant des dents.

La différence cette année, c'est que je n'ai pas mangé

de dinde au dîner. Ça a fait toute une histoire, parce que ma mère ne veut pas que je devienne végétarienne. Elle pense que je vais manquer de protéines et tomber malade et devenir toute maigre et toute blanche. Je lui ai dit qu'Aiden est végétarienne depuis qu'elle a huit ans, et elle n'est ni maigre, ni blanche, ni malade, et elle a même la peau la plus douce que j'aie jamais vue.

Je ne sais pas encore si je veux vraiment devenir végétarienne. Ce n'est pas pour faire comme Aiden, mais depuis qu'elle m'a expliqué ses convictions et qu'elle m'a montré des images d'abattoirs monstrueuses, ou de papas et mamans animaux avec leurs bébés animaux, je n'arrive plus à voir la viande comme de la nourriture. C'est juste devenu « des morceaux d'animaux morts ».

Pendant le repas, j'échangeais des messages avec Naomi Chang. Depuis qu'elle a choisi de s'émanciper de sa condition de Nerd, elle prend très au sérieux le retard qu'elle doit rattraper sur le monde réel, particulièrement au sujet des garçons, alors elle me pose des questions tout le temps. Du genre :

NAOMI > What's "no shave november"?
Qu'est-ce que c'est, « no shave november » ?

MOI > We don't shave our legs in november
On ne se rase pas les jambes en novembre

NAOMI > What?? What about boys?!

Quoi ?? Et les garçons, alors ?

MOI > Who cares? We're expected to be hairless rats all the time, we can take a break one month a year. We wear tights in school anyway.

On s'en fout ! On nous demande d'être pelées comme des rats tout le temps, on peut bien faire une pause un mois dans l'année. On porte des collants au lycée de toute façon.

NAOMI > How did I not know about this?? I'm too late now :(:(

Pourquoi je ne savais pas ça ?? C'est trop tard maintenant :(:(

MOI > That's okay, you can do it next year!! I'll remind you ;)

C'est pas grave, tu peux le faire l'année prochaine !! Je te le rappellerai ;)

NAOMI > Thanks Puce!!

Merci Puce !!

Sara me fait la tête parce que aujourd'hui, j'ai fait Black Friday avec Aiden. Si vous ne connaissez pas, c'est une sorte de sport national le lendemain de Thanksgiving. Les rues et les magasins sont noirs de monde. Ça se bouscule, ça se pousse, et ça vendrait sa mère pour arriver aux produits soldés en premier.

Sara a dit que c'était «notre tradition», mais on ne l'a fait qu'une fois ensemble, et moi je dis qu'une fois, ce n'est pas une tradition. Elle a ajouté que je parlais d'Aiden tout le temps, et que j'étais en train de devenir lesbienne, et puis elle m'a raccroché au nez. Ma conclusion : Sara est un gros bébé.

Il neigeait encore quand Aiden est venue me chercher. Elle portait un bonnet vert rigolo avec deux pompons qui pendaient de chaque côté. Quand elle m'a fait un *hug* pour me dire bonjour, je l'ai embrassée sur la joue. Sur le coup elle a eu l'air surprise, alors moi j'ai commencé à paniquer en me demandant si je venais de lui faire des avances. Heureusement, Aiden a lu la détresse dans mes yeux. Elle m'a embrassée sur la joue aussi, et puis on est parties en riant.

On a passé la matinée à farfouiller dans les magasins de Philly. Ensuite, on a déjeuné au centre commercial.

«Pourquoi tu ne parles jamais de Lucy?» j'ai demandé à Aiden.

Elle a terminé son falafel, et m'a regardée en s'essuyant la bouche.

«Et toi? elle a répondu. Tu ne parles jamais de Liam.»

«C'est pas vraiment mon petit ami», j'ai dit.

Elle a haussé les épaules. «Toi et moi on a toujours plein de choses à se raconter. Y'a pas la place.»

« C'est vrai, j'ai dit. Faut hiérarchiser. »

En sortant du centre commercial, on est passées devant un magasin de *comics,* où un grand type déguisé en Dark Vador distribuait des prospectus avec sa petite fille, déguisée en Princesse Leia. On s'est arrêtées, parce que Aiden voulait absolument prendre une photo avec eux pour sa collection. Elle est fan de *Star Wars*. Non, elle est obsédée par *Star Wars*.

Quand on s'est séparées, je lui ai fait un petit cadeau. Le mois de novembre est bientôt terminé, et tous les lundis en décembre, c'est Ugly Christmas Sweater Monday à l'école. On a le droit de ne pas porter le haut de l'uniforme si on met un pull de Noël très moche et très kitsch. Moi j'en ai un avec des rennes, vert, rouge et marron. Celui que j'ai offert à Aiden a un grand sapin dessus, avec plein d'étoiles. Horrible.

« C'est le pull le plus laid que j'ai jamais vu », elle a dit en souriant.

« Merci, j'ai répondu. Je suis contente si j'ai bien choisi. »

Never Have I Ever
Samedi 29 novembre

Il y a bien longtemps, le troc est apparu. Un type qui devait nourrir sa famille a dû avoir la flemme d'aller chasser le mammouth, et a décidé d'échanger son meilleur silex contre une cuisse de la bête qu'un copain venait de transpercer avec sa lance.

À l'école aujourd'hui, le troc est encore très répandu. Une copine de Sara couche avec Seemus pour de l'herbe. Nick Xu troque son amitié contre un peu d'alcool. Des exercices de trigonométrie s'échangent contre des devoirs d'histoire européenne. C'est du *give and take*.

Parfois, Vaneck fait les devoirs de Sara, mais ils n'ont jamais voulu me dire ce qu'elle lui donnait en échange. J'ai bien pensé au sexe, mais si Sara avait couché avec Vaneck, elle me l'aurait dit. Ça fait un mystère de plus sur ma Mystery List, qui comporte déjà l'identité de la personne qui se cache dans le costume de notre mascotte Isidore, et comment ça se fait que les chats pensent qu'ils sont tellement supérieurs à nous.

Ce soir, j'ai dû aller à une fête chez Liam, parce qu'il avait accepté de m'accompagner à l'anniversaire d'Aiden il y a quinze jours. *Give and take.*

Je n'étais pas d'humeur. D'abord, parce que j'étais en mode dragon, j'avais mal au ventre, et j'avais envie de taper sur toutes les têtes que je voyais depuis le début de la journée avec un marteau, comme à la fête foraine. En plus de ça, ma coiffeuse Yvette avait fait n'importe quoi avec mes cheveux plus tôt dans l'après-midi. Le problème d'Yvette, ce n'est pas qu'elle n'est pas douée, c'est qu'elle parle tout le temps. Forcément, ça dilue son attention, et elle me coupe moins bien les cheveux. Il faut que les coiffeurs arrêtent de penser que parler fait partie du métier. La prochaine fois, je lui dis : « Chut ! Tais-toi et coupe ! »

J'ai expliqué à Liam que je n'avais pas envie de sortir, mais il m'a rappelé notre deal, sans aucune considération pour mes états d'âme. Une parole est une parole : je suis sortie à contrecœur, non sans une certaine amertume qui allait porter ses fruits pourris un peu plus tard.

Au début de la soirée, Liam a passé son temps à parler aux autres filles pour me montrer de manière totalement pas subtile que si je ne couchais pas avec lui, il y en avait d'autres sur sa liste. Tout à fait le genre de trucs à faire à une fille en mode dragon à la confiance en soi traumatisée par une coupe de cheveux discutable.

Heureusement, Soupe était là. Ça m'a surprise, parce qu'il fait de la lutte avec Liam, et je sais qu'ils ne s'aiment pas beaucoup. Quand je l'ai vu au fond du salon, en train de passer en revue la collection de vinyles des parents de Liam en rongeant les ongles de ses petits doigts boudinés, j'ai poussé un soupir de soulagement.

Je suis allée le retrouver, et j'ai souri en sentant son odeur. Depuis quelques jours, il a décidé de mettre du déodorant pour femmes. Il est convaincu que ça va mettre les filles en confiance quand elles seront près de lui. Il a lu un article sur les phéromones. Je ne suis pas sûre qu'il ait bien compris.

« Qu'est-ce que tu fais là ? » j'ai demandé.

« Ashley m'a invité. »

« Ooooh… elle t'aime bien, hein ? » j'ai demandé en lui donnant un coup d'épaule amical.

« Peut-être. Peut-être pas. Tu connais les femmes. »

« Ouais, j'ai dit en souriant. Un peu. »

Plus tard, Liam et ses copains ont décidé de jouer à Never Have I Ever. Tout le monde s'est mis en cercle sur la moquette du salon, et tour à tour, on devait dire quelque chose qu'on n'avait jamais fait, en commençant par « *Never have I ever…* ». Ceux qui avaient déjà fait cette chose devaient boire (de l'alcool pour la plupart, même si moi et quelques autres avons triché en nous versant une vodka-orange dénuée de vodka).

Soupe était juste en face de moi dans le cercle. Derrière lui, la télé était allumée. Il y avait un film d'action où des tas de méchants essayaient de mitrailler un gentil qui courait, mais par un concours de circonstances exceptionnel et malgré leur entraînement de militaires, ils ne le touchaient jamais.

Quelqu'un a pris la parole.

« Je ne suis jamais… allé en Europe. »

Comme j'étais déjà allée en Europe, j'ai bu. Les trois quarts du cercle ont bu aussi.

Quelqu'un d'autre a enchaîné.

« Je n'ai jamais… surpris mes parents en train de le faire. »

Trois personnes ont bu, et tout le monde a rigolé et commencé à poser des questions.

« Je n'ai jamais… fantasmé sur quelqu'un dans cette pièce. »

Plusieurs personnes ont bu, dont Ashley. Je suis sûre qu'Ashley fantasme sur Soupe et ses petits doigts boudinés.

« Je n'ai jamais… *hooked up* avec quelqu'un sur le campus. »

J'ai bu, et la moitié du cercle a bu en rigolant fièrement.

Ensuite, c'était au tour de Liam. Je me souviendrai de ce qu'il a dit toute ma vie.

« Je n'ai jamais… été puceau à dix-sept ans. »

Il ne s'est pas contenté de dire ça. Il l'a dit, et puis il a regardé Soupe en souriant. Mon Soupe, qui ne demandait rien à personne, qui était là pour essayer de plaire à Ashley, et qui allait se faire humilier devant elle, parce que Liam était un imbécile d'envergure cosmique ?

Dans un premier temps, j'ai souffert pour Soupe. Dans un deuxième temps, j'ai eu envie de me mettre des claques pour n'avoir pas compris plus tôt. Quand on passe du temps avec un garçon, on espère que peut-être, un jour, on va arriver à *Love*. Avec Liam, je n'en étais même pas à *Like*! Chaque moment que j'avais partagé avec lui m'avait fait l'aimer moins.

Plutôt que de laisser Soupe boire et s'humilier devant Ashley, j'ai renversé mon verre sur la moquette au milieu du cercle, et pendant que Liam se levait et pestait parce qu'il allait devoir rattraper la tache avant que ses parents ne rentrent, j'ai traversé le cercle et chuchoté à l'oreille de Soupe :

« On y va ? »

« T'en as marre ? » il a demandé.

« Ouais, ils me gonflent. Viens, on appelle Vaneck et on va faire une fondue au chocolat chez Sara. »

« Cool. »

Dans la voiture de Soupe, avant d'arriver chez Sara, j'ai repensé à plein de trucs. J'ai repensé à Ben, et à tout ce qu'il était que Liam n'était pas. À un moment, je ne savais même plus si j'avais mal au ventre parce que j'étais en mode dragon ou parce que c'était douloureux de repenser à Ben. J'ai eu envie de lui envoyer un texto. J'ai sorti mon téléphone, et puis je l'ai imaginé avec une autre fille, en train de faire la fête, et je me suis ravisée.

J'ai regardé Soupe. Il conduisait sans se poser toutes ces questions. Pour l'instant, il vit dans un monde sans *Love*. D'un côté c'est triste, de l'autre je l'envie. Dans le *give and take* avec *Love*, je ne suis pas sûre qu'on soit gagnants.

Ben
Dimanche 30 novembre

En première année, je détestais Ben. Je trouvais qu'il était bruyant, tête à claques, et *judgemental*. Il trouvait que j'étais intello, désagréable, et *know-it-all*. Sara essayait toujours de nous réconcilier, mais rien n'y faisait. À chaque fois qu'on se trouvait dans la même pièce, il n'y avait que deux possibilités : soit on s'ignorait, soit on se disputait.

Ça a duré toute l'année. Et puis un soir de mai, les choses ont changé. Sara fêtait son anniversaire, et j'ai entendu Ben dire à quelqu'un que Michael Crichton était un auteur inepte. Les poils hérissés, j'ai répondu qu'il n'était qu'un nul qui ne connaissait rien à rien, et que le jour où il écrirait un roman aussi cool que *Jurassic Park*, il pourrait ouvrir sa grande bouche. La conversation a duré deux heures. On n'était pas toujours d'accord, mais je me suis rendu compte que Ben avait lu encore plus de livres que moi, et qu'il ne disait pas que des bêtises. Plus on parlait, et plus je comprenais que l'image que je m'étais faite de lui n'était pas la bonne.

L'été est arrivé. Au début, on s'écrivait de temps en temps pour discuter des livres qu'on lisait, et puis au fur et à mesure, on a commencé à parler de nos vies, à se confier l'un à l'autre, et avant la fin de l'été, on s'envoyait plusieurs mails par jour.

L'année scolaire a redémarré, et on est devenus amis. Je le voyais presque tous les jours après les cours ; je prenais le bus exprès pour discuter avec lui. On se chamaillait souvent, mais on ne se détestait plus.

Un jour, alors qu'on marchait pour aller acheter une glace chez Benny's, il m'a dit qu'il était amoureux de moi. Le ciel m'est tombé sur la tête. Je ne pensais pas à lui comme ça, moi, il était mon ami. Je n'ai rien trouvé à lui répondre.

Pendant les semaines qui ont suivi, Ben m'évitait. Il était triste, et moi j'étais triste aussi, parce que nos moments ensemble me manquaient.

La Saint-Valentin est arrivée, et Sara m'a dit qu'une fille de l'école avait invité Ben à un concert. J'en ai été malade.

Je suis allée le voir, et je lui ai demandé de ne pas sortir avec elle. Il m'a demandé si je voulais sortir avec lui. Je n'ai pas réussi à lui dire oui. Notre relation est devenue comme ça. Un pas en avant, deux pas en arrière. Je ne savais pas ce que je ressentais. Je voulais retrouver mon ami, le garder près de moi, mais j'avais peur de gâcher ça s'il devenait autre chose. Ben continuait de me donner son amitié, faute de mieux, mais il n'était pas heureux.

Et puis à la fin de l'année, il y a eu la soirée feu de camp.

Tous les *sophomores* étaient réunis autour d'un gigantesque feu près d'un lac. Tout le monde chantait, dansait, mangeait des hot-dogs et des bretzels, mais Ben ne s'amusait pas. Il s'était assis contre un arbre près du lac, les bras croisés, la tête basse, alors j'ai fini par aller le voir.

Je l'ai pris par la main et je l'ai aidé à se relever. On a marché le long du lac. Les cris et les rires ont diminué au fur et à mesure qu'on s'éloignait du feu, et qu'on s'enfonçait dans l'obscurité.

Alors, sortie de nulle part, une silhouette s'est précipitée entre mes jambes. J'ai poussé un petit cri. C'était un raton laveur. J'ai à peine eu le temps de voir sa petite frimousse avant qu'il ne disparaisse, aussi vite qu'il était apparu. Mon cœur battait la chamade. Instinctivement, je me suis rapprochée de Ben. C'est là, au moment où je m'y attendais le moins, qu'il m'a embrassée.

On peut imaginer quelque chose dans sa tête pendant des mois, mais le jour où ça arrive, tout est différent. Je n'ai pas réfléchi. Je n'ai pas pesé le pour ou le contre, ni analysé les conséquences, comme on le faisait tout le temps ensemble depuis des mois. J'ai fermé les yeux, et je l'ai embrassé aussi. Ça a été le moment le plus fort de toute mon existence.

On a passé l'été ensemble. On ne pouvait plus se décoller l'un de l'autre. J'allais faire du bateau avec sa famille, on allait en car à New York pour rendre visite à ma tante... Il était toujours mon meilleur ami, mais il était devenu mon petit ami aussi.

L'année suivante, on est devenus le couple phare du lycée. À l'école, beaucoup de personnes sortent ensemble pendant des soirées, couchent ensemble parfois, mais il n'y a pas beaucoup de vrais couples. La plupart des garçons trompent leur « copine » avec d'autres filles, et les filles font la même chose.

Il y a eu un article sur Ben et moi dans le magazine de l'école. On a été pris en photo pour le grand livre de l'année scolaire. Les gens disaient qu'on serait *high school sweethearts*. C'est comme ça qu'on appelle les couples mariés qui se sont rencontrés au lycée.

Nos parents nous faisaient confiance ; ils ont même accepté de nous laisser partir ensemble pour Spring Break. On est allés camper en Caroline du Nord.

Et puis un soir, on rentrait d'une randonnée, on était sur les rotules et on pensait s'endormir avant même d'avoir pu zipper nos duvets… et on a fait l'amour.

Il y a des filles qui couchent avec n'importe qui, et d'autres qui attendent le prince charmant. Certaines se posent plein de questions, d'autres pas du tout. Moi je n'ai jamais eu de doute. J'ai couché avec mon meilleur ami, mon petit ami, et mon premier amour, et il se trouve que c'était la même personne.

Ça fait dix minutes que j'ai arrêté de taper sur mon clavier, et que je réfléchis à la façon dont je dois raconter la fin de mon histoire. J'ai les larmes qui montent. Je vais abréger, sinon je n'arriverai jamais à terminer.

Quelques jours avant le début de l'été, le père de Ben lui a annoncé qu'ils déménageaient dans l'Utah.

Moi, je voulais qu'on reste ensemble. Ben a dit que

c'était une mauvaise idée, et que je ne m'en rendais pas compte, mais que je serais trop malheureuse. Je lui ai répondu qu'on verrait bien, mais il n'a pas voulu m'écouter. Alors on a décidé de se séparer, d'un «commun accord» qui ressemblait beaucoup à un contrecœur. Il m'a fait promettre de ne pas lui écrire, pour qu'on puisse s'oublier plus facilement. J'ai refusé pendant des heures et des heures, et puis j'ai fini par accepter, sans trop savoir pourquoi.

Ben est parti. Je me suis enfermée dans ma chambre, et j'ai pleuré pendant des semaines.

J'étais tellement choquée que je n'ai pas été en mode dragon pendant presque deux mois. J'ai même cru que j'étais enceinte. Et puis un peu avant la fin des vacances, j'en ai eu marre de sentir les larmes me chatouiller les lèvres. Je me suis dit que si je ne pouvais plus raconter ma vie à Ben et en rire avec lui, il fallait que ça sorte quand même. J'ai décidé d'aller de l'avant, et puis j'ai ouvert un blog pour y noter ce que j'aurais raconté à Ben s'il était resté ici.

DECEMBER

Nummophobic

Lundi 1er décembre

I pledge allegiance to the Flag of the United States of America, and to the Republic for which it stands, one nation, under God, indivisible, with liberty and justice for all.

Tous les matins en classe, on prononce ces mots. Ça s'appelle *The Pledge of Allegiance*. Pendant quelques secondes, lorsque la directrice prend la parole au micro, notre petite planète s'arrête de tourner. Les profs posent les copies qu'ils s'apprêtaient à rendre, et les élèves le stylo qu'ils mâchonnaient. Même le cuisinier, le personnel d'entretien, et les techniciens qui traînaient par là s'interrompent. Debout, la main sur le cœur, tournés vers le drapeau étoilé qui se trouve dans toutes les salles de classe, on récite ces mots ensemble.

En première année, j'ai remarqué que Vaneck faisait toujours le *Pledge* avec la main gauche posée du côté droit de sa poitrine. Quand je lui ai demandé pourquoi, il m'a dit qu'il avait le cœur à droite. J'ai regardé sur Internet, ça s'appelle la « dextrocardie ». Des mois plus tard, il m'a avoué que c'était une grosse blague. Je ne me suis pas mise en colère, parce que ce n'est pas mon genre. Mais ça fait maintenant plus de deux ans que Vaneck pense que je suis « nummophobique ». C'est un mot que j'ai inventé pour décrire ma phobie des pièces de monnaie. Du coup, chaque fois qu'on va quelque part ensemble, c'est Vaneck qui paie le parcmètre.

Winter Play
Mardi 2 décembre

Il y a deux catégories de lycéens. Ceux qui savent ce qu'ils veulent faire plus tard, et les autres.

Vaneck veut être agent sportif, JM veut reprendre l'entreprise de son père, et Grace veut travailler dans la mode. Quand ils en parlent, ça me déprime. C'est effrayant de voir que les autres ont un avenir tout tracé. Mon avenir est un chantier en construction, avec des trous partout. Tout ce que je sais, c'est que je veux *vivre*. Je ne veux pas travailler toute la journée en faisant la moue et attendre le soir pour commencer à vivre. Je veux vivre tout le temps. Que mon travail n'ait pas l'air d'un travail.

Le monde est mal organisé. L'argent était une idée stupide. On aurait pu se contenter des choses simples que la nature avait prévues pour nous : cueillir des fruits, manger, dormir, aller à la rivière, fonder une famille, construire une cabane, et dorer notre peau au soleil. Personne ne nous a forcés à organiser le monde comme on l'a fait. Un système qui nous condamne tous aux travaux forcés.

À mon avis, si les gens ne se révoltent pas, c'est parce que la plupart d'entre eux pensent que quelque chose de mieux les attend après la mort. On a inventé le concept de paradis pour ne pas désespérer les gens. On te promet des frites pour que tu manges tes tomates. Sauf que s'il n'y a pas de frites, tout ce que tu auras mangé, et pour l'éternité, c'est des tomates.

Ce soir, l'école a mis à l'honneur Henry, qui sait ce qu'il veut faire depuis qu'il est tout petit. Il rêve de devenir réalisateur à Hollywood. Pour l'encourager, la directrice avait décidé de lui donner une chance d'exprimer son talent en le laissant écrire et mettre en scène la pièce de théâtre d'hiver.

Comme chaque année, Vaneck jouait dans la pièce, et comme chaque année, j'y suis allée avec Soupe, Sara, et un énorme paquet de M&Ms.

La première scène se déroulait dans un avion. Tyler jouait un pilote chevronné, et Vaneck un jeune pilote qui a tout à apprendre mais qui la ramène quand même. Parmi les passagers, Grace faisait une femme battue, Nick son mari alcoolique, et Seemus un magicien raté qui dit que nos vies sont des chapeaux et que la question est de savoir si nous sommes capables d'en faire sortir un lapin.

Après la première scène où on découvrait les passagers, il y a eu des effets sonores et des jeux de lumière, et l'avion s'est écrasé. Le rideau est tombé.

Quand il est remonté, la scène était décorée avec des cocotiers et des rochers en carton, et du vrai sable et des vraies épaves de bateau. On entendait les vagues se fracasser contre les rochers.

Les passagers avaient échoué sur une île déserte et devaient organiser une nouvelle société en attendant les secours. Ça m'a fait penser à *Sa Majesté des mouches*, mais en plus divertissant, surtout avec l'histoire d'amour entre Grace et Vaneck. À la fin ils se sont embrassés, et tout le monde a sifflé et applaudi.

Soupe a dit que ça ressemblait à la série *Lost*, mais sans la «fin merdique». Je ne sais pas, je n'ai jamais regardé *Lost* parce que Soupe m'avait dit que la fin était merdique.

Le rôle d'une femme qui perd son mari dans le crash était joué par les jumelles, Katie et Emily Christy. Elles ont alterné sans qu'on ne sache jamais laquelle des deux était sur scène.

Katie et Emily sont des célébrités. Pas au cinéma, ni à la télévision, mais sur YouTube. Elles ont une chaîne où elles publient des conseils de beauté. Elles ont déjà plus de cent mille abonnés. J'ai regardé une fois avec Sara, par curiosité. Elles se filment dans leur chambre, devant leur lit à baldaquin. Elles montrent les nouveaux vêtements qu'elles ont achetés, donnent des conseils pour se maquiller avant une soirée, ou parlent des meilleures robes à porter en fonction des occasions. Au début on rigolait, mais on a fini par apprendre plein de trucs.

C'est ça, notre génération. On peut devenir célèbre sur Internet avant même d'avoir quitté le lycée. On est la première génération d'humains à avoir toujours connu le Web et les téléphones portables. On n'a pas de miroir dans notre sac à main, parce qu'on peut se voir en inversant la caméra de notre iPhone. On ne porte pas de montre. On ne zappe pas à la télévision, on surfe sur YouTube. On ne parle plus : on tweete, on texte, on maile, et on facebooke.

Si on s'écrasait sur une île déserte, je suis sûre que le premier réflexe de Sara serait de regarder si elle a la 4G. Vaneck filmerait pour immortaliser le moment. Le seul qui commencerait à construire un abri et penserait à secouer les arbres pour faire tomber des noix de coco, ce serait Soupe. À part les voitures, il n'aime pas la technologie. J'ai parfois l'impression qu'il vient d'une autre époque. Ça expliquerait qu'il utilise des expressions que seules les personnes âgées connaissent.

Si jamais Soupe veut bien me prêter sa machine à voyager dans le temps, j'irai voir les idiots qui ont inventé l'argent et les travaux forcés, et je leur dirai ma façon de penser. Non mais sans blague.

Animals
Jeudi 4 décembre

Hier, j'ai passé le déjeuner à regarder Naomi manger avec Mark Warwick. C'était comme au zoo : deux spécimens, la parade nuptiale, et moi qui grignote en les observant.

Depuis qu'on est copines, elle me pose des tas de questions. J'essaie d'y répondre, mais je ne sais pas toujours. L'autre jour, elle m'a demandé ce que disent les garçons quand ils nous aiment bien. Elle avait l'air de croire qu'ils disent ce qu'ils pensent, la naïve ! J'ai dû lui expliquer que les garçons sont nuls pour exprimer leurs sentiments, et qu'il faut souvent mener l'enquête. (Pour être honnête, Vaneck m'a entendue et a dit que les filles étaient exactement pareilles et de ne pas trop la ramener, *thank you very much*.)

Apparemment, mes conseils lui ont quand même servi, parce que ça fait deux jours de suite qu'elle mange avec Mark. Elle n'a pas choisi n'importe qui : c'est le roi de la chimie. Naomi Chang ne perdrait pas son temps à parler avec un Athlète. Elle s'en fiche des biceps, elle veut un gros cerveau, avec plein de neurones à l'intérieur. Si ces deux-là décident de faire des enfants, on aura peut-être enfin quelqu'un pour guérir le cancer.

Mark avait l'air content, et je le comprends, parce que c'est un gigantesque Nerd, et à part avec sa mère, il n'a pas dû manger avec beaucoup de filles dans sa vie. Et puis Naomi fait un peu peur, mais elle est très jolie.

James mangeait à une table derrière eux. Il avait trois assiettes devant lui, remplies à ras bord de trucs frits. Il se nourrit comme un ours. Il peut manger n'importe quoi, il ne grossit pas. J'aimerais bien avoir son ADN magique. Je le lui ai dit un jour, et il m'a répondu qu'il échangerait bien le gène qui le garde mince contre celui qui me « rend à l'aise pour parler à n'importe qui ». Je ne sais pas où il est allé pêcher ça.

De temps en temps, il levait les yeux de son manga pour regarder Mark et Naomi. C'est à se demander si tous les garçons qui sont amis avec des filles sont secrètement amoureux d'elles. James et Naomi, Vaneck et Sara...

En anglais, on a deux expressions contradictoires. La première, c'est « *Birds of a feather flock together.* » (« Les oiseaux de même plumage volent ensemble »), et la deuxième, « *Opposites attract* » (« Les opposés s'attirent »). J'en conclus que ce qui se passe entre les garçons et les filles est trop compliqué pour être résumé dans des proverbes.

James et Naomi ont le même plumage, mais Vaneck et Sara pas du tout. Par exemple, Sara fait tout pour plaire aux autres, alors que Vaneck dit qu'il ne faut pas se soucier de ce que pensent les gens. Et pourtant, Vaneck est beaucoup plus populaire que Sara. C'est le paradoxe : moins vous accordez d'importance à ce que pensent les gens, plus vous faites des trucs originaux, et plus vous devenez cool aux yeux des autres. Enfin, c'est pas un théorème non plus, parce que Eugene fait des trucs vraiment originaux, du genre collectionner les ailes de mouche, et il n'est pas populaire du tout.

Pendant le déjeuner, on voit bien qui sont les moutons et qui sont les chiens de berger. Les copines de Grace sont toutes des brebis. Grace mange de la salade, elles mangent de la salade. Grace décide de sauter un repas et de passer le déjeuner à se maquiller, elles font pareil.

Les Athlètes aussi ont tendance à faire les mêmes choses. Ils ont inventé leurs propres règles. Par exemple, si quelqu'un dit quelque chose de stupide pendant le repas, ils font un vote, et si la majorité confirme que c'était stupide, celui qui l'a dit doit aller dehors et faire trois tours de la cafétéria en courant.

Ce midi, j'ai mangé avec Aiden. Mon père nous avait cuisiné des pâtissons farcis aux cèpes, une terrine d'aubergine, et des cookies aux flocons d'avoine. Grace et les jumelles Christy n'arrêtaient pas de nous regarder et de pouffer de rire comme des idiotes. Si ces dindes suivaient les mêmes règles que les Athlètes, elles passeraient leur temps à courir autour de la cafétéria.

Elbow Grease
Jeudi 11 décembre

Ce matin, Sara m'a raconté qu'elle avait fait un rêve érotique sur son prof d'informatique, Mr Collins. Depuis, elle n'arrive plus à le voir comme avant. Je sais ce que ça fait. Quand j'étais *freshman*, j'ai rêvé que j'accompagnais JM dans une expédition en Antarctique, et de retour à la base, le générateur tombait en panne, on n'avait plus de chauffage, et pour se réchauffer, on était obligés de faire l'amour. Pas le choix! Ça m'avait semblé tellement réel que quand j'avais vu JM plus tard ce jour-là, j'étais devenue toute rouge.

Mr Collins est super sexy. Il porte des chemises cintrées,

et quand il efface le tableau, on peut voir la forme de ses muscles (il paraît qu'il fait du sport tous les soirs). Il y a plein de filles qui fantasment sur lui.

En plus, les barrières qui nous séparent de nos profs sont de plus en plus minces. Être *senior* nous donne un statut particulier. On est les préférés des profs, qui nous traitent parfois comme de vieux copains. Quand c'est quelqu'un comme Mr Collins, c'est facile de s'imaginer des trucs. Heureusement, ça ne va pas plus loin. Enfin, normalement. En deuxième année, un prof d'anglais a été viré parce que quelqu'un l'avait vu embrasser une élève dans son bureau. *Oops*.

Même le Klup a changé. Quand on était *freshmen*, on l'aurait presque placé entre Staline et Hitler sur l'échelle des gens peu recommandables. Depuis quelques semaines, il s'est transformé en une sorte de vieux copain. Il discute de basket avec Vaneck, Sara lui raconte qui sort avec qui, et moi, je le conseille dans son choix de chaussures, pour qu'il devienne le responsable de la discipline le plus cool de l'histoire du lycée. Il n'y a que Soupe qui garde encore ses distances. Il pense que «l'ennemi» nous a lobotomisés et qu'on est des traîtres.

Il n'y a pas qu'à l'école que l'ancienneté change tout. Au Mordor, c'est pareil. Matt est là depuis six ans, alors c'est le roi. Tous les *managers* lui mangent dans la main. Et si Matt est le roi, je suis en train de devenir une princesse. Les nouveaux me regardent comme si j'étais

Wonder Woman. Je connais tous les postes de la cuisine, les recettes, et les petites astuces pour aller plus vite. Dans la réserve, je peux vous trouver des gobelets vides, des pailles ou des cartouches de mayonnaise en moins de dix secondes. Ça veut dire que je prends de la valeur, parce qu'on sait qu'on peut compter sur moi quand on doit affronter un car de touristes ou une horde d'étudiants affamés. La cuisine d'un fast-food, c'est comme un bataillon pendant la guerre, tu as besoin d'être bien entouré si tu veux t'en sortir.

L'un de nos passe-temps préférés quand on n'a rien à faire, c'est de faire marcher les nouveaux. Il y a quinze jours, Matt a demandé à une nouvelle de faire l'inventaire du bac à glaçons. C'est un énorme bac d'une trentaine de litres où se trouvent quelques milliers de petits cubes de glace qu'on met dans les gobelets avec les sodas. La nouvelle a pris une pince et un seau et a commencé à compter les glaçons, un par un ! On la regardait faire de la cuisine, on en pleurait presque. Comme d'habitude, j'étais la seule à me sentir coupable, et du coup c'est moi qui suis allée lui dire d'arrêter.

Ce soir, c'était le premier jour d'Albert. Il porte des lunettes et des boucles d'oreilles, vous savez, celles qui font d'énormes trous dans les lobes. Je me demande ce qui se passera le jour où il les enlèvera. Il a aussi une touffe de poils juste en dessous de la lèvre. C'est très moche, on dirait un plumeau pour faire la poussière. Ça doit chatouiller quand on l'embrasse. *Si* on l'embrasse.

Attention, faut pas croire, ce n'est pas parce que Albert porte des lunettes qu'il est intelligent. Matt dit qu'il n'a pas toutes ses frites dans le même sachet. Ce soir, quand il a demandé à Chandra ce qu'il devait faire, elle lui a dit qu'il fallait qu'il aille nettoyer les vitres. Et en partant, elle lui a fait :

« Elles sont sales, tu vas avoir besoin d'huile de coude. »

Dix minutes plus tard, Albert sort de la réserve, les lunettes sur le bout du nez, l'air inquiet. Il va voir Matt et lui dit qu'il ne comprend pas, qu'il a cherché partout, mais qu'il ne trouve pas l'huile de coude pour nettoyer les vitres. Matt a ri tellement fort que tous les clients ont levé la tête pour voir ce qui se passait.

Après le travail, je suis allée chercher Maya avec Aiden pour l'emmener à la fête des bonhommes de neige devant l'église. Maya, c'est la petite fille qui était déguisée en Princesse Leia au centre commercial pendant Black Friday. Ce jour-là, son père nous avait proposé de faire du baby-sitting, et comme on trouvait Maya géniale, Aiden et moi avions décidé d'accepter le job et de former un duo de baby-sitters de rêve.

Pour la fête des bonhommes de neige, on a bouleversé les traditions. On a construit un bonhomme qui n'avait pas d'embonpoint et qui faisait du sport tous les jours, comme Mr Collins. On lui a sculpté des biceps, des abdos, des pectoraux, des fesses bien fermes, et on lui a donné la pose de David. Maya était très contente.

Avant de partir, on est allées voir la crèche de Noël devant l'hôtel de ville.

« Tu sais qui est Jésus ? » j'ai demandé à Maya.

« Oui, elle a dit fièrement. C'est un bébé qui naît à tous les Noëls. »

Après avoir ramené Maya chez ses parents, je suis restée quelques minutes avec Aiden devant chez moi. On s'est prises dans les bras pendant un long moment, parce que je pars demain pour la Pologne, et que je ne la verrai pas pendant une semaine.

C'est seulement en sortant de la voiture que je me suis rendu compte que j'avais oublié mon pull sur la plage arrière. J'aurais pu me retourner et faire signe à Aiden d'attendre, mais on s'était déjà dit au revoir, et ça avait été parfait. J'ai un problème avec ça. Je ne peux pas revoir quelqu'un peu après lui avoir dit au revoir, c'est trop *awkward*, j'ai l'impression de violer une sorte de loi, de déchirer un petit bout de l'univers. Si je dis au revoir à tout le monde dans une salle et que je me rends compte une fois dehors que j'y ai oublié une valise de dix mille dollars, tant pis, je la laisse.

Warsaw
Mardi 16 décembre

Quand on est sorties de l'aéroport de Varsovie vendredi, on a cru que l'avion s'était posé au pôle Nord par erreur. Le temps d'arriver à l'auberge, on avait les lèvres congelées, et Sara était sur le point de faire un *nervous breakdown*. C'était la première fois qu'on allait dans une auberge de jeunesse. On avait l'impression d'être de grandes aventurières.

Dans notre dortoir, quand on est entrées, il y avait des voyageurs allongés sur leur lit, en train de discuter. Un Israélien, un Italien, et deux Australiennes. Ils n'étaient arrivés que la veille, mais ils étaient déjà copains comme cochons. Ils étaient sortis ensemble, et apparemment, la vodka polonaise, ça crée des liens.

J'ai pris le lit du haut, et Sara celui du bas. J'ai horreur d'être en bas, j'ai toujours l'impression que le sommier du haut va craquer et que la personne va me tomber dessus et que je vais mourir, et ce sera aux informations mais personne ne sera triste parce que ce sera tellement ridicule que le monde entier rigolera. Je déteste aussi les ventilateurs au plafond, je suis sûre qu'un jour l'hélice va se décrocher et me découper la tête, façon Louis XVI.

On s'est rafraîchies rapidement, et puis on a remis nos écharpes et nos bonnets, et on est sorties pour explorer Varsovie.

Au coin de la rue, on a vu un drapeau gigantesque avec une croix gammée, et trois types habillés en officiers de la Gestapo. J'ai regardé les chaussures neuves que j'avais achetées pour le voyage, et je me suis demandé si c'était des chaussures à voyager dans le temps. Et puis on a vu les projecteurs et les caméras, et on a compris qu'on passait devant un plateau de tournage.

On a remarqué que les Polonais ne traversent pas le passage piéton si le petit bonhomme est rouge, même s'il n'y a aucune voiture. Personne ne bouge d'un pouce. Aux États-Unis, s'il n'y a pas de voiture, tout le monde se fiche de la couleur du petit bonhomme. Je crois que ce genre de chose en dit plus sur un pays et ses habitants que tout ce que vous pouvez trouver dans un guide.

On a vu plein de filles super belles qui portaient des robes, avec des beaux sourires et des sourcils bien épilés. Sara et moi on était habillées comme des Esquimaux, on claquait des dents, et on ne s'était pas épilées depuis trois semaines pour avoir le moins froid possible.

Le lendemain matin, on a été réveillées par un clocher. C'est très européen, les cloches qui sonnent, on n'a pas ça chez nous. Du coup, on s'est levées avec le sourire.

Le sourire, on l'avait un peu moins pendant la nuit, parce que certains voyageurs ronflaient comme des tracteurs. Sérieusement, il y en a un, je suis sûre d'avoir vu son lit trembler. Et le pire c'est qu'il a passé une bonne nuit, lui. Il devrait y avoir une loi internationale pour faire passer un test de dépistage du ronflement avant d'accepter quelqu'un dans un dortoir.

Quand on est sorties dans le couloir, le propriétaire de l'auberge était en train de repasser, et il nous a annoncé qu'à cause de travaux dans l'immeuble, il n'y avait plus d'eau chaude. Sara était prête à faire un scandale, mais elle s'est calmée quand elle a vu Santiago arriver torse nu. C'est un Argentin super sexy, bronzé, avec les cheveux longs et un accent à couper au couteau. Un vrai cliché, quoi, du genre qu'on ne mettrait pas dans un livre parce que c'est *too much*. Il semblait sortir de la douche, alors on lui a demandé comment il avait fait pour se laver.

« *What can do, what can do, no hot water, you just go and boom* », il a répondu.

J'ai dit à Sara de ne pas faire sa chochotte, et qu'on allait faire comme Santiago, *we just go and boom*. On l'a fait, mais on a quand même un peu crié.

On a suivi notre carte de la ville pour rejoindre la statue d'un ancien roi, d'où partait notre tour de Varsovie. Pendant la visite, le guide a expliqué que quatre-vingt-cinq pour cent de la ville a été détruite par les Allemands pendant la guerre, mais qu'ils ont tout reconstruit comme c'était avant. À Ground Zero après le onze septembre, on a fait une tour plus grande et plus belle pour remplacer les Twin Towers. Les Polonais eux, ils ont pris ça beaucoup plus sereinement, comme leur traversée des passages piétons. Ils voulaient juste retrouver ce qu'ils avaient avant.

Le jour d'après en explorant la ville, on est tombées sur une vieille cloche fissurée posée par terre dans le vieux Varsovie. La légende racontait qu'un esprit vivait en dessous et pouvait réaliser un vœu. Pour ça, il fallait toucher la cloche en son centre et tourner autour à cloche-pied. Si on venait de Varsovie, il fallait faire un tour, mais sinon, il fallait en faire trois.

Avec Sara, on a été les seules passantes à oser essayer. Il valait mieux avoir un vœu exceptionnel pour que ça vaille le coup d'avoir l'air aussi bête, je vous le dis. J'en ai fait un trop bien, mais n'attendez pas que je vous le répète, je ne tiens pas à ce que vous fichiez tout par terre. En plus, j'ai lutté, parce que j'étais trop petite pour toucher le sommet de la cloche tout en tournant autour. Il faut être grand pour faire des vœux dans ce pays.

Finalement, qu'on soit en Pologne ou ailleurs, ce qui était le plus chouette, c'était d'être libres. Chez nous, on a encore trois ans à attendre si on veut aller dans un bar et boire de la vodka pour rigoler, comme on l'a fait hier soir. Je crois que Sara en a bu un peu trop d'ailleurs, parce qu'elle a passé la soirée à poser sa main sur l'épaule de Santiago et à lui parler des mollets de Vaneck.

Sur le chemin du retour, on était tous arrêtés depuis au moins deux minutes à cause du petit bonhomme rouge, quand j'ai reçu un texto d'Aiden.

I miss you.

Tu me manques.

Ça m'a fait quelque chose de lire ça. C'est un truc qu'on dit souvent à ses amis, de manière plus ou moins littérale, parce que c'est quand même assez rare que quelqu'un nous manque vraiment. C'est plutôt une façon de parler. Alors on met un point d'exclamation, pour que ça ne fasse pas trop sérieux. Aiden l'a écrit avec un point.

Good Flight
Jeudi 18 décembre

Sara vient de s'endormir à côté de moi. Derrière le hublot, la nuit est tombée.

Avant de partir, ma mère au téléphone m'a souhaité un bon vol. Je ne suis pas difficile. Pour moi, tout vol qui ne se termine pas par un crash est un bon vol.

Tout à l'heure, un steward a montré comment mettre le masque à oxygène et enfiler le gilet de sauvetage, au cas où on n'aurait pas un bon vol. Les stewards sont souvent beaux, mais selon moi, il vaudrait mieux qu'ils soient moches. Pendant la démonstration, j'ai passé mon temps à regarder ses bras fermes et sa barbe bien taillée et du coup je n'ai rien écouté, et si on se crashe moi je ne vais pas savoir quoi faire et je suis sûre que je serai la dernière sur le canot de sauvetage.

Ce soir, alors qu'on traverse les nuages, mon esprit vagabonde. Je pense à Aiden, et à son texto sans point d'exclamation. Je pense à Ben. Je pense à l'année prochaine, et à ma première année d'université. En rencontrant tous ces inconnus à l'auberge, j'ai réalisé ce que j'allais ressentir. Mon cœur s'est serré en pensant au lycée, où les autres étaient restés. J'aurai passé quatre années dans un véritable cocon, avec quelques amis, des dizaines de copains, et des centaines de gens qui forment une sorte de seconde famille. Pour citer mon livre préféré, je risque de me sentir dans un amphithéâtre «plus isolée qu'un naufragé sur un radeau au milieu de l'océan». Reste à espérer que moi aussi je rencontrerai quelqu'un qui me demandera de lui dessiner un mouton, s'il vous plaît.

Vous vous êtes déjà demandé si vous aviez un ange gardien architecte de vie? Quelqu'un là-haut qui décide du chemin où il veut vous emmener, et des gens que vous allez rencontrer?

Il y a quelques minutes, une hôtesse de l'air m'a apporté un plateau végétarien. Si la mère d'Aiden ne faisait pas de yoga, elle n'aurait pas rencontré la mère de Payas en arrivant dans le Delaware, elle n'aurait pas entendu parler de notre école, Aiden n'y serait pas venue, je ne l'aurais pas rencontrée, elle ne m'aurait pas ouvert les yeux sur l'horreur réservée par les humains aux animaux, et l'hôtesse de l'air m'aurait apporté un autre plateau.

Peut-être qu'en attrapant mon plateau végétarien qui était tout en bas de son chariot, elle s'est fait mal au dos. Le pilote l'a remarqué, et il a enfin pu briser la glace en lui parlant de cette technique de massage miraculeuse qu'un guérisseur lui a transmise pendant un voyage en Inde. Il deviendra le père de ses enfants.

Et peut-être que tout ça c'est dû à l'ange gardien architecte de vie de l'hôtesse de l'air. Grâce à lui, dans quelques années, un enfant naîtra parce que la mère d'Aiden fait du yoga.

Post-Poland Depression
Vendredi 19 décembre

Déprime totale. Je viens de me rendre compte que j'ai manqué la meilleure semaine de l'année pendant que j'étais en Pologne. C'est ma dernière année au lycée, et j'ai raté Christmas Week.

C'est une semaine magique. On regarde des films en classe. Le campus tout entier est décoré. Il y a des guirlandes, des lumières de toutes les couleurs, et des flocons de neige partout dans la cafétéria. Les voitures de golf que les jardiniers utilisent pour se déplacer sur le campus sont transformées en traîneaux.

Tous les midis, il y a des chansons de Noël pendant le déjeuner. Je me rappelle en deuxième année, quand *All I Want for Christmas is You* est passée, tout le monde a arrêté de manger et s'est mis à chanter et à danser. Même les profs sont sortis de leur salle à manger pour se joindre à la fête. C'est ce jour-là que j'ai décidé que j'adorais mon école.

Le lundi soir, c'est le concert de Noël. Il y a la chorale et la fanfare, qui reprennent des airs de Noël en version rock 'n' roll.

Le mardi matin, il y a un buffet dans le manoir, avec plein de nourriture de Noël. Ensuite on va tous ensemble jusqu'au *quad* en chantant une chanson, et la directrice allume les guirlandes du gigantesque sapin planté au milieu de la pelouse.

Le mercredi, les membres du club d'espagnol, déguisés en elfes, distribuent des sucres d'orge dans les classes. La semaine précédente, les élèves achètent les sucres d'orge en secret pour leurs amis, le club d'espagnol attache une petite carte à chacun, et quand les elfes les livrent en classe le mercredi suivant, chacun attend impatiemment de savoir si quelqu'un a pensé à lui. Parfois même les profs pensent à nous, et c'est touchant. Et puis il y en a toujours quelques-uns comme Vaneck ou Tyler qui en commandent pour ceux qui ne sont pas très populaires, pour être sûrs qu'ils ne se sentent pas exclus.

Le jeudi, c'est le jour que j'aime le moins, parce qu'il y a la grande messe de Noël. Mais c'est aussi le jour où avec mes amis on s'offre des cadeaux pour Secret Santa. On tire nos noms au hasard dans un chapeau, et on doit offrir un cadeau à la personne qu'on a tirée.

Le vendredi soir, il y a la Christmas Dance. Tout le monde est bien habillé, il y a plein de nourriture de Noël, plein de chansons de Noël remixées, et on danse. Les couples sont très affectueux, mais le Klup laisse faire, parce que c'est Noël. L'année dernière avec Ben, on avait été élus « *Christmas Couple* ».

On est rentrées de Pologne très tôt ce matin. Comme on n'apprend plus rien de nouveau en classe, ma mère m'a laissée me reposer à la maison. En début de soirée, je me suis préparée avec Sara, et on est parties au lycée ensemble pour la Christmas Dance.

Je n'ai pas passé une bonne soirée. D'habitude, avec Vaneck, Sara et Soupe, on a un rituel : on sort discrètement pour aller boire une coupe de champagne sur le terrain de baseball. Mais Vaneck et Soupe n'étaient pas là : Vaneck est parti en vacances avec ses parents plus tôt cette année, et Soupe a décidé que Noël était une fête «mercantile et infantilisante» à laquelle il ne voulait plus participer. J'espère qu'il changera d'avis quand il verra le cadeau qu'on va lui offrir demain avec Sara (de superbes housses [*seat covers* — note manuscrite] pour les sièges de Cecilia).

Sara a passé la soirée avec Vince. J'ai passé la mienne déçue qu'Aiden ne soit pas là. Après son texto sans point d'exclamation, j'étais sûre qu'elle allait venir, et j'avais hâte de la voir.

MOI > Thought u were comin tonight :(U alright?
Je croyais que tu venais ce soir :(Ça va ?

AIDEN > Aw sorry Im with lucy in Rehoboth Beach. How was Poland?
Oh désolée je suis avec lucy à Rehoboth Beach. Comment était la Pologne ?

J'ai décidé de ne pas répondre et de me morfondre en dansant toute seule sur des chansons de Noël. Mais une heure plus tard, Aiden m'a encore écrit.

Btw thank u for the candy cane! It was so nice!!
Au fait merci pour le sucre d'orge ! C'était vraiment sympa !!

Je n'ai pas répondu non plus, parce que c'est n'importe

quoi, un texto avec trois points d'exclamation. Pourquoi pas une photo d'elle et Lucy en train de rire aux éclats, tant qu'à faire ?

On est deux heures plus tard et je suis chez moi, dans le canapé du salon, devant la rediffusion d'un épisode de *Seinfeld* pas drôle, à manger les restes d'un gâteau trop sec que ma mère a fait. Hercule et Sacrebleu sont sur mes genoux. Je leur ai mis un petit bonnet de Père Noël à chacun, et ils me remontent le moral en me faisant des câlins.

Quand je suis rentrée, ma mère a pris la mouche parce que je lui ai répondu froidement. Mon père a dit que je ne devais pas parler à ma mère comme ça. C'était la meilleure de l'année, celle-là. Quand mes parents sont de mauvaise humeur, ils me parlent comme si j'étais une saltimbanque qui squatte leur maison, mais quand moi j'ai un passage à vide, la famille c'est sacré et je dois surveiller ce que je dis ?

L'adolescence est une gigantesque escroquerie.

Birthmas Day

Jeudi 25 décembre

Je suis née le 25 décembre. Comme Jésus. Sauf qu'il paraît que pour Jésus c'est compliqué, qu'il est né plusieurs années avant lui-même, et on ne sait pas trop quel jour. Pour moi on est sûr. Aujourd'hui j'ai eu dix-huit ans. Je vais pouvoir voter démocrate et me disputer avec mon grand-père républicain pendant les repas de famille.

Ma mère tient beaucoup à séparer mon anniversaire de Noël, alors c'est « *Merry Christmas* » le matin, et « *Happy birthday* » en fin d'après-midi. Depuis que je suis petite, on appelle ce jour-là Birthmas Day. J'aime bien Birthmas Day parce que c'est souvent le jour où on prépare nos valises pour partir en vacances. On a de la famille à la maison, il y a du monde partout, et c'est la pagaille. J'aime ce chaos qui revient tous les ans à la même date. J'aime fêter Noël avec mes petits cousins, et voir leurs visages quand ils découvrent leurs cadeaux. Et j'aime la tradition du gui.

La veille, on accroche du gui à plein d'endroits différents de la maison, dans le jardin et sur le porche, et si on se retrouve avec quelqu'un en dessous, on doit lui donner un baiser sur les lèvres. Certaines familles le font sur la joue, nous c'est sur la bouche parce que c'est comme ça qu'ils le faisaient chez le grand-père de ma grand-mère, et on n'ose pas changer la tradition parce que apparemment il y tenait vachement.

Un de ces jours, il faudra que j'invite JM, comme ça je lui ferai une visite guidée de la maison, et vu qu'il y a du gui partout on s'embrassera plein de fois. Si jamais la tradition est différente chez lui et qu'il veut m'embrasser sur la joue, je lui dirai que je viens de me faire opérer des dents de sagesse et que j'ai encore mal, alors il sera obligé de déposer un délicat baiser sur mes lèvres à chaque fois, et moi je passerai une bonne journée.

Cette année est la première depuis longtemps où on ne part pas en vacances. Ça ne me dérange pas, j'aime bien être ici quand il neige, et puis j'étais en Europe la semaine dernière. On a passé la journée à déballer nos cadeaux, à manger comme des sangliers, à boire du café en parlant de littérature, et à faire des jeux avec toute la famille. J'ai fait un bonhomme de neige dans le jardin avec mes cousins, mais j'étais un peu sceptique, parce que sans Aiden il avait beaucoup moins d'allure.

Je ne l'ai pas vue depuis deux semaines. Je ne sais même pas comment dire ça, parce que j'ai l'impression que vous allez croire que je suis amoureuse d'elle ou un truc comme ça, mais je pense à elle tous les jours. Avant de partir, je ne m'étais pas rendu compte que je passais autant de temps avec elle. J'ai dû aller jusqu'en Europe pour réaliser qu'elle me manquait. Depuis son texto sans point d'exclamation, il y a un truc qui a changé. Je me sens trop nulle, parce que je suis sûre que pour elle, me voir ou ne pas me voir, c'est *whatever*.

Je n'avais jamais eu d'amie comme ça avant. Je ne sais pas ce que c'est. Une hyper-amitié ? Ça existe, ça ? Il faut que j'y aille, on m'appelle en bas.

Mistletoe
Jeudi 25 décembre

En bas, c'était Aiden. Elle m'attendait sous le porche avec un paquet sous le bras. Elle portait un gros manteau d'hiver et son bonnet vert avec les pompons. Je l'ai invitée à entrer, mais elle m'a dit qu'elle ne pouvait pas rester. Qu'elle voulait juste me souhaiter un joyeux Birthmas Day. Ça m'a fait plaisir qu'elle s'en souvienne. Je ne lui en avais parlé qu'une seule fois, il y a plusieurs semaines.

J'ai attrapé mon manteau, et je l'ai rejointe dehors. J'étais tellement contente de la revoir, j'ai failli me casser la figure sur le pas de la porte.

Elle m'a tendu le paquet. Il était entouré de papier kraft. Lentement, j'ai défait les ficelles.

C'était une édition du *Petit Prince* que je n'avais jamais

vue. Les dessins étaient complètement différents, très modernes.

« Je l'ai illustré pour toi, elle a dit. Je ne suis pas Saint-Exupéry, mais j'espère que ça te plaira quand même. »

Comme d'habitude, Aiden réinventait mon monde. Elle me donnait une chance unique que personne d'autre ne me donnerait jamais. L'opportunité de redécouvrir quelque chose qui m'était familier avec des yeux nouveaux.

« Je ne sais pas quoi dire, j'ai dit. Merci… C'est le truc le plus génial que j'ai jamais vu de ma vie. »

À l'intérieur du livre, j'ai remarqué une feuille de papier. C'était un dessin de Maya. Il y avait moi (avec la peau marron foncé), Aiden (avec des cheveux blancs), et elle (aussi grande que nous). Tout en haut, elle avait écrit « *hapy berpday* ».

J'ai levé la tête vers Aiden, les yeux humides.

C'est à ce moment-là que mon cousin Donnie a poussé la porte et crié :

« *Mistletoe! You kiss on the mouth!* »

Ma tante Gwen est venue le chercher pour qu'il nous laisse tranquilles, et Aiden a regardé la branche de gui au-dessus de nos têtes d'un air amusé. Je lui ai expliqué pour le coup du grand-père de ma grand-mère, et je lui ai dit qu'on n'était pas obligées de le faire.

« Pourquoi ? elle a demandé en souriant. On peut le faire, ça ne me dérange pas. »

Pour la première fois de ma vie, j'appréhendais la tradition du gui. Parce que Aiden était *gay*? Peut-être, mais je ne voulais surtout pas qu'elle pense ça. Elle s'en fichait, elle, qu'on s'embrasse, ça la faisait sourire. Je ne pouvais pas la traiter différemment des autres. Alors, un peu nerveuse, je me suis approchée d'elle.

J'ai fermé les yeux.

Nos lèvres se sont touchées. C'était doux. Léger. Sucré. Je ne sais pas combien de temps ça a duré, mais c'était beaucoup plus long que quand j'embrasse ma grand-mère.

Elle m'a souri, et sans un mot, elle est partie. Moi, j'avais les jambes qui flanchaient. Je suis remontée dans ma chambre, j'ai enfoui ma tête sous mon oreiller, et j'ai mis Muse très fort dans mon casque. Je n'arrêtais pas de revivre le doux, le léger et le sucré dans ma tête. Je ressentais plein de choses en même temps, et tout se mélangeait dans une grosse bouillie de sentiments, brûlante et confuse.

Un jour, tu vois une fille dans un bus et tu te demandes pourquoi elle porte un pantalon. Ensuite, elle ne met pas de point d'exclamation, et vous avez une hyper-amitié. Et puis une branche de gui plus tard, tu as les jambes qui flanchent? Je ne veux pas critiquer, mais si j'ai un ange gardien architecte de vie, il ferait bien de se réveiller, parce que là, ma vie, c'est n'importe quoi.

SECOND
SEMESTER

FEBRUARY

Duh

Dimanche 1er février

Trente-sept.

C'est le nombre de jours qui se sont écoulés depuis Noël. Je ne pensais pas faire une pause aussi longue. Écrire mon blog, c'est comme parler à des amis. Mais parfois, on n'a pas envie de parler à ses amis, on a juste envie d'un peu de silence.

Demain, il n'y a pas cours, et on a décidé de passer la nuit dans notre cabane dans la forêt.

Il a gelé cette semaine, mais ça ne nous fait pas peur. On a des tonnes de couvertures, un chauffage d'appoint, et un réchaud pour faire du chocolat chaud et du café.

La nuit est en train de tomber. Je viens de sortir pour aller chercher mes écouteurs dans la voiture, et j'ai vu quelques étoiles briller sur la peau sombre du ciel. Mes amis sont partis chercher du bois pour faire un feu. J'en profite pour écrire un peu à l'étage de la cabane (c'est là qu'on dort, au rez-de-chaussée on cuisine et on prend le café).

Le mois de janvier est passé vite. Il y a eu la semaine des révisions, puis celle des *midterms*. J'ai passé tout mon temps entre la bibliothèque, la salle d'examen et le Mordor. Ensuite, le deuxième semestre a démarré. Avec Sara, on a décidé d'aller à la piscine deux fois par semaine, parce que la recherche du parfait bikini pour Spring Break va bientôt démarrer. On avait le choix : commencer la piscine ou arrêter les cookies et le beurre de cacahuète. *Duh !*

Au fait, *Duh* (prononcé quelque part entre « deux » et « da » en allongeant la voyelle) est un mot qu'on dit quand quelque chose est totalement évident, pour faire sourire. Par exemple, si un garçon demande à sa petite copine si elle l'aime et qu'elle lui répond « *Duh !* », ça veut dire : « Évidemment que je t'aime, andouille ! » Quand mon père me demande si je veux qu'il prépare un gâteau au chocolat pour mon anniversaire, je lui réponds toujours la même chose : « *Duh !* »

Aiden et moi, on n'a jamais reparlé du baiser. Il n'y avait pas de raison d'en parler, d'ailleurs. Ce n'était qu'une tradition marrante. Aiden a sûrement déjà oublié. Moi, j'y pense de temps en temps. J'ai un peu paniqué sur le coup, mais c'est normal de ressentir des émotions fortes quand on embrasse quelqu'un qu'on aime bien. Je suis sensible, voilà, faites-moi un procès si vous voulez !

Il y a dix jours, Tom et Seemus ont emprunté deux voi-turettes de golf pendant que les jardiniers étaient partis déjeuner. Ils ont fait une course sur le campus, et tout le monde a parié plein d'argent. Enfin pas tout le monde, parce qu'on n'a pas tous la chance d'être riche.

Cette semaine, la prof de maths a demandé à Soupe d'arrêter de mâcher du chewing-gum pendant la classe. Il lui a répondu :

« Est-ce que vous demanderiez à Barack Obama d'arrêter d'être noir ? »

La prof lui a donné un point.

Quelques jours plus tard, c'est Vaneck qui a reçu un point. Il avait entendu dire qu'il existait un phénomène pendant la correction de copies qui faisait que, si un prof lisait une copie moyenne après cinq mauvaises copies et avant cinq autres mauvaises copies, la copie moyenne lui paraissait très bonne, et il avait tendance à la surnoter. Du coup, Vaneck a fait la liste des dix élèves les moins forts de sa classe de biologie, et il a essayé de mettre son devoir au milieu pendant que Mrs Snippet avait le dos tourné. Manque de bol, Mrs Snippet ne reste jamais le dos tourné très longtemps.

J'entends les autres qui reviennent. Sara et Soupe se disputent parce que Soupe veut essayer d'allumer le feu avec des cailloux pour « faire comme nos ancêtres ». Sara veut utiliser des allumettes, parce que « si Soupe veut faire comme ses ancêtres, il n'a qu'à se mettre tout nu et faire des cris de singe et aller chasser une bête et nous laisser tranquilles ».

La tête de nounours de Soupe passe par la petite trappe ouverte à mes pieds.

« Qu'est-ce que tu fous ? » il demande.

« J'écris. »

« Cool. Descends quand tu as fini, on va faire griller les champignons. T'as faim ? »

« *Duh !* J'arrive dans deux minutes. »

Il referme la trappe derrière lui. Bon, ça tombait bien, mais j'avoue avoir dit « *Duh !* » à Soupe en sachant que j'allais écrire ce que je venais de dire, et que ça illustrerait parfaitement mon explication de tout à l'heure. Pour une fois, ce n'est pas ma vie qui a influencé ce que j'écris, c'est ce que j'écris qui a influencé ma vie. Oh oh, ça se complique !

C'est bizarre, j'ai dit la vérité à Soupe sur ce que je faisais, et pourtant j'ai l'impression d'avoir menti. Mes amis ne savent pas que j'ai un blog, c'est un peu comme si je les trompais avec vous. D'ailleurs, je ne sais même pas si « vous » existe. J'ai désactivé les commentaires et les statistiques du site. Qui sait si quelqu'un lit vraiment ce que j'écris. Vous êtes peut-être zéro, vous êtes peut-être dix mille. Ce blog, c'est comme une bouteille à la mer.

Snow Day
Mardi 3 février

Quand il neige trop, on n'a pas cours. C'est un *snow day*. Ça arrive au moins trois ou quatre fois chaque hiver. J'adore quand ma mère me réveille pour me dire que je peux me rendormir. Une fois, je l'ai même rêvé. J'ai ressenti la joie de la nouvelle, le bonheur de l'anticipation d'une journée à la maison… et puis mon réveil a sonné, et la vie m'a rattrapée.

Aujourd'hui, c'était le deuxième *snow day* depuis le début de l'hiver. J'ai dormi jusqu'à neuf heures. Ensuite j'ai mis mes bottes, mon gros manteau et mon bonnet, et je suis allée aider mon père dehors. Je me suis enfoncée jusqu'aux genoux. On a mis plus d'une heure à dégager l'allée et à nettoyer les voitures. Hercule et Sacrebleu nous regardaient par la fenêtre du salon. Ils détestent les *snow days*. Hercule hait tellement la neige qu'il fait caca dans la litière de Sacrebleu pour ne pas avoir à sortir.

Après avoir aidé mon père, je me suis demandé ce que j'allais faire de ma journée.

Option 1 : relire mes notes pour la compétition de Mock Trial qui a lieu dans trois semaines.

Option 2 : retourner au lit et faire une indigestion d'épisodes de *Gilmore Girls* sur mon MacBook.

Option 3 : appeler Sara sur Skype et finir notre classement des endroits de la planète où on rêverait de coucher avec JM.

J'ai dit à l'option 1 d'aller se faire cuire un œuf, et alors que j'hésitais entre les deux autres, j'ai reçu un appel d'un numéro inconnu. D'habitude je ne réponds pas, parce que j'ai peur de me faire manipuler par un escroc hypnotiseur, mais c'était un *snow day*, et j'étais d'humeur folle.

J'ai bien fait de décrocher, parce que c'était Aiden. Quelqu'un lui avait volé son iPhone hier, et elle l'avait géolocalisé sur son ordinateur. Elle voulait savoir si j'avais envie d'aller à la rencontre du voleur avec elle.

Sortir dehors par moins dix degrés et risquer ma vie pour récupérer un stupide téléphone ? Pas exactement l'idée que je me faisais de mon *snow day*. Mais j'avais envie de voir Aiden. Je lui ai dit de me donner une heure, et que je la rejoignais chez elle. D'ici là, je savais qu'ils auraient salé les routes principales, ce qui me permettrait d'éviter de mettre la voiture de mon père dans un fossé et de perdre sa confiance à tout jamais.

Le voleur habitait une banlieue bourgeoise, dans un lotissement familial. On a repéré la maison, on s'est garées, et puis on s'est avancées lentement dans l'allée, où la neige avait été bien dégagée. Un voleur nanti et méticuleux ?

Devant la porte, on était un peu nerveuses. Aiden

n'arrêtait pas de toucher la pointe de ses cheveux, qui sortaient de sous son bonnet. Quand je l'ai rencontrée, ils étaient assez courts, mais ils ont poussé et aujourd'hui ils lui arrivent presque aux épaules. Ils ont toujours cette même couleur blond-blanc, mais certaines de ses dreadlocks sont en train de se défaire, et ça fait un joli mélange.

« Qu'est-ce qu'on fait s'il a une hache ? » j'ai demandé.

« Il n'aura pas de hache. »

« On sait pas. C'est un criminel, il peut avoir une hache. »

« *Okay*. S'il a une hache, on lui met un coup de pied dans les parties, et on court. »

« Toi ou moi ? Parce que si on le fait en même temps on va se cogner les genoux, on ne pourra plus courir, et on va se ramasser la hache en pleine tronche. »

« Bon, alors on n'a qu'à juste courir. »

« Dans la neige ? C'est un coup à glisser. Et là… »

« Puce ! »

« Quoi ? »

Elle a essayé de garder son sérieux, mais très vite elle s'est mise à sourire, et moi aussi. Ses grands yeux bleus ont la même couleur que l'eau de mer sur les photos des îles paradisiaques dans les magazines de la salle d'attente de mon dermatologue. Sauf que les yeux d'Aiden n'ont pas besoin d'être retouchés sur Photoshop.

« Si on doit mourir, je suis contente de mourir avec toi », elle a dit.

«Moi aussi», j'ai répondu, et puis j'ai frappé à la porte.

Quand elle s'est ouverte, on a dû baisser les yeux. On se trouvait face à une petite fille asiatique de quatre ou cinq ans, en pyjama, qui tenait une poupée dans sa main. Pas de hache.

Aiden lui a demandé si ses parents étaient là, et sans dire un mot, la petite fille est partie en faisant plein de pas avec ses jambes minuscules.

J'ai commencé à me dire que tout ça était très *weird*. *Weird*, c'est comme *whatever*, c'est un mélange de quatre mots en français : bizarre, surprenant, louche, avec parfois une pointe d'inconfortable. Mon père dit que le mot français moderne le plus proche, c'est « chelou », qui « bizarrement n'a pas vraiment le même sens que le mot "louche" dont il est issu ».

On utilise *weird* tout le temps, dès qu'un truc n'est pas comme d'habitude. Un prof est en retard et tu ne sais pas pourquoi ? *Weird*. Tu rencontres une fille qui déteste le Nutella ? *Weird*. Son prénom c'est « Mahogany » ? *Weird*.

C'était clairement *weird* que le voleur vive ici et ait une petite fille adorable.

Et ça a été un milliard de fois plus *weird* quand on a vu arriver devant nous… Mr Brock, notre prof d'histoire.

Aiden a laissé échapper un couinement, comme un chiot. J'ai dû prendre sur moi pour ne pas exploser de rire. Une fois que tout le monde s'est remis de sa surprise, elle a parlé du téléphone à Mr Brock, qui en fait n'était pas un criminel du tout. Il avait trouvé le téléphone par terre dans sa classe après le dernier cours hier et l'avait mis dans son sac pour le rendre à Aiden. Elle s'est confondue en excuses.

La fille de Mr Brock est revenue avec sa petite sœur, une mini-réplique d'elle-même, et elles nous ont présenté leurs poupées : Violet, Primrose, April et Mackenzie. Mr Brock a dit qu'il nous aurait bien invitées à entrer, mais qu'ils allaient passer à table. Heureusement, parce que entrer chez Mr Brock aurait été le summum de l'*awkward*, avec une belle pointe de *weird*. Alors j'ai ramené Aiden chez elle et je suis rentrée chez moi.

J'ai passé l'après-midi à écouter de la musique en pensant à des trucs. Les probabilités qu'il y ait un autre *snow day* demain… le couinement d'Aiden… ses yeux non photoshopés… mon *test* de biologie de la semaine prochaine… les branches de gui…

mistletop

chelou — weird

louch — ladle

Senioritis
Jeudi 5 février

J'ai mille choses à faire aujourd'hui. Si je voulais bloguer, je n'avais pas cinquante solutions, il fallait que je fasse plusieurs trucs en même temps. Donc là je mange ma salade aubergines-poivrons-champignons à la cafétéria, je termine mes devoirs d'histoire, je blogue, et j'aide deux *freshmen* du club de français à prendre les commandes de roses pour la semaine prochaine. C'est comme avec les sucres d'orge que le club d'espagnol a vendus pour Noël, mais c'est pour la Saint-Valentin, et au lieu de se déguiser en elfes pour aller les livrer dans les classes, les élèves vont se déguiser en Cupidon. On vend chaque rose deux dollars, et on envoie tout l'argent à une association francophone. Cette année, j'ai réussi à convaincre tout le monde de reverser l'argent à une association pour la défense des animaux en Belgique.

Je viens d'acheter une rose pour Soupe. Je sais comment ça va se passer : Vaneck va en offrir à Sara, plein de filles vont en offrir à Vaneck, mais personne ne va penser à Soupe. Je lui ai pris une jaune, la couleur pour l'amitié. Je croyais que c'était la couleur de l'infamie, mais la mère de Vince est fleuriste, et il avait l'air sûr de son coup.

Ma mère m'a demandé d'être là parce que les *freshmen* ne connaissent pas les noms de tout le monde, et elle a peur des élèves qui se font passer pour quelqu'un d'autre pour faire des blagues. L'année dernière, Elodie avait reçu une rose de Tyler, qu'elle aimait beaucoup. Sauf que la rose ne venait pas de lui, et quand elle était allée le remercier, elle était passée pour une truffe. Bonjour l'humiliation.

En parlant d'humiliation, hier après le déjeuner, je suis arrivée en retard en classe parce que je devais rapporter l'argent des roses à ma mère dans son bureau. Je l'ai expliqué à Mr Crinky mais il était de mauvais poil parce que son roman avait été refusé par plein d'éditeurs, du coup il m'a donné un point quand même, et j'ai dû aller en *detention* après les cours. Bien sûr, ce scandale n'a choqué personne.

La *detention*, c'est le truc le plus stupide du monde. On doit rester assis pendant une heure sans rien dire et sans rien faire, et on n'a même pas le droit de fermer les yeux.

Le spécialiste de la discipline s'appelle Joe Biglio. Il est en *detention* tous les jours. On l'a surnommé Detention Man. C'est comme un super-héros, sauf qu'il ne combat pas le crime, il combat les règles. Son super-pouvoir est d'attirer les points. Une fois, il est même allé voir le prof de maths au début du cours pour demander à recevoir deux points tout de suite, parce qu'on avait un *quiz*, et il savait déjà qu'il ne pourrait pas s'empêcher de grommeler le *F-Word* au moins deux fois.

Ce qui n'arrange rien, c'est que Joe est atteint d'une « séniorite » aiguë depuis le premier jour de l'année. C'est une maladie fourbe qui s'attaque principalement à la motivation des individus. Les symptômes les plus courants sont une inaptitude à l'effort, une chute des notes, des pertes de mémoire concernant les devoirs à rendre, et une disparition de l'intérêt pour tout ce qui sort de la bouche des profs. On appelle ça *senioritis* (« sinior-ayetis »).

Tous les *seniors* l'attrapent à un moment ou à un autre, mais le point de départ de la maladie varie selon les individus. La clôture des dossiers d'inscription aux universités est le déclencheur le plus courant. La découverte de l'alcool ou celle du sexe sont des facteurs aggravants. Pour Joe c'est différent, il est né avec la séniorite. Il ne se bat pas contre la maladie, il l'accueille avec enthousiasme.

Mes deux partenaires pour un exposé en cours de littérature l'ont attrapée en revenant des vacances de Noël. Du coup je dois tout faire toute seule, et c'est un vrai cauchemar.

Après ma *detention*, hier, je devais rentrer avec Sara, mais quand je suis sortie, j'avais reçu un texto :

Sorry forgot i had 2 take my car 2 the garage. Love u!
XO XO
Désolée j'ai oublié que je devais amener ma voiture au garage. Bisous !

Quand j'ai traversé le parking avec ma mère, la voiture de Sara était toujours là. Alors, de deux choses l'une : soit le campus a des propriétés magiques et la voiture de Sara peut se dédoubler quand elle a besoin d'aller au garage, soit Sara m'a menti. Sara ne ment que quand elle a honte de quelque chose. De quoi elle a honte ?

Oh là là ça y est, la cloche sonne, et je n'ai pas fini mes devoirs d'histoire. J'espère que je ne couve pas une séniorite.

Sleepover
Dimanche 8 février

Il y a des fins de semaine qui ressemblent à des fins du monde. Après cinq *tests*, quatre *quizzes*, un *pop quiz*, deux exposés, et douze heures à transpirer devant les toasters du Mordor, on n'est pas au mieux. C'est pour cette raison que le dieu des filles a créé le *sleepover*. Rien de tel pour recharger les batteries que de se retrouver entre nous. J'ai entendu des garçons parler de nos *sleepovers* à l'école. Ils croient qu'on se met en pyjama et qu'on fait des batailles de polochon. Faux, archi-faux.

Hier soir, j'étais invitée chez Haley avec Sara, Becca, Naomi, Raylin, Shing-Shing et Aiden. J'ai adoré ce mélange. Raylin et Shing-Shing sont des Nerds, Naomi est une quasi-ex-Nerd qui veut s'émanciper et croquer la vie à pleines dents, Haley, Aiden et Becca sont des Artistes, et moi et Sara on est censées faire le lien entre tout le monde. Pas de Populaires, de poignards dans le dos, de faux sourires ou de faux-semblants.

D'abord, on s'est toutes mises en short et en tee-shirt. On s'est installées dans le salon, et on a débouché une bouteille de vin blanc. On a porté un toast à la liberté, on a enlevé nos soutiens-gorge, et on les a jetés par terre en poussant des cris de guerre.

On a trempé des bretzels dans des pots géants de Nutella, et on a plongé des petites cuillères dans un saladier rempli à ras bord de pâte à cookies. On a classé les plus beaux mecs du monde. Becca a dit à Sara que si elle donnait vraiment huit à Chace Crawford et neuf à Tom Hardy, ce n'était pas des lunettes qu'il lui fallait, mais un chien.

Aiden est restée discrète pendant la soirée. C'est vrai qu'on parlait beaucoup de garçons, et ce n'est pas trop son truc, mais j'avais l'impression qu'il y avait autre chose. Je suis allée la voir dans la cuisine, pendant que les autres passaient en revue les tweets des Populaires à la recherche de scoops et de scandales.

« *You okay ?* » j'ai demandé.

Elle se versait un verre d'eau. « *Sure* », elle a dit en levant les yeux vers moi.

« Tu n'as pas l'air », j'ai répondu.

À ce moment-là, son visage a parlé pour elle. Il disait « Tu as raison, ça ne va pas, mais je ne peux pas t'en parler. »

Je lui ai fait un *hug*. Souvent, ça marche aussi bien qu'une conversation.

Quand on est revenues dans le salon, les filles faisaient des paris sur qui irait à Prom avec qui. Ensuite, on s'est raconté des histoires du passé. J'ai appris que la rumeur qui disait qu'Elodie Dickinson faisait des trucs à des garçons contre vingt dollars dans les tunnels sous le manoir quand on était *freshmen* était totalement vraie. Je ne sais pas comment elle a fait, ou comment *ils* ont fait, parce que la température est glaciale dans les tunnels. C'est à cause de Red Feather, le fantôme qui hante les lieux.

Il y a de nombreuses années, Red Feather était un vieil Indien, sage et gentil, chef d'une tribu pacifique qui ne demandait rien à personne. Son fantôme est fourbe et cruel parce qu'il n'a pas digéré que nos ancêtres massacrent toute sa famille pour s'approprier son territoire. Nous on n'y est pour rien, mais on a peur quand même.

Ensuite, on a commandé des pizzas, et on a regardé un film : *Yeopgijeogin Geunyeo*. Si vous êtes comme moi quand Shing-Shing m'a montré le DVD, vous venez de froncer les sourcils. C'est une comédie romantique coréenne, et croyez-moi, il n'y a pas de raison de froncer les sourcils, parce que ce film est phé-no-mé-nal. On a ri, on a pleuré, on a re-ri, on a re-pleuré… Mon film préféré est toujours *Lost in Translation*, mais *Yeopgijeogin Geunyeo* arrive pas loin derrière.

Pendant le film, on dégustait des *s'mores*, affalées dans des canapés. Le *s'more*, c'est un truc qu'on mange souvent quand on fait un feu de camp. C'est un marshmallow grillé placé entre deux crackers, avec un carré de chocolat au milieu. Haley les faisait griller au-dessus du feu dans la cheminée. Oui, ça fait beaucoup de nourriture, mais on était huit, alors c'est pas la peine de nous juger.

Après ça, on était toutes épuisées. Haley a une chambre énorme, comme le reste de sa maison. Elle a dormi dans son lit avec Raylin, Shing-Shing et Sara. Becca et Naomi ont dormi sur un matelas par terre, et moi j'ai dormi avec Aiden dans un canapé. On aurait dit une petite famille de saltimbanques bourgeoises.

Au matin, nos batteries étaient rechargées. On a récupéré nos soutiens-gorge, prêtes à redevenir les filles que le monde voulait qu'on soit.

Définitions

Je ne sais pas vous, mais moi, je me pose plein de questions, tout le temps. Si je n'écrivais pas ce blog, je passerais sûrement ma vie à les esquiver. Mais écrire, c'est faire le tri dans ses pensées.

Ce n'est pas un hasard si je n'ai pas écrit pendant le mois de janvier. J'avais des trucs à dire, mais je n'osais pas les dire. J'osais à peine les penser.

Mardi, quand il a neigé et que je suis allée chez Mr Brock avec Aiden pour récupérer son téléphone, j'étais trop heureuse de la voir. Ce n'est pas juste une expression. J'étais *trop* heureuse. Quand elle a ouvert la porte et que j'ai senti son odeur, c'était comme un soulagement. Je savais qu'on se ferait un *hug* pour se dire au revoir, et j'avais hâte. Je trouve qu'on ne se touche pas assez. J'ai la sensation étrange qu'elle me manque même quand on est ensemble.

Lorsque je suis rentrée chez moi, je n'avais qu'une envie, c'était de retourner chez elle pour l'après-midi. Mais comme je ne veux pas être un gros boulet, j'ai gardé ça pour moi et je suis restée toute seule. J'ai écouté de la musique en pensant à elle. Je m'imaginais des trucs. Parfois les images que je créais me rendaient heureuse, parfois elles me rendaient triste. Mais je ne voulais rien faire d'autre. Je ne pouvais même pas lire, parce qu'une fois sur deux, quand j'essayais de me représenter des personnages, c'était elle que je voyais.

Samedi soir, pendant la nuit chez Haley, je me suis blottie contre elle. On appelle ça *cuddling*. Ça fait partie de l'amitié. Mais pas seulement. Les amies font ça, mais les amoureux font ça aussi. D'habitude, tu sais à quelle catégorie tu appartiens. Là, j'étais un peu perdue.

Ça fait deux mois que c'est comme ça. Deux mois que je ne sais plus où s'arrête l'amitié et où commence autre chose. Depuis son texto sans point d'exclamation, j'ai une petite boule dans le ventre quand je pense à elle.

Je me demande si je suis *gay*. Ça me fait super peur. Mais je ne crois pas que si j'étais *gay*, je ferais des rêves érotiques sur JM. Et puis j'ai vu plein de filles nues dans les vestiaires, et ça ne m'a jamais rien fait. Si j'étais attirée par les filles, ça m'aurait fait quelque chose. Enfin je crois.

Ce serait plus pratique s'il y avait un test de dépistage. Vous allez à la pharmacie, vous dites que vous voulez savoir si vous êtes *gay*, et ils vous donnent un truc où il faut faire pipi dessus. Bleu vous aimez les garçons, arc-en-ciel vous aimez les filles.

Après le *sleepover* samedi soir, j'en avais marre de ne pas savoir quoi penser, alors j'ai suivi les conseils de ma tante Gwen, qui me dit toujours que quand quelque chose me paraît compliqué, il faut que j'y pense de manière simple.

J'ai fait simple. Je suis allée chercher le dictionnaire de français de ma mère sur son bureau. J'adore les dictionnaires. Ils remettent les choses en perspective. Chaque mot à sa place.

Je suis remontée dans ma chambre, et je me suis mouillé le doigt.

D'abord, j'ai cherché le mot « amitié ».

« Sentiment d'attachement et de sympathie entre deux personnes. »

J'ai réfléchi. Ça me paraissait léger. J'ai cherché « amoureuse ». Le dictionnaire m'a renvoyé vers « amour ».

« Un profond sentiment d'affection et d'attirance pour une personne qui pousse ceux qui le ressentent à vouloir s'unir de manière physique, spirituelle, voire imaginaire, avec la personne en question. »

J'ai lu cette phrase cinq fois, la gorge sèche. On aurait dit qu'elle avait été écrite pour moi.

Je ne sais pas si ma tante Gwen le sait, mais c'est confortable, le compliqué. Il y a plein d'endroits où se cacher. Le simple au contraire, c'est *scary*. Pas « un vampire m'a prise pour cible » *scary*, mais plutôt « Qu'est-ce que je vais faire ? » *scary*.

Je ne sais pas ce que je vais faire. Depuis le début, je traite ça comme un rhume, et j'attends juste que ça passe. Sauf qu'un rhume qui dure deux mois, ça peut se transformer en pneumonie, et on peut mourir dans d'atroces souffrances.

Roses
Vendredi 13 février

Lorsque les Cupidon sont entrés dans le labo de physique ce matin, la prof s'est arrêtée de parler, et ils ont commencé la distribution des roses.

La prof en a reçu deux. Elle n'a pas voulu nous dire de la part de qui. Je suis sûre que c'est le Klup, il est amoureux d'elle. Il l'appelle « Elizabeth », et elle l'appelle « Robert ». Ils ne trompent personne.

Moi, j'ai reçu trois roses.

Une rose rouge, de la part de Liam. Ça m'a énervée plus qu'autre chose. Qu'est-ce qu'il croit ? Qu'une fleur fera oublier qu'il est un gros nul ?

Une rose jaune, de la part d'Aiden. Ça a réveillé ma petite boule dans le ventre. Je ne savais pas si je devais être contente qu'elle ait pensé à moi, ou déçue que la rose soit jaune. En même temps, je m'attendais à quoi, une belle rose rouge et une demande en mariage ? Il faut que j'arrête de penser à Aiden comme ça, parce que c'est n'importe quoi.

Et puis une rose blanche, de la part de JM. Sauf que je ne croyais pas une seconde qu'elle venait de JM. J'avais ma petite idée sur la personne qui me l'avait envoyée : Grace Quinn. Elle adore faire croire à d'autres filles que JM les aime bien, juste pour se délecter de leur désarroi quand elles comprennent que ce n'est pas vrai. Mais son plan allait tomber à l'eau, parce que contrairement à d'autres, je n'étais pas assez naïve pour croire qu'un garçon comme JM pouvait s'intéresser à moi.

Je suis allée la voir au déjeuner, et je l'ai remerciée pour la rose. Elle a semblé surprise. J'ai cru qu'elle jouait la comédie, mais j'ai vite compris qu'elle ne mentait pas.

J'ai demandé à Sara si elle savait qui m'avait fait une blague, mais elle était trop occupée à renifler ses vingt-sept roses pour me répondre. Cinq de Vince, deux de Michael Snyder, et vingt de Vaneck ! Je pense que Vaneck pourrait se balader avec une pancarte « *I love you, Sara* » autour du cou toute la journée, elle ne comprendrait toujours pas le message.

Aiden était au fond de la salle, et terminait de manger avec quelques Artistes et deux ou trois Hipsters.

« Merci pour la rose », j'ai dit en m'asseyant à côté d'elle.

« Je voulais t'en offrir une orange, elle a murmuré, mais ils n'en avaient pas. »

Quand on murmure, c'est généralement qu'on n'a pas envie que d'autres personnes entendent. Le concept doit échapper à Haley, en face de nous, qui s'est rapprochée de sa table pour écouter ce qu'on disait.

« Jaune c'est joli », j'ai répondu.

Je ne connaissais pas la signification d'une rose orange. Avec un peu de chance, ça signifiait « je sens que tu as des sentiments pour moi et j'ai des sentiments pour toi aussi et on devrait en parler ».

« De qui viennent les autres ? » Aiden a demandé.

« Oh… Liam… et JM, mais c'est sûrement quelqu'un qui m'a fait une blague. »

À ce moment-là, Haley s'est mise à parler avec la bouche pleine.

« Non, ch'est JM, elle a dit. Ch'est pas une blague. Ch'étais là quand il a écrit ton nom sur la carte. Ch'crois qu'il t'aime bien. »

Je ne me rappelle pas très bien, mais j'ai dû froncer les sourcils, parce que c'était une drôle de révélation.

« Il doit t'aimer plus que tu ne le penses », Aiden a dit en souriant.

L'idée ne semblait pas la contrarier plus que ça. Ce qui moi m'a contrariée.

Quand je suis arrivée en cours d'espagnol, mon regard a croisé celui de JM, et je me suis sentie rougir. Haley avait beau m'avoir dit la vérité, je n'y croyais toujours pas. Et si c'était quand même une grosse blague orchestrée par Grace ? Elle aurait pu acheter Haley pour en faire la complice de son plan diabolique visant à me faire passer pour une idiote aux yeux du monde entier.

« *Hey* », j'ai lancé à JM.

« *Hey.* »

« Hum… j'ai reçu une rose de ta part… »

« Elle te plaît ? »

«Oui, je… oui. Je n'étais pas sûre que c'était toi…»

«C'était moi.»

Ce sourire… ces yeux… je ne sais pas combien de temps on a le droit de se perdre dedans avant que ça soit trop, mais je pense que j'ai explosé la limite.

«*Thanks*», j'ai dit.

Il y avait un gros tas de roses par terre, à côté de son sac à dos.

«Tu as été gâté, dis donc.»

«Oui… par certaines filles… pas par d'autres…»

Il parlait de moi? Les «autres», c'était moi? Il espérait que je lui offre une rose? JM voulait une rose de Puce? Ou alors il parlait de son ex, et je n'avais rien compris. Tout à fait possible. Coup de bol, Señora Rodriguez a demandé à tout le monde de s'asseoir, et je n'ai pas eu à répondre.

Avant de quitter le campus après l'école, j'ai fait un détour par le terrain de baseball. Je suis allée voir Vince, et je lui ai demandé la signification des roses orange.

«Attraction ou admiration», il a dit.

Il a remis sa casquette, et il est reparti taper dans des balles avec sa batte.

Attraction ou admiration? Elle le savait, ça, Aiden? Si elle voulait mettre encore plus de fouillis dans ma tête, c'était réussi. Peut-être qu'elle trouvait juste la couleur jolie. Et peut-être que JM parlait de moi tout à l'heure. Ou peut-être qu'il parlait d'une autre fille… C'est moi qui ne comprends jamais rien, ou c'est les autres qui parlent en langage codé?

Valentine's Day
Samedi 14 février

Ce matin, au Mordor, Vaneck avait un petit creux, alors il a décidé de s'enfermer dans le grand frigo de la réserve pour manger un muffin au chocolat. Ce qu'il ne savait pas, c'est que le directeur avait prévu de vérifier les stocks. Il a trouvé Vaneck avec la bouche pleine.

«Qu'est-ce que tu fais là?» il lui a demandé.

Comme Vaneck est un garçon bien élevé qui ne parle jamais la bouche pleine, il a haussé les épaules.

«Je t'ai posé une question», le directeur a dit.

Là, le directeur a commencé à sentir que quelque chose ne tournait pas rond. «Ouvre la bouche.»

Vaneck a secoué la tête.

«Ouvre la bouche», le directeur a répété.

Vaneck avait gagné juste assez de temps pour réussir à avaler discrètement le reste de son muffin. Fier de lui, il a souri au directeur. Le problème, c'est qu'il lui restait un gros bout de chocolat coincé entre les dents.

Le directeur l'a mis aux frites et lui a dit qu'il y resterait pendant un mois.

Les frites, c'est notre bagne à nous. Il y fait une chaleur folle. On passe son temps à plonger des panières dans l'huile, à les vider, à saler les frites, à remplir des petits, moyens, grands et très grands sachets, à plonger des panières dans l'huile, à les vider, à saler les frites, à remplir des petits, moyens, grands et très grands sachets, à plonger des panières dans l'huile… Comme on en vend tout le temps, ça ne s'arrête jamais. Au bout d'un moment, le sel et la chaleur font partie de ta peau. Vaneck va sortir de son mois de frites traumatisé, c'est sûr. Il ne pourra plus jamais voir un muffin au chocolat sans penser à son calvaire.

Après le travail, j'ai rejoint un cabinet d'avocats à Philadelphie, où on a passé l'après-midi à s'entraîner pour la compétition de Mock Trial. Ils nous ont laissés répéter dans leur faux tribunal. Ils nous écoutaient, et puis ils nous donnaient des conseils. Le mieux, c'était les jeunes stagiaires super mignons qui nous apportaient des petits paniers avec des croissants à la cannelle et des briques de jus de fruits bio.

Naomi a parié avec Colleen qu'elle réussirait à faire rougir un stagiaire avant la fin de l'après-midi. Elle a gagné quand elle a dit au plus mignon que ce n'était pas les croissants, qu'elle voulait croquer. Naomi Chang, messieurs dames !

La compétition est dans quinze jours, maintenant. Les autres disent qu'ils y pensent tellement que parfois ils en rêvent. Moi aussi, mais je ne crois pas que les autres fassent le même rêve que moi.

On est tous au tribunal pendant la compétition. On écrase les autres écoles, et à la fin, quand on célèbre notre succès, quelqu'un me fait remarquer que je me tiens sous une tranche de tofu qui pend du plafond. Aiden aussi, et dans mon rêve apparemment tout le monde croit qu'il faut s'embrasser sous les tranches de tofu qui pendent du plafond. Moi et Aiden on s'embrasse, les gens trouvent ça beau, personne ne me demande de décider si j'aime les filles ou les garçons, personne ne me juge, et moi et Aiden on vit *happily ever after*.

Quand on est sortis du cabinet en fin d'après-midi, tout le monde s'est dispersé dans Philly. Eugene est parti en vélo. Il faut que je pense à vérifier si Charles Manson et Hannibal Lecter aimaient faire du vélo.

J'ai demandé à Aiden si elle voulait aller boire un café, mais elle devait partir, parce qu'elle passait la soirée avec Lucy pour la Saint-Valentin. J'ai prétendu que ce n'était pas grave, et je lui ai proposé de la raccompagner jusqu'à sa voiture. En vérité, dès qu'elle prononce le nom de Lucy, les petits bonhommes qui vivent dans ma tête se mettent à pester et à dire le *F-Word*.

Sur le chemin, j'ai hésité cinquante fois. J'ai décidé de le faire, de ne pas le faire… et puis finalement, je l'ai prise par la main. J'ai eu peur qu'elle la retire, qu'elle me dise que Lucy serait en colère si elle savait, mais j'ai senti ses doigts se glisser entre les miens.

Quand on est arrivées à sa voiture, on s'est fait face pour se dire au revoir, et je lui ai souhaité de bien s'amuser avec Lucy. (J'avais autant envie qu'elle s'amuse avec Lucy que de me coincer les doigts dans une porte.)

«*I'm sorry*», elle a dit après un long moment de silence.

«*Why?*»

«J'aurais aimé rester avec toi plus longtemps.»

«C'est pas grave, j'ai plein de trucs à faire de toute façon.» (Je n'avais absolument rien à faire.)

C'est bizarre, la vie. J'avais l'impression qu'on était toutes les deux tristes. On s'est fait un *hug*, et elle m'a embrassée sur la joue. J'ai senti ma gorge se serrer. Mais Aiden est partie retrouver sa petite amie Lucy, avec ses beaux tatouages et sa coolitude de hippie.

En rentrant, je me posais plein de questions. Est-ce que je suis *gay*? Est-ce qu'Aiden est amoureuse de Lucy? Est-ce qu'elle sait que j'ai une petite boule dans le ventre? Est-ce que c'est normal d'avoir dix-huit ans et de passer sa Saint-Valentin en tête à tête avec un chien qui a le même âge que vous et un chat obèse?

La dernière m'a mise de mauvais poil. J'ai pris mon téléphone, et j'ai envoyé un texto à JM.

Ash Wednesday

Mercredi 18 février

Parfois quand je m'ennuie en cours, j'imagine un jeune Vénusien, chargé par ses congénères de venir nous étudier. Il voyage pendant des mois et pose son vaisseau spatial dans le Delaware. Il le camoufle avec des buissons et cherche les humains les plus proches. Il se trouve qu'il arrive dans notre lycée. Il enfile sa combinaison d'invisibilité, et passe ses journées à nous observer.

Le pauvre est complètement perdu. Il voit des tas de trucs dont il n'a jamais entendu parler dans son livre *Histoire des humains, tome 1 : les us et coutumes*, qui date des années 80. Il envoie des messages radio sur Vénus pour s'assurer qu'on l'a bien envoyé sur la bonne planète.

Il se demande pourquoi on porte tous les mêmes vêtements, sauf certains jours. Pourquoi plusieurs fois dans l'année pendant le déjeuner, quand Vaneck crie « *Freeze !* », tout le monde s'arrête de bouger comme des statues pendant une minute. Pourquoi les jeunes humains ont de plus jolis véhicules que les anciens humains (sur Vénus c'est la sagesse qui fait la richesse, pas comme chez nous). Et puis il se demande pourquoi un jour dans l'année, les deux tiers des élèves ont une croix noire sur le front.

Le jour du mercredi des Cendres, à la fin de la messe, ceux qui pensent que dieu existe se mettent en file indienne, et un prêtre dessine une croix sur leur front, avec des cendres, pendant que ceux qui pensent que Dieu n'existe pas, ou qui croient en un dieu différent, restent assis à les regarder. Les cendres, c'est pour nous rappeler qu'on va tous mourir. C'est frais, c'est joyeux.

Ce que je trouve fascinant, c'est que normalement, la religion est un truc privé. C'est comme la politique, on n'en parle pas avec les autres pour éviter de se disputer. Mais pendant le mercredi des Cendres, ce n'est plus privé du tout. On sait qui croit en ce Dieu-là et qui n'y croit pas, rien qu'en levant les yeux. Nos convictions sont nues.

Ceux qui ont une croix passent la journée à se regarder dans leur écran d'ordinateur, ou dans les vitres de la cafétéria. Ils se demandent comment est leur croix, et si elle est bien droite.

Chaque année, Vaneck se plaint parce qu'il est noir et que personne ne voit sa croix. Aujourd'hui, Soupe a dit que c'était bien la preuve que Dieu a décidé d'en faire baver aux Noirs plus qu'aux autres. Sara a répondu que c'était raciste, et Soupe a dit que c'est Dieu qui est raciste, pas lui. Et puis il a levé la tête et il a dit à Dieu qu'il s'excusait et qu'il ne le pensait pas. Vaneck a secoué la tête et a dit à Soupe qu'il était un idiot. J'ai passé mon bras autour de son cou et je lui ai fait un bisou, parce que c'est vrai que c'est un idiot, mais c'est notre idiot.

Après l'école, je suis allée à la piscine avec Sara. On a fait quelques longueurs, et puis on s'est arrêtées au bord quelques minutes pour reprendre notre souffle. Sara a une tête trop bizarre quand elle ne porte pas ses lunettes. On dirait une grenouille.

«Au fait, j'ai dit. Ta voiture l'autre jour, c'était quoi son problème ?»

«Ma voiture ? Ah, oui… euh, c'était le… le moteur. Oui c'est ça, le moteur.»

«Qu'est-ce qu'il avait ?»

«Il… n'accélérait plus.»

«Le moteur n'accélérait plus ?»

«Exactement.»

J'ai rigolé. J'aurais pu la torturer encore quelques minutes, mais j'ai préféré lui dire que j'avais vu sa voiture sur le parking de l'école.

Elle a fait des bulles en soufflant à la surface de l'eau.

«*Sorry…*»

«C'est pas grave, j'ai répondu. Mais dis-moi la vérité maintenant.»

Elle a soupiré. «Si je te le dis, tu ne peux en parler à personne.»

«Okay.»

«Jure sur la tête de Rose et Hugo.»

«Je le jure.»

«Puce ! En entier.»

«Pffff. Je jure sur la tête de Rose et Hugo Granger-Weasley, enfants de Ronald Bilius Weasley et Hermione Jean Weasley, née Granger. Ça va, là ?»

« Bon. J'étais avec Vaneck. »

« Où ça ? »

« Chez moi. »

« Chez toi, où ? Dans ta chambre ? Qu'est-ce que vous faisiez ? Non… »

« Mais non ! elle s'est exclamée. Je lui fais juste des massages. »

« Tu lui fais quoi ? »

« Des massages. Je le masse. Depuis l'année dernière. Des fois il fait mes devoirs, et je lui fais des massages en échange. »

« Des massages comment ? Avec les vêtements ? »

« Bah euh, non, il est torse nu. »

« Attends. Parfois, Vaneck se met torse nu dans ta chambre, sur ton lit, et toi tu lui fais des massages ? Avec les mains ? »

« *Duh !* Je vais pas le masser avec les pieds ! »

« Tu te rends compte de ce que tu me dis ? »

« Quoi ? C'est parfaitement légal, figure-toi. »

« Si c'est parfaitement légal, tu l'as sûrement dit à Vince. »

Elle a haussé les épaules, et elle a remis ses lunettes de plongée. Moi, je n'en revenais pas. Le *give and take* de Sara et Vaneck, devoirs contre massages ? C'est ça la jeunesse, de nos jours ?

« Bon, on va nager ? Sara a demandé. Tu n'en parles pas aux autres, hein ? »

Je lui aurais bien dit que Vaneck était amoureux d'elle

pour qu'elle comprenne que ce qu'elle faisait avait des conséquences, mais ce n'était pas à moi de le faire. D'ailleurs, je m'inquiétais un peu trop pour lui. D'accord, on ne voit pas sa croix en cendres sur son front. Mais il réussit quand même à se retrouver à moitié nu dans la chambre de Sara, avec les mains de sa dulcinée pour le caresser. Et moi qui le plaignais, le pauvre garçon.

Assassins
Lundi 23 février

Cet après-midi lorsque je suis rentrée à la maison, un paquet m'attendait sur mon lit. Une petite boîte rectangulaire blanche, avec un ruban rouge noué autour. Quand j'ai vu ce qu'il y avait dedans, j'ai poussé un cri de joie. Je me suis précipitée dans les escaliers, j'ai dévalé les marches et j'ai couru jusqu'au garage, où mon père était en train de réparer son monocycle. Je lui ai sauté au cou ; il a failli tomber à la renverse.

La question à dix mille dollars, c'est ce qui se trouvait dans la boîte. Je vous offre quatre possibilités :

A. Une robe

B. Un pistolet à eau

C. Les clés d'une voiture

D. Aucun des trois

Attention…

Si je vous dis que c'était la deuxième, normalement vous êtes amer, et vous vous dites : « Pffff. Quelle fille de dix-huit ans peut bien être excitée de recevoir un pistolet à eau ? » Si j'étais vous, je penserais ça aussi. Mais c'est parce que vous ne savez pas tout.

Dans une semaine, la phase la plus géniale de notre année de *senior* va enfin démarrer. Une coutume qu'on suit avec envie depuis notre première année, mais à laquelle on n'a jamais eu le droit de participer. Ça s'appelle Assassins.

Assassins est un jeu dans lequel les *seniors* doivent s'éliminer au pistolet à eau, jusqu'à ce qu'il n'en reste plus qu'un. Ça commence le 1er mars, et ça peut durer trois mois.

Ma mère n'aime pas ce jeu parce qu'elle le trouve dangereux, mais ça amuse mon père. Le mois dernier, on a passé une soirée entière à parler de stratégie. Il a envie que je gagne, c'est pour ça qu'il m'a offert un super pistolet à eau. Normalement, je suis plutôt le genre de fille qui aurait dû se contenter d'un pistolet tout pourri légué par son grand-père et qui allait lui claquer dans les pattes au moment de tirer. Mais ce coup-ci, mon père a vraiment assuré.

Comme ça démarre bientôt et que ça risque de rythmer ma vie pendant un moment (sauf si je me fais tuer tout de suite), je vais vous donner les règles qu'on a reçues par mail, comme ça vous saurez tout.

Règle numéro 1 : Seuls les *seniors* peuvent participer.

Règle numéro 2 : Le nom d'une cible sera communiqué à chaque candidat de manière confidentielle.

Règle numéro 3 : Chaque candidat a un mois pour éliminer sa cible, sans quoi il est disqualifié pour le tour suivant.

Règle numéro 4 : Il est interdit de tirer sur le campus, ou pendant un événement scolaire (sport, pièce de théâtre, etc.).

Règle numéro 5 : Il est interdit d'entrer à l'intérieur d'une maison pour assassiner quelqu'un, sauf si vous avez été formellement invité à entrer par un membre de la famille.

Règle numéro 6 : Il est interdit de tuer quelqu'un pendant qu'il conduit. Il est possible de tuer quelqu'un dans sa voiture, mais uniquement si la voiture est à l'arrêt.

Règle numéro 7 : Si vous parvenez à toucher votre assassin avant qu'il ne vous tire dessus, il est *frozen*, « gelé » pendant une heure. Il ne peut plus vous attaquer pendant ce laps de temps.

Règle numéro 8 : Pour être validé, un meurtre doit être vu par un témoin (un autre élève).

Règle numéro 9 : Le meurtre doit être rapporté par

téléphone à l'un des organisateurs du jeu, Fang ou Payas, sous vingt-quatre heures, sans quoi le meurtre n'est pas comptabilisé.

Règle numéro 10 : Lorsque vous assassinez quelqu'un, vous héritez de la cible de cette personne.

Règle numéro 11 : Il est interdit d'assassiner quelqu'un dans une église. Un peu de respect, bon sang.

Règle numéro 12 : Le gagnant remportera cinq mille dollars.

False Alarm
Samedi 28 février

Il faisait encore nuit quand on a pris le car pour aller à la compétition de Mock Trial. Aiden s'est assise à côté de moi. On n'a pas eu besoin de parler pour savoir qu'on voulait toutes les deux dormir. J'ai posé ma tête contre son épaule, elle a posé sa tête contre la mienne.

Avant d'aller au tribunal, on a fait un détour par l'hôtel où on allait passer la nuit. Miss Mass' a distribué les cartes magnétiques. James n'était pas tranquille, parce qu'il devait dormir avec Eugene.

On a eu dix minutes pour déposer nos affaires. Aiden et moi, on avait la chambre 612, où il n'y avait pas deux petits lits, mais un seul grand lit. Pour arranger ça, ils nous en avaient laissé un d'appoint qu'ils avaient qualifié de « très confortable ». On s'est dit qu'il cachait bien son jeu, avec ses ressorts qui pendaient et ce grincement horripilant dès qu'on s'appuyait dessus.

Ensuite, on est allés au tribunal, et on a tous reçu un badge avec le code de notre lycée. La compétition est anonyme, et personne n'est autorisé à porter de signe distinctif, du coup chaque lycée a un code de deux lettres pour s'identifier. Nous on était SA. Tyler a dit que c'était l'acronyme de *Super Awesome* (Super Génial), mais Payas a fait remarquer que c'était aussi l'acronyme de *Sadly Awful* (Malheureusement Atroce). On a décidé de laisser tomber les acronymes.

Juste avant le procès, j'ai commencé à me sentir nerveuse. Je suis allée aux toilettes pour me rafraîchir, et quand je suis ressortie, Aiden m'attendait dans le couloir, les mains sur les hanches, les sourcils froncés… et une énorme fausse moustache sous le nez.

J'ai éclaté de rire.

« Qu'est-ce que tu en penses ? elle a demandé. On devrait me prendre au sérieux, non ? »

Je me suis approchée d'elle. Mon stress s'était évaporé.

« *Thanks*, j'ai dit. *I really needed that.* »

Elle a retiré sa moustache, et elle s'est penchée vers moi.

L'espace d'un instant, j'ai cru qu'elle allait m'embrasser, et mon cœur a fait un bond dans ma poitrine. Mais elle a déposé un baiser sur ma joue, et les petits bonhommes qui vivent dans ma tête ont dû vite s'adapter : « Fausse alerte, les gars, zone joue, rebouchez-moi ce champagne ! »

Après cette première journée, Miss Mass' nous a emmenés au restaurant pour nous féliciter de nos bonnes prestations. Elle avait la carte de crédit noire et dorée de l'école que la directrice lui avait confiée pour le week-end, alors on ne s'est pas privés. On aurait dit l'un de ces banquets à la fin d'une aventure d'Astérix. On n'avait pas de barde, mais j'aurais bien bâillonné Colleen, parce qu'elle n'arrêtait pas de parler de course à pied.

Ensuite on est retournés à l'hôtel, et on a reçu nos instructions pour la soirée. Ce n'était pas très compliqué : rester dans nos chambres, et ne pas faire de bruit. Évidemment, dès que Miss Mass' s'est couchée, on s'est tous retrouvés dans celle de JM pour discuter et faire des jeux. La vie est courte.

J'ai beaucoup parlé avec JM. Je crois qu'il flirtait avec moi. Depuis qu'il m'a offert une rose, j'ai l'impression d'être entrée dans un autre monde. Un monde où JM n'est plus un Populaire *out of my league*, mais un garçon simple qui a l'air de bien m'aimer. C'est quand même le garçon le plus mignon de l'école, alors ça fait quelque chose. On s'est envoyé des textos, l'autre soir. C'était sympa, mais je n'arrêtais pas de penser à Aiden, du coup je n'ai pas vraiment pu apprécier. C'est un peu comme quand quelqu'un vous raconte une histoire alors que vous êtes en train d'essayer de résoudre un problème de maths.

En parlant de textos, Naomi n'arrêtait pas d'en envoyer à son nouveau petit ami, Mark Warwick. Ça a mis James de mauvaise humeur. Ou peut-être que c'était à cause d'Eugene, qui insistait pour lui parler de Pokémon depuis une heure. J'ai essayé de le caser avec Colleen pour que tous les deux se parlent de trucs qui n'intéressent personne, mais ça n'a pas marché, parce que Colleen est une Populaire, et une Populaire ne peut pas s'abaisser à faire la conversation à un psychopathe. C'est comme ça.

Un peu avant minuit, on est tous retournés dans nos chambres.

On a essayé le lit d'appoint, mais il était tellement à l'opposé de «très confortable» qu'on a décidé de dormir toutes les deux dans le grand lit. C'était bizarre, ce détour qu'on avait dû prendre pour en arriver là. Aiden et moi, on était officiellement «amies», mais si j'avais été avec n'importe quelle autre amie, on n'en aurait même pas parlé et on aurait choisi le grand lit tout de suite.

On s'est glissées sous les draps en poussant un grognement de satisfaction. Ça avait été une longue journée. Aiden a posé ses lunettes sur la table de nuit, près de la peluche *zombee* que je lui ai offerte pour son anniversaire. Quand Sara enlève ses lunettes, ça lui fait une tête bizarre. Quand Aiden enlève ses lunettes, elle est différente, mais tout aussi jolie.

On a parlé un peu, et puis on s'est dit qu'il valait mieux dormir si on ne voulait pas raconter n'importe quoi pendant le procès le lendemain.

Je me sentais très seule, dans ma partie du lit. Aiden était à moins d'un mètre, et elle me paraissait être à des kilomètres. Je n'avais qu'une envie, c'était de la rejoindre, de me caler contre elle. Je ne voulais pas m'endormir à côté d'elle, mais *avec* elle. Le problème, c'est que je n'avais pas le courage de m'approcher.

Alors je me suis tournée vers le mur, et j'ai fermé les yeux.

Tears
Samedi 28 février

Lorsque je me suis réveillée, j'ai senti Aiden contre moi. Je ne savais pas quelle heure il était, mais je ne voulais pas me pencher pour attraper mon téléphone, de peur de la réveiller. J'ai fermé les yeux, et j'ai savouré le moment. J'ai posé ma main sur le bras d'Aiden. Je l'ai sentie émerger un peu de son sommeil. Nos jambes se sont mélangées. Elle s'est collée à moi.

Je ne sais pas combien de temps on est restées comme ça. On se rendormait, on se réveillait, et nos mains se cherchaient. Je sentais que c'était une parenthèse. Ce lit, c'était un autre monde. Le domaine du rêve. On n'était pas tout à fait conscientes, alors ça ne comptait pas vraiment.

Miss Mass' a frappé à la porte. On s'est séparées, et sans un mot, je suis allée prendre une douche.

Je suis ressortie en serviette, les cheveux mouillés. J'ai senti les yeux d'Aiden se poser sur mon corps, puis regarder ailleurs. Moi j'avais envie qu'elle me regarde. À son tour, elle a disparu dans la salle de bains, et je suis restée seule avec mon sèche-cheveux et ma petite boule dans le ventre.

Quand elle est sortie, vêtue de son tailleur et de son chemisier noir, elle s'est immobilisée sur le pas de la porte. Je terminais de lacer mes chaussures, assise au bord du lit. J'ai levé les yeux, et on s'est souri. Quelque chose se passait dans sa tête, derrière ses yeux, mais je n'étais pas sûre de savoir quoi.

Elle a marché à l'autre bout de la pièce, et elle a commencé à ramasser ses affaires de son côté du lit. C'est à ce moment-là que les mots sont sortis de ma bouche. Je ne sais pas ce qui m'a pris. C'est dangereux de dire des mots aux gens, et d'habitude je préfère les garder pour moi. Mais là, dans une grande secousse, ils ont débordé de moi.

« *I think I'm in love with you* », j'ai dit.

Elle a continué de ranger ses affaires, comme si je n'avais rien dit.

« Tu as entendu ? » j'ai demandé.

« Oui. »

« Pourquoi tu ne réponds pas ? »

« Tu n'es pas amoureuse de moi. »

« Qu'est-ce que tu en sais ? J'ai regardé dans le dictionnaire. »

« Tu as regardé dans le dictionnaire si tu étais amoureuse de moi ? »

« J'ai tous les symptômes. »

« C'est une maladie ? »

« Arrête de plaisanter. C'est pas drôle. »

« Pardon. »

Je l'ai rejointe de l'autre côté du lit. J'ai saisi son bras pour qu'elle arrête de ranger ses crèmes et ses vêtements, parce que ça m'énervait. Elle a fini par lever les yeux vers moi.

« Écoute, elle a dit. Tu es curieuse. Je comprends que tu aies envie d'essayer des trucs. Mais je n'ai pas envie de gâcher notre amitié pour ça. Et puis… je suis avec Lucy. »

J'ai eu l'impression de recevoir un coup en plein dans l'estomac. J'ai senti les larmes se précipiter derrière mes yeux. Aiden a continué de parler, mais je ne l'entendais plus. J'ai pris mes affaires, et je suis sortie sans la regarder.

Dans le couloir, j'ai éclaté en sanglots. Je marchais vite, et je pleurais à chaudes larmes. Je suis passée devant James et Eugene qui sortaient de leur chambre. Je les ai vus flous. James m'a demandé ce qui n'allait pas. J'ai continué de marcher.

Ça a été dur pour moi de tenir mon rôle dans la compétition, comme si rien ne s'était passé. Mon corps était lourd, ma tête embuée, polluée, et se concentrer sur un faux procès me semblait stupide. Aiden est venue me voir, mais je lui ai dit que je n'avais pas envie de parler, alors elle est repartie, la mine basse.

James a déjeuné avec moi. Il ne m'a pas posé de questions. Il avait compris que sa présence me ferait du bien, mais que je n'avais pas envie de discuter. C'est pour ça que je l'aime. Il est presque toujours seul, mais les choses importantes, il les comprend mieux que n'importe quel Populaire qui passe son temps entouré de gens.

Dans le car pour rentrer, je me suis assise à côté de JM. J'appréhendais l'arrivée, parce que Aiden devait me ramener chez moi. Je ne voulais pas aller la voir pour lui dire que je rentrerais avec quelqu'un d'autre. J'avais peur que ça laisse des traces.

À la sortie du car, il faisait nuit et il neigeait. Aiden a forcé un sourire. Je l'ai suivie jusqu'à sa voiture en silence. C'était horrible. J'aurais donné n'importe quoi pour être chez moi avec mon chien et mon chat, près de la cheminée, avec personne pour me dire des trucs qui font mal.

Dans un silence glacial, j'ai aidé Aiden à enlever la neige qui s'était accumulée sur sa voiture.

Sur la route, je me suis sentie bizarre. Ma petite boule dans le ventre était montée dans ma gorge, et je commençais à avoir du mal à respirer. J'avais l'impression qu'un poids énorme me compressait la poitrine, que j'allais étouffer. J'ai demandé à Aiden de s'arrêter. Elle a rangé la voiture sur le côté de la route.

Je me suis précipitée dehors et j'ai pris de grandes bouffées d'air froid. J'ai marché un peu, et petit à petit, j'ai senti ma gorge s'ouvrir, et j'ai commencé à me sentir mieux.

Je regardais les lumières de la ville, au loin, quand j'ai entendu des bruits de pas dans la neige.

« Ça va, Puce ? » Aiden m'a demandé.

En entendant sa voix, sa façon unique de dire mon nom, j'ai repensé à ce qu'elle m'avait dit, et j'ai recommencé à pleurer. J'ai tourné la tête, mais elle est venue jusqu'à moi, et elle m'a prise dans ses bras. Au début je l'ai repoussée, mais elle a insisté, et j'ai fini par me laisser faire.

J'ai pleuré contre son épaule. J'étais fatiguée de me poser des questions, tout le temps. Marre de me demander si j'étais *gay*, pourquoi j'aimais autant Aiden, si on était amies ou plus que ça. Marre de toutes ces interrogations stupides et inutiles qui prenaient tellement de place dans ma tête.

« *I'm sorry* », Aiden a chuchoté.

«Pourquoi ? j'ai répondu. Tu as dit ce que tu pensais.»

«Non. J'ai pensé pour toi. Je n'aurais pas dû.»

Je suis restée un long moment la tête contre son épaule, au son des voitures qui passaient et du bruissement du vent dans les arbres enneigés. Mes larmes glissaient le long de mes joues et s'écrasaient sur son manteau.

«Je sais que tu es avec Lucy, j'ai dit.»

Elle n'a rien répondu. Elle a soupiré. Pas un gros soupir avec la bouche, comme quand vous êtes pressé et que la personne devant vous au supermarché parle avec le caissier au lieu de payer, mais un petit soupir avec le nez, pensif et délicat.

Quand j'ai senti que j'avais repris un peu de force, je me suis reculée, et je l'ai regardée dans les yeux.

«JM m'a invitée à un concert», j'ai dit en reniflant.

Elle m'a dévisagée sans rien dire, avec ces mêmes yeux occupés qu'elle avait le soir du *sleepover* dans la cuisine, quand je sentais que quelque chose n'allait pas, ou quand elle était sortie de la douche à l'hôtel le matin et que je me demandais ce qui se passait dans sa tête.

«Tu vas y aller ?» elle a fini par répondre.

«Tu as envie que j'y aille ?»

Elle a baissé les yeux. «Non.»

J'ai entendu des milliards de mots dans ma vie. Mais ce «non», il était magique. À lui seul, il éteignait des doutes et il ouvrait des portes.

«C'est avec toi que j'ai envie de sortir, j'ai dit, revigorée.

Et si ça veut dire que je suis *gay*, alors je suis *gay* et je m'en fous. »

Aiden a souri. « Ça ne veut pas dire que tu es *gay*. »

Elle m'a demandé si j'étais prête à rentrer. J'ai séché mes larmes et hoché la tête. Dans le regard qu'on a échangé à ce moment-là, il y avait quelque chose de nouveau. Une petite brillance, une complicité timide, une sorte d'excitation discrète qui nous traversait, comme si on savait que peut-être, notre relation venait de basculer.

Je n'étais pas sûre de ce que ça signifiait pour Aiden, ni même pour moi, d'ailleurs, mais il y avait une évidence. Une certitude qu'on n'en était pas arrivées là par hasard, et qu'il fallait juste laisser les choses se faire sans trop y réfléchir. Pas vraiment ma spécialité, mais il paraît qu'il y a un début à tout.

MARCH

Kill or Be Killed
Dimanche 1er mars

Dans la mythologie romaine, Mars était le dieu de la guerre. Ça tombe bien, parce que c'est en mars que débute Assassins.

Aujourd'hui, on s'est réunis dans la chambre de Sara pour découvrir ensemble le mail qu'on attendait depuis presque quatre ans. Celui qui allait nous souhaiter la bienvenue dans le jeu et surtout, révéler le nom de notre cible. Terminé, les petits lycéens innocents en uniforme. Place à des assassins cruels et machiavéliques, armés jusqu'aux dents de pistolets à eau.

À chaque groupe sa stratégie. Des alliances vont se former, quand d'autres décideront de ne pas partager la moindre information avec leurs amis. Nous, on a choisi de tout se dire. C'est ça, un ami. Quelqu'un qui vous protège et vous aide à assassiner des gens.

Le jeu débutait officiellement à 14 heures, mais avant

de partir de chez moi, j'avais réuni mes parents pour leur donner mes consignes :

« Vous ne laissez entrer personne du lycée dans la maison. Si un jour vous invitez mon assassin, vous aurez ma mort sur la conscience. »

On s'est tous installés avec notre MacBook sur les genoux : moi sur le lit à côté de Sara, Vaneck dans un fauteuil, et Soupe en tailleur sur la moquette. Je gardais mon iPhone pas loin, parce que j'avais écrit à Aiden une heure plus tôt et j'attendais toujours une réponse. Dans ces moments-là, chaque minute qui passe est une petite torture.

Vaneck a été le premier à ouvrir son mail.

On a retenu notre souffle. Il a levé les yeux, l'air grave.

« James Chang. »

On a soupiré. Tout le monde sait que James va être l'une des cibles les plus difficiles. D'abord, il habite à quarante-cinq minutes de l'école. Ce sera pénible d'aller se cacher dans son allée pour le surprendre. Ensuite, en dehors de Naomi, James n'a pas vraiment d'amis. On ne connaît pas ses habitudes, et on ne pourra demander de tuyaux à personne. Comme la plupart des Nerds, il passe presque tout son temps chez lui. Inutile d'espérer lui tirer dessus devant un cinéma ou dans un café.

Assassins est un jeu qui inverse les normes habituelles de l'école. Plus vous êtes populaire, plus il y a de gens qui connaissent vos habitudes et qui peuvent échanger ces informations, et donc plus vous êtes en danger. Les Nerds sont les vrais rois du jeu. Ceux qui passent leur temps chez eux, à faire leurs devoirs ou à jouer à des jeux vidéo. Il faut un plan minutieux pour réussir à les assassiner.

Ensuite, ça a été au tour de Sara.

«Michael Snyder.»

On a tous rigolé. Snyder est bête, et comme il a un faible pour Sara, ce sera un jeu d'enfant pour elle de le piéger. On a applaudi pour fêter ça.

«Colleen vient de me demander comme ami sur Facebook», Soupe a dit avec un sourire en coin.

Demander quelqu'un comme ami sur Facebook le jour du mail, c'est très louche. On savait tous ce que ça voulait dire : Colleen était l'assassin de Soupe. C'était une manière pour elle de récolter des informations sur lui, mais c'était super maladroit, parce que maintenant il se tiendra sur ses gardes quand il la verra.

Ensuite, Soupe a ouvert son mail.

«Naomi Chang.»

On était partagés. Naomi représentait le même type de difficulté que James, et trois mois plus tôt on aurait sûrement dit qu'elle serait très difficile à abattre. Mais depuis quelque temps, elle s'intègre à la sphère sociale du lycée, et elle risque d'être plus vulnérable. Malgré tout, quelque chose me disait que son ego et sa fierté allaient en faire une adversaire de taille.

On a fait une pause, parce que Sara voulait aller chercher les cookies qu'elle avait mis au four.

Mon téléphone a bipé. C'est fou, la joie qu'on peut ressentir à voir un prénom apparaître sur un écran. Rien que de savoir qu'Aiden m'avait écrit, ma petite boule dans le ventre était toute chaude.

AIDEN > Hey! I was just thinking about u. I really want to see u too but Im out of town. Tmw?

Salut ! Je pensais justement à toi. J'ai vraiment envie de te voir moi aussi, mais je ne suis pas là aujourd'hui. Demain ?

J'ai souri, et Sara m'a demandé pourquoi en revenant. J'ai croqué dans un cookie, et j'ai changé de sujet en pianotant une réponse sur mon téléphone.

Ensuite, tout le monde m'attendait, alors j'ai repris mon MacBook, et j'ai ouvert mon mail.

« Seemus O'Riordan. »

Seemus, c'est du sérieux. Il ne prend pas le jeu à la légère. Il en parle depuis qu'on est des *juniors*. Il a commandé deux magnifiques pistolets dorés à crosse d'ivoire qu'il porte à sa ceinture. Il a prévenu tout le monde que quand il assassinerait quelqu'un, il n'y aurait rien de personnel. « *It's just business* », il a dit. Il a même appris par cœur le monologue de Samuel L. Jackson dans *Pulp Fiction*, et il a annoncé qu'il le réciterait avant chacun de ses meurtres. Je ne me rappelle plus très bien, mais la tirade évoque une terrible colère, une vengeance furieuse et effrayante, et des hordes impies.

Mon seul espoir, c'est de réussir à tuer Seemus un jour où il a beaucoup fumé et où il fait tout au ralenti. Il a beaucoup de jours comme ça.

On a passé le reste de l'après-midi à discuter de stratégie. Et puis il a fallu partir. Il était temps pour Soupe, Vaneck et moi de dire adieu à la sécurité que nous offrait la maison de Sara. À partir de là, à tout moment, quelqu'un pouvait surgir d'un buisson pour nous assassiner. Constamment regarder par-dessus notre épaule, c'était la vie qu'on allait devoir mener.

On a vérifié nos armes. J'avais le pistolet que m'a offert mon père, caché sous mon pull, Vaneck un petit revolver dans sa poche et une grande mitraillette à la main, et Soupe un gros fusil, un pistolet dans un étui sur sa poitrine, et un plus petit caché dans sa chaussure. On était fin prêts.

On a mis nos mains les unes sur les autres, et on a prononcé ensemble la devise du jeu :

« *Kill or be killed.* »

YOLO

Lundi 2 mars

Au début de l'année, Mr Crinky nous avait prévenus qu'il en avait marre de nous entendre dire YOLO par-ci et YOLO par là. YOLO, ça veut dire *You Only Live Once* («On ne vit qu'une fois»). Il y a trois ans, tout le monde disait ça tout le temps, généralement avant de faire quelque chose de bête, comme tricher à un *quiz* ou boire un mélange de dix alcools à une fête. Plus personne ne le dit, mais il faut croire que Mr Crinky a été traumatisé, parce qu'il avait annoncé que si quelqu'un disait ce truc ridicule dans sa classe, on aurait droit à un *pop quiz*.

Moi? Je n'ai jamais dit YOLO. Personne ne sait si on ne vit qu'une fois. Et pourtant, ce matin, je l'ai dit. Pour ma défense, c'était sarcastique. Sara me parlait de la fête d'anniversaire surprise qu'elle voulait organiser pour Vaneck le mois prochain. Elle se demandait si elle devait acheter du cannabis pour lui faire plaisir. Moi je pensais que non, mais pour rigoler, j'ai fait «YOLO!». J'avais complètement oublié les menaces de Mr Crinky. Tout le monde m'a fusillée du regard.

J'ai mis la main sur ma bouche, paniquée. Mr Crinky a souri, juste assez pour me donner un peu d'espoir… avant d'ouvrir son tiroir et d'en sortir une pile de *pop quizzes*. Grâce à lui, tous les élèves de mon cours de littérature vont avoir une dent contre moi. Faire une bourde pareille le deuxième jour d'Assassins, alors que j'aurai besoin d'alliés pour sauver ma peau ? Jackpot, Puce.

Il faisait beau aujourd'hui. On a déjeuné sur le *quad*. Les *seniors* ont le droit de déjeuner dehors. Quand il fait beau et pas trop froid, il y a toujours plein de groupes qui mangent au soleil et qui font des petits coucous moqueurs aux plus jeunes qui sont coincés derrière les vitres de la cafétéria.

Tous les jours pendant le déjeuner, on doit arrêter de parler et poser nos fourchettes pour laisser la directrice dire la prière. C'est pénible, parce qu'on n'a que vingt-cinq minutes pour manger, et soyons honnêtes, on préfère les passer à parler à nos amis plutôt qu'à Dieu.

Mais aujourd'hui on était dehors, donc pas de prière, et plus de temps pour partager nos potins sur Assassins. Neuf personnes ont déjà été assassinées depuis le début du jeu.

Hier soir, Seemus a tué Maurina Clixby. Il s'est caché dans son allée avec Tom, son témoin. Ils ont attendu que les parents de Maurina s'en aillent, et ils ont commandé une pizza. Quand le livreur a sonné, Maurina a ouvert la porte, et Seemus a surgi des buissons pour l'asperger avec ses deux pistolets dorés.

Le livreur n'a pas trop compris, surtout quand Seemus a décidé de lui réciter le monologue de *Pulp Fiction*, parce que Maurina avait déjà fermé la porte, et Seemus ne voulait pas l'avoir appris pour rien. Il paraît qu'ensuite, il a embarqué la pizza pour fêter son meurtre avec Tom, ne laissant même pas une part à Maurina pour la consoler. Il est sans pitié, ce garçon.

Je ne sais pas comment je vais faire pour tuer un individu aussi froid et calculateur. Pour l'instant, j'essaie surtout de rester en vie, et de découvrir qui est mon assassin. Une alliance s'est déjà formée chez les Populaires. Ils savent beaucoup de choses sur beaucoup de monde, alors si en plus ils s'allient, ça risque de faire mal. Il paraît qu'ils ont même un fichier avec le nom de tout le monde, et la liste de toutes les cibles qu'ils ont déjà découvertes. Les Populaires sont tout-puissants. Seuls les Nerds peuvent leur botter les fesses et sauver le monde.

De l'autre côté du *quad*, Aiden déjeunait seule, assise sur un banc, emmitouflée dans une écharpe et un bonnet.

J'ai dit aux autres que je les verrais plus tard, et je me suis approchée d'elle. J'étais un peu nerveuse, comme si notre relation avait glissé dans une autre dimension depuis les mots qu'on avait échangés sur le bord de la route.

J'ai attendu qu'elle finisse sa bouchée. Ça a pris tellement de temps que ça nous a fait rire.

« Ma mère a fait du seitan, elle a dit. C'est bon mais un peu *chewy*. »

« Tu as reçu ta cible ? J'espère que c'est pas moi, hein ? »

«Peut-être… Surveille tes arrières.»

«Arrête! Si c'est toi, t'as pas intérêt à m'assassiner.»

Elle m'a jeté un morceau de seitan dessus, et j'ai fait un pas de côté pour l'esquiver. On s'est souri en silence.

«Tu veux t'asseoir?» elle a demandé.

J'en avais envie, mais j'ai vu des *juniors* qui nous observaient derrière les vitres de la cafétéria. Aiden a surpris mon regard, et je suis sûre qu'elle a tout de suite compris à quoi je pensais, parce qu'elle a baissé la tête. Elle s'est mise à trier ses morceaux de seitan, qui n'avaient aucun besoin d'être triés, et moi je me suis sentie nulle.

«Je ne travaille pas samedi soir, j'ai dit finalement. Je… enfin, tu veux… faire un truc?»

«*Okay.*»

Ce n'était pas le *okay* qu'on dit à quelqu'un qui nous propose un aller-retour pour les Bahamas, ni même à quelqu'un qui nous annonce qu'il est un génie et qu'il va nous accorder trois vœux. C'était un *okay* mitigé. Ça ne m'a pas fait plaisir, mais je connais Aiden, et je la comprends. Elle avait juste peur que je me dégonfle.

«*Awesome,* j'ai dit. *I'll text you.*»

«*It's a date.*»

J'ai hoché la tête, et je suis partie en classe. Aiden venait de dire la phrase la plus ambiguë de notre langue. C'est une phrase qu'on peut dire à un plombier quand on a décidé quel jour il allait venir déboucher l'évier, ou à une personne qu'on aime et avec qui on a prévu un rendez-vous galant. Je ne sais pas si Aiden est un plombier ou une personne qui m'aime.

Two Cars
Mercredi 4 mars

D'habitude, je fais toujours mes devoirs. Mais je pense qu'il faut être raisonnable. Quand notre vie virtuelle plus cinq mille dollars sont en jeu, on ne peut pas perdre son temps avec une introduction à la physique quantique et le subjonctif en espagnol. C'est une question de bon sens.

Dans son coffre, Sara avait caché des lunettes de soleil, des chapeaux et des perruques. On allait s'en servir pour passer inaperçues en filant Seemus, ma cible dans Assassins.

Sara n'a pas besoin de filer sa cible. Elle va cuire Michael Snyder à petit feu. Elle a déjà commencé à lui faire les yeux doux. Elle va le mettre en confiance, et ensuite, *boom*! Un guet-apens attendra ce pauvre Michael quand il pensera qu'il a enfin une chance de conclure. Cruel? Absolument. Est-ce que ça dérange Sara? Pas le moins du monde. Elle cite Seemus : « *It's just business.* »

C'est donc avec un chapeau de paille, des lunettes de soleil à la Elvis et une fausse moustache qui gratte que je me suis retrouvée à attendre avec Sara dans sa voiture, sur le parking du lycée. Elle portait une perruque brune et des lunettes plus petites que les miennes, à la John Lennon.

«Où sont les garçons?» j'ai demandé.

«Ils filent James. Ou Naomi, je ne sais plus, je confonds toujours. Y'a pas idée de s'appeler pareil.»

«Ils ont trouvé quelque chose sur eux?»

«Rien. Ces deux-là vont être plus durs à avoir que le pape.»

Un peu après 16 heures, sortant de son entraînement de basket, Seemus a traversé le parking. Il regardait partout, comme un écureuil qui vient de trouver une noisette et qui n'a pas envie qu'on la lui pique. J'aurais bien tiré sur sa grosse tête, mais j'aurais été exclue du jeu parce que le campus est *off limits*.

Seemus est monté dans sa voiture, Sara a mis le contact, et la filature a commencé.

J'ai regardé sur Internet, et j'ai dit à Sara que sur le site des «petits détectives anonymes», ils conseillaient de laisser au moins cinq voitures entre nous pour ne pas nous faire repérer. Sara a dit que deux suffisaient. J'étais sûre que ça allait nous attirer des ennuis.

On a suivi Seemus jusqu'au centre commercial. Discrètement, on est sorties de la voiture, et on s'est mêlées à la foule. On le suivait de loin, et on baissait la tête à chaque fois qu'il se retournait. Il gardait les mains à sa ceinture, comme s'il savait qu'il pouvait avoir besoin de dégainer à tout moment pour geler son assassin avant d'être touché.

Il s'est arrêté dans un magasin de jeux vidéo. Il y est resté quelques minutes. Ensuite, il est allé acheter un burrito, et il s'est dirigé vers la sortie.

On a attendu un peu pour lui laisser de l'avance, et puis on a franchi les portes automatiques.

Dehors, on a perdu sa trace, mais très vite, on a senti quelque chose de froid se presser contre nos nuques. J'en ai eu un frisson dans le dos. C'était le bout d'un revolver.

Seemus nous a dit de nous retourner. Il nous tenait toutes les deux en joue, un pistolet doré pointé sur chacune d'entre nous. Il avait un sourire narquois sur le visage. J'ai hésité à attraper mon pistolet, mais Seemus m'en a dissuadée.

« N'essaie même pas », il a dit.

Il nous a regardées un moment, et puis il nous a demandé laquelle de nous deux était son assassin. On a gardé le silence.

« Comme vous voulez », Seemus a ricané. Il s'est reculé de quelques pas, et il a appuyé sur les gâchettes de ses deux revolvers. Les jets d'eau, puissants, nous ont touchées en plein visage. J'étais *frozen* : je ne pouvais plus toucher Seemus pendant une heure. Sara n'était pas *frozen*, parce qu'elle n'était pas son assassin, mais elle était trempée quand même.

« Voilà ce qui arrive quand on s'attaque à Seemus O'Riordan », il a dit. Et il est parti.

J'ai regardé Sara, penaude, et j'ai remis ma moustache droite. « Je t'avais dit que deux voitures c'était pas assez. »

First Date
Samedi 7 mars

J'ai attendu toute la semaine que samedi arrive.

Ma *first date* avec Aiden. Ma première *date* avec une fille. J'avais super peur. J'avais super hâte.

Je n'ai rien dit à Sara. Je ne peux pas lui parler d'Aiden. Au mieux, elle ne comprendrait pas.

Mes parents étaient partis chez des amis, alors j'étais seule à la maison pour me préparer. Quand je leur ai dit que je sortais avec Aiden, ils ont cru que c'était une sortie entre amies. Je ne les ai pas contredits.

J'ai hésité à me maquiller. Je voulais qu'Aiden me trouve jolie, mais je ne savais pas ce qui lui plairait. J'ai juste mis un peu d'eye-liner. J'ai fait une tresse égyptienne, parce que je me souvenais qu'Aiden avait trouvé ça joli il y a quelques mois. J'ai hésité sur les vêtements pendant une heure, et puis j'ai mis un chemisier noir, une petite cravate noire, et un veston sans manches. C'était très «Aiden».

Alors que je finissais de mettre une taie propre sur le coussin du panier de Sacrebleu et m'apprêtais à partir, la sonnette a retenti.

J'ai regardé par le judas, parce que avec Assassins, on n'est jamais trop prudent. Quand j'ai vu qui se tenait derrière la porte, j'ai senti le sol s'effondrer sous mes pieds. C'était la claque, le choc, l'un de ces rares moments d'une vie qui peuvent la faire basculer et te donner l'impression que, l'espace d'un instant, tout est à l'envers.

J'ai pris quelques secondes pour me remettre de mes émotions, et puis j'ai ouvert la porte, hésitante, le cœur battant fort dans ma poitrine.

«Qu'est-ce… qu'est-ce que tu fais là?» j'ai demandé à Ben.

«On est revenus.»

«Pour le week-end?»

«Non. Pour de bon.»

Je suis restée à le regarder un moment sans savoir quoi dire. J'avais passé tellement d'heures à pleurer son départ. J'étais comme une petite fille qui a réclamé un jouet pendant longtemps et qui le reçoit quand elle ne s'y attend plus.

«*Can I come in?*» il a demandé.

« *I... Yeah, sure.* »

J'ai ouvert la porte en grand. Ben s'est avancé, et il m'a prise dans ses bras. Je l'ai serré contre moi. J'avais souvent rêvé de ce moment, mais mes émotions étaient complètement différentes de celles que j'avais imaginées. Dans mes rêves, tout était simple, beau, parfait, entre Ben et Puce. Là, tout était compliqué, bizarre, déstabilisant, entre un autre Ben et une autre Puce.

On s'est installés sur le canapé. Ben n'avait pas tellement changé, sauf qu'il avait rasé ses cheveux blonds, et qu'il semblait avoir pris un peu de muscle.

« Tu sortais ? »

« Je... oui... non... C'est pas important. Attends. »

J'ai paniqué en me souvenant d'Aiden. Je ne pouvais pas lui poser un lapin. Je suis allée chercher mon téléphone dans la cuisine, et je lui ai envoyé un texto pour la prévenir que notre *date* était tombée à l'eau.

Ça m'a vraiment contrariée. Aiden pensait déjà que je n'oserais pas sortir avec elle. La dernière chose dont j'avais besoin était d'annuler.

Au salon, j'ai retrouvé Sacrebleu sur les genoux de Ben.

« Je ne comprends pas, j'ai dit. Comment vous pouvez être revenus ? Pourquoi tu ne m'as pas prévenue ? »

« Je voulais te faire la surprise. Mon père a reçu une nouvelle promotion dans le Delaware. Ce n'était pas prévu aussi tôt. »

« Tu reviens au lycée ? »

« C'est trop tard. Je dois finir l'année par correspondance. »

On a parlé pendant presque deux heures. Il m'a raconté son année, l'Utah, et ses nouveaux amis. Je lui ai parlé du lycée, et de tout ce qu'il avait manqué. J'ai évité de parler d'Aiden, de Liam, et puis des filles qu'il avait peut-être rencontrées là-bas.

Quand il s'est levé pour partir, Hercule s'est mis à aboyer. Ben m'a demandé si on pouvait se revoir.

« *I don't know* », j'ai dit, la gorge nouée.

Au moment où j'avais l'impression d'avoir enfin quelques certitudes, Ben revenait et fichait tout par terre. Je crois que je lui en voulais.

Il a dû le sentir, parce qu'il n'a pas insisté. En sortant, il s'est approché de moi, et il a murmuré :

« Tu m'as manqué. »

Il m'a embrassée. Je ne l'ai pas vraiment embrassé en retour, mais je ne l'ai pas repoussé non plus.

Mes parents sont arrivés juste après son départ. Ils m'ont demandé comment ma soirée s'était passée, mais je n'avais pas envie de parler, alors je suis allée dans ma chambre. J'aurais dû être heureuse, mais j'étais juste profondément perplexe. Et pour ne rien arranger, Aiden n'avait pas répondu à mon texto.

Cactus

Dimanche 8 mars

Aujourd'hui, j'ai passé la journée au Mordor. Je faisais mes devoirs en cuisine quand j'avais un peu de temps. Mes notes de cours étaient cachées entre les tomates et les cartouches de sauce au poivre.

Après avoir enfin terminé, je suis allée chez un fleuriste, épuisée, et j'ai demandé un cactus.

« *What kind of cactus ?* » ils ont demandé.

Je ne savais pas qu'il y en avait plusieurs sortes. Je croyais qu'ils ressemblaient tous à ceux qu'on voit dans les dessins animés. Ils m'en ont donné un minuscule, du genre adorable. Exactement ce que je cherchais.

Je suis remontée dans la voiture de mon père en regardant partout autour de moi. Toujours aucune trace de mon assassin, et ma paranoïa grandit un peu chaque jour.

Le père d'Aiden a ouvert la porte. Un bel homme, grand, avec plein de cheveux gris, et une très belle barbe assortie.

« Bonsoir, Capucine », il a dit.

« Bonsoir, monsieur. Je suis désolée de vous déranger. Aiden est là ? Ce ne sera pas long. »

« Entre. »

J'ai regardé derrière moi. Personne ne s'avançait, tapi

dans l'ombre, pour me faire la peau. Je suis entrée, et j'ai refermé la porte.

Aiden est arrivée peu après. Ses cheveux étaient attachés, et de la sueur perlait sur son front. Elle portait un débardeur qui s'arrêtait au milieu du ventre et un short moulant noirs. D'habitude je n'aime pas voir le corps d'une fille sportive, c'est mauvais pour le moral. Mais là, j'étais trop occupée à la trouver jolie pour être jalouse.

« *Hi* », j'ai dit.

« *Hey* », elle a répondu, le souffle court.

« Pardon, j'aurais dû appeler. »

« Non, c'est bon. »

Je lui ai tendu le cactus.

« Qu'est-ce que c'est ? » elle a demandé.

« C'est pour toi. Pour m'excuser. Je suis vraiment désolée pour hier soir. »

« C'est pas grave. Tout va bien ? »

Je lui ai dit la vérité. Mentir à Aiden, c'est impossible. Elle est trop pure, la culpabilité vous prend à la gorge rien qu'en l'envisageant.

Je crois qu'elle a compris la situation, mais elle a eu l'air triste, aussi.

« Il revient vivre ici, alors ? » elle a demandé.

« Oui… »

Silence. Et puis Aiden m'a remerciée pour le cactus. Elle avait l'air de plus en plus triste.

« On peut se voir samedi prochain ? j'ai demandé. Je

devais travailler, mais je changerai mes horaires. Je te promets que je serai là.»

Elle semblait hésitante.

J'ai regardé autour de moi. Ses parents étaient à l'étage. J'ai pris sa main, et je me suis approchée d'elle. Mon cœur battait super vite.

«J'avais vraiment envie de sortir avec toi, hier soir», j'ai murmuré.

«Moi aussi», elle a dit.

J'avais peur qu'elle me repousse. Ou que ses parents nous voient. Mais comme je le dis souvent, la vie est courte. Je me suis lancée, et je lui ai donné un court baiser. C'était comme un éclair d'avenir. Un échantillon de peut-être.

J'ai rougi. Quelque chose l'a fait sourire. Peut-être ma timidité, peut-être le baiser. En tout cas, je suis repartie légère, aérienne, et fière de moi.

La nuit était tombée. Je me suis avancée dans l'allée, la main sur la ceinture, craignant que mon euphorie ne me fasse manquer les signes d'une embuscade.

J'arrivais à ma voiture, quand j'ai entendu un bruissement de feuilles. Je me suis retournée et j'ai brandi mon revolver.

«Pas la peine, on n'est pas tes assassins», a lancé une voix dans l'obscurité.

Deux silhouettes sont apparues, qui m'ont donné la chair de poule : Grace Quinn et Katie Christy.

« Je suis l'assassin de la lesbienne, Grace a dit. Katherine est mon témoin. »

J'ai baissé mon revolver. Toutes les deux souriaient d'une manière étrange. Machiavélique. J'étais mal à l'aise. Elles avaient une idée derrière la tête, et il n'y avait aucune chance que cette idée soit une bonne idée.

« Il y a une fenêtre dans l'entrée, Grace a dit en montrant l'obscurité. On voit super bien ce qui se passe à l'intérieur. »

À cet instant, je les ai détestées plus que j'avais jamais détesté personne.

« On ne dira rien, Katie a dit. À une condition. »

« Tu m'aides à assassiner Aiden, Grace a ajouté. Et on ne dit pas aux autres que tu es lesbienne. »

« Je ne suis pas lesbienne », j'ai répondu.

Elles ont rigolé.

« Ce n'est pas ce qu'on a vu », Katie a gloussé.

Elles ont tourné les talons, et elles sont parties en ricanant.

Preppy Day
Mardi 10 mars

Vaneck est décédé hier soir. On était tous très peinés.

JM l'a assassiné alors qu'il sortait d'un Starbucks. Il s'était porté volontaire pour rapporter des cafés au groupe avec qui il répétait pour la comédie musicale. Quand il est sorti, il avait les mains pleines. JM a surgi de derrière une voiture. Il paraît qu'il a touché Vaneck en plein cœur.

Le jeu n'a débuté que depuis dix jours, et ça commence déjà à faire des histoires avec les parents. Ce matin, à l'école, tout le monde parlait de Colleen et Michael Snyder. Michael est allé chez elle très tôt pour l'attendre. Quand la porte du garage électrique s'est ouverte pour laisser passer la voiture de Colleen, elle a trouvé celle de Michael au milieu de l'allée. Il refusait de bouger tant qu'elle ne sortait pas pour qu'il puisse l'assassiner. Colleen n'avait pas envie d'être en retard, alors elle a commencé à hurler sur Michael, et lui aussi s'est mis à hurler, et ils se sont insultés, et apparemment tout le voisinage a pu entendre le *F-Word* à plein de sauces différentes.

Finalement, Colleen a traversé la pelouse en voiture, et Michael n'a pas pu la tuer. En arrivant à l'école, elle était folle de rage, et maintenant tout le monde en parle parce que les parents de Colleen vont sûrement appeler les parents de Michael, et comme les parents de Michael sont des crétins bourgeois qui pensent que leur fils est la huitième merveille du monde, ça risque de faire des étincelles.

En parlant de crétins bourgeois, aujourd'hui, on y ressemblait tous. C'est parce que c'était Preppy Day.

Preppy Day, c'est une sorte de caricature de nous-mêmes et de notre *college prep*. Le but est d'avoir l'air le plus prout-prout possible. Je portais une jupe cintrée, un petit chemisier rose, un collier de perles, un cardigan blanc avec des boutons dorés, et je m'étais même fait des couettes. La plupart des garçons portaient un polo, un pull-over sur les épaules et un pantalon blanc, ce genre de choses.

Grace et Katie sont venues me voir au déjeuner pour savoir ce que j'avais décidé. Je leur ai dit que je les aiderais à assassiner Aiden, mais qu'il fallait qu'elles me donnent quelques jours pour trouver un plan. Je n'avais aucune intention de faire ça, évidemment, mais j'avais besoin de temps pour trouver l'assassin de Grace. Je vais l'aider à tuer Grace, comme ça pour Grace ce sera *game over*, elle n'aura plus aucune raison de me faire chanter, et avec un peu de chance, elle sera trop occupée à pleurer sa propre mort pour se souvenir de ce qu'elle a vu chez Aiden.

Je n'ai pas dit à mes amis que je voulais la peau de Grace, sinon ils auraient voulu savoir pourquoi, mais je leur ai demandé discrètement s'ils savaient qui était son assassin. Soupe pensait que c'était Eugene, mais il n'était pas sûr. C'est dur de savoir avec Eugene. Il tue des gens tout le temps (dans le jeu, parce que dans la vie je n'ai jamais rien pu prouver), du coup sa cible change constamment. Il a déjà assassiné Phil, Shing-Shing, Ally, Ian, et Devon ! Eugene n'est pas seulement un psychopathe. C'est un *serial killer*.

J'ai fini par le retrouver dans le bâtiment des arts, en train de sculpter un buste avec de la glaise. Il portait un short rose, une chemise à carreaux avec le col relevé, une petite écharpe, et des lunettes de soleil dans ses cheveux roux. *Very preppy*.

« *Hey*, Eugene, j'ai dit. J'ai besoin de savoir qui est l'assassin de Grace. Tu sais qui c'est ? »

« Peut-être, il a répondu. Qu'est-ce que tu m'offres en échange ? »

« Qu'est-ce que tu veux ? »

« Fais-moi rire. »

« Hein ? »

« Fais-moi rire, *Capoutchine*. J'aime rire. »

Depuis que je suis *freshman*, toutes mes conversations avec Eugene ont été surréalistes, mais celle-là méritait la palme. Je ne savais même pas qu'Eugene avait « rire » dans ses fonctionnalités psychopathiques.

Alors j'ai eu une idée. Un truc qui jusqu'à présent avait fait rire tous mes amis, chaque fois que je le leur avais dit.

« Tu sais comment on dit *seal* en français ? » j'ai demandé.

Il a secoué la tête.

« Phoque. »

Il a éclaté d'un rire que j'avais déjà entendu quelque part. Absolument unique, saccadé. Il rigolait… comme un âne !

« *No way !* je me suis exclamée. C'est toi ! »

« Hein ? »

« Tu portais le costume d'Isidore le jour du *pep rally* ! »

« Chuuuut, il a dit. Personne ne le sait. »

J'ai fait signe que je cousais mes lèvres, et j'ai jeté l'aiguille imaginaire par terre, me demandant comment j'avais fait pour ne pas y penser plus tôt. Il n'y avait pas beaucoup d'élèves à l'école dont personne ne remarquerait l'absence dans les gradins.

« C'est Raylin, l'assassin de Grace », il a chuchoté.

J'étais tellement contente que j'ai levé la main en l'air pour qu'il me fasse un *high five*, et puis je me suis rappelé qu'il avait les mains pleines de glaise.

« *Capoutchine…* tu es un peu *weird* toi, non ? »

J'ai rigolé, et j'ai hoché la tête. Depuis tout ce temps… c'est peut-être moi qui suis *weird*.

Brussel Sprouts

Mercredi 11 mars

J'ai passé la soirée chez Ben. Ses parents ont réemménagé dans la maison qu'ils avaient avant, dans le quartier à côté de chez moi. J'y suis allée à pied, en écoutant de la musique. La semaine dernière, j'ai acheté une chanson par erreur en faisant un mauvais clic. Je l'écoute en boucle depuis pour me forcer à l'aimer, mais rien à faire, je la déteste. J'avais fait pareil en essayant d'avaler des choux de Bruxelles quand j'étais petite. Ça n'avait pas marché non plus.

C'était étrange de retourner là-bas, et de revoir ses parents. Ils me parlaient comme si j'étais encore la petite amie de Ben. Ça m'a fait mal au cœur. C'était comme s'ils essayaient tous de me ramener un an en arrière, sauf qu'eux ne pensent qu'aux bons moments et à l'amour fou. Moi, je me souviens surtout de l'été horrible que j'ai passé, et de l'éternité que ça m'a pris pour passer à autre chose.

Après le dîner, on est descendus au sous-sol, qui est aménagé comme un petit studio. Quand on était *sophomores*, on adorait y passer du temps, on avait l'impression d'être des adultes, avec notre chez nous.

On a passé la soirée à discuter en regardant un mauvais film d'horreur sur le câble. Ben m'a avoué qu'il avait été avec une fille dans l'Utah. Ça m'a fait un peu mal, mais pas autant que je l'imaginais. Quand il a déménagé, j'étais morte de jalousie en imaginant les filles qu'il allait rencontrer.

Au moment où un monstre sanglant et plein de bave arrachait la tête d'un gardien de parking, Ben a essayé de m'embrasser. J'ai tourné la tête.

« J'ai dit quelque chose ? » il a demandé.

« Non. »

Il a encore essayé, et cette fois je l'ai repoussé.

« Arrête », j'ai dit.

« Je ne t'ai pas manqué ? »

« Si. »

« Je ne comprends pas. »

« Tu ne comprends pas quoi ? Ça fait neuf mois que tu es parti, et tu ne m'as donné aucune nouvelle. Tu croyais que tout allait recommencer comme avant ? Les choses ont changé. »

« On avait décidé de ne pas s'écrire. »

« *Toi* tu avais décidé. Moi je n'avais rien décidé du tout, je voulais qu'on reste ensemble. J'avais tellement envie de t'écrire que j'ai même commencé un blog à la place. »

« Un blog ? »

Il a rigolé. Moi ça ne me faisait pas rire, parce que c'était la première fois que je parlais de mon blog à quelqu'un, alors j'ai attrapé mon manteau et je me suis levée.

« Pourquoi tu dis que ça a changé ? il a demandé. Tu as un copain ? »

« Non. »

« Je t'appelle ? »

Je n'ai rien répondu. Je ne lui en voulais pas, j'étais juste triste. Il y a quelques mois, j'aurais donné n'importe quoi pour me retrouver dans cette situation. Je suis sûre que la Puce d'avant est toujours amoureuse de Ben. L'amour ne change pas, ce sont les gens qui changent.

Quand je suis rentrée, à la fois triste, mélancolique, et satisfaite de ne pas être tombée dans un piège qui me tendait les bras, j'ai trouvé quelqu'un à quatre pattes derrière les fougères dans l'allée. J'ai sorti mon pistolet en ricanant.

« Pas de mouvement brusque, Haley Robinson », j'ai dit calmement.

Haley s'est retournée pour me tirer dessus, mais j'ai été plus rapide. Je l'ai touchée en plein dans le nez.

Elle a gémi : « *Awww, maaaaan...* »

Eh oui, c'est comme ça. Quand on se frotte la tête après s'être cogné ou qu'on apprend qu'il y a un *pop quiz* alors qu'on n'a pas révisé, on utilise *man* et pas *woman* pour exprimer sa frustration et son mécontentement. Aux États-Unis, on a un désarroi sexiste.

« C'était donc toi mon assassin, j'ai dit. C'est pas de bol, tu ne pouvais pas savoir que je rentrerais à pied. Où est ton témoin ? »

Elle s'est tapé le front, et une deuxième fois, elle a gémi : « *Awww, maaaaan...* »

Haley était trop naïve pour jouer à Assassins. Quand elle est rentrée chez elle, Nick Xu l'a assassinée devant sa porte. C'est mon nouvel assassin. Avec tous les alliés qu'il a chez les Populaires, je vais être encore plus paranoïaque qu'avant. En plus, il paraît qu'il a un rituel quand il tue les gens, comme Seemus. Il siffle le thème du *Pont de la rivière Kwaï*. J'ai écouté sur Internet. C'est joli, mais j'espère que je ne l'entendrai jamais en vrai.

Badass
Jeudi 12 mars

J'ai eu plusieurs héroïnes dans ma vie. Cendrillon, Mulan, Oprah Winfrey, Louisa May Alcott.

Ma nouvelle héroïne s'appelle Raylin. Hier, je lui ai envoyé un mail pour savoir si elle voulait de l'aide pour assassiner Grace, et elle m'a répondu :

« T'en fais pas, Puce, j'ai tout prévu. Très bientôt, Grace Quinn appartiendra au passé. »

Alors j'ai attendu. Et ce matin à l'école, même les profs en parlaient. Raylin la Nerd a assassiné la reine des Populaires, Grace Quinn en personne. Tout le monde disait que Raylin était une *badass*. Un *badass*, c'est quelqu'un de courageux qui a trop la classe, qui inspire le respect, et qu'il vaut mieux ne pas asticoter. C'est Lisbeth dans *Millénium*, Arya dans *Game of Thrones*, ou Jo dans *Les Quatre Filles du Dr March*. (Bien sûr il y a aussi des hommes qui sont *badass*, mais c'est mon blog alors j'écris ce que je veux.)

Raylin n'a pas les tatouages de Lisbeth, la technique d'Arya à l'épée ou le franc-parler de Jo, c'est une *badass* d'un autre genre. Elle fait un mètre soixante, elle est chinoise, et elle a dix-sept ans mais en paraît douze.

Hier soir, elle et Shing-Shing sont allées chez Grace déguisées en scouts. D'abord, Shing-Shing a appelé Grace au téléphone, pour être sûre que son altesse serait trop occupée pour venir ouvrir, parce que sinon elle risquait de regarder par le judas et de tout ficher par terre. Pendant ce temps-là, Raylin a sonné à la porte. Quand Mr Quinn a ouvert, Shing-Shing a raccroché, et les filles ont dit qu'elles faisaient une enquête pour la prévention contre l'usage de la drogue chez les adolescents. Le père de Grace les a invitées à entrer. Je ne le blâmerai pas pour ça. Même Sherlock Holmes n'aurait pas soupçonné un bout de chou comme Raylin d'être secrètement diabolique.

Les parents de Grace ont répondu aux questions de Raylin, qui avait préparé un faux formulaire. Ensuite, à la demande de Raylin et Shing-Shing, ils ont appelé les enfants pour qu'ils puissent eux aussi répondre à l'enquête. Raylin et Shing-Shing se sont déplacées pour que Grace ne puisse pas les voir en descendant l'escalier.

Grace est arrivée dans le salon, elle a demandé ce qui se passait, et lorsqu'elle s'est retournée, elle s'est retrouvée nez à nez avec le revolver de Raylin, qui a tiré cinq fois, froidement. Aucune pitié.

Hébétée, le visage mouillé, Grace a regardé ses parents, et il paraît que ses yeux ont commencé à briller. Mais Raylin n'a jamais su si elle s'était mise à pleurer, parce qu'elle a poliment remercié les parents et elle est sortie, talonnée par une Shing-Shing hilare. Le soir même, elle a appris qu'elle était acceptée à Harvard. Je pense qu'elle a connu des semaines moins glorieuses.

La mauvaise nouvelle de la journée, c'est que Raylin, *badass* absolue, hérite de la cible de Grace. Aiden va avoir chaud aux fesses.

First Date II
Samedi 14 mars

Ce soir, rien n'aurait pu m'empêcher d'aller à ma *date* avec Aiden. Ni une attaque nucléaire, ni une invasion de sauterelles géantes, ni mon premier amour qui revient après neuf mois de silence.

Je me suis préparée exactement de la même façon qu'il y a une semaine. Tresse égyptienne, eye-liner, chemisier noir et petite cravate. J'ai tout fait pareil, et j'ai essayé d'oublier ce qui s'était passé la semaine dernière.

J'ai rejoint Aiden à Philly. Je l'ai attendue sur Market Street, qui était bondée de monde. Je détestais mon pantalon, il avait des poches minuscules et je ne pouvais pas enfouir les mains dedans. Alors j'ai pris mon téléphone, et j'ai fait mine de lire un texto.

Les mots changent tout. Des tas de fois cette année, j'ai attendu Aiden en tant que *friend*, et pas une seule fois je n'avais été nerveuse.

Je n'ai pas eu à attendre très longtemps. J'ai senti une main se poser sur mon épaule. Je me suis retournée, et ma petite boule dans le ventre s'est mise à faire des bonds.

Aiden portait un bandeau noué dans ses cheveux, du même bleu que ses yeux, et un chèche crème qui allait avec son haut en lin. Son pic sous la lèvre était discret. Chaque fois que je vois Aiden en dehors du lycée, c'est une petite surprise qui attire mon regard au moment où elle prononce ses premiers mots.

« Tu as été suivie ? » j'ai demandé.

« Je ne crois pas. Et toi ? »

« Non. Pas de trace de Raylin, ni de Nick. »

Personne n'a envie de se faire assassiner le soir d'une *first date*. Peut-être aussi que je ne voulais pas être vue avec Aiden, mais j'essayais de ne pas trop penser à ça.

On a marché pendant quelques minutes, jusqu'à un petit quartier bourgeois bohème, un peu à l'écart du centre-ville.

« Qu'est-ce qu'on fait là ? » j'ai demandé.

« Retourne-toi », elle a dit.

Derrière moi, il y avait un vieux mur, haut de quelques mètres. Et sur le mur, il y avait… moi. Enfin, une sorte de portrait de moi, peint à la bombe, en noir. Les traits étaient épais, et pourtant mon visage était précis, c'était impossible de se tromper. La seule différence, c'était que je ne pensais pas être aussi jolie que ça.

Je me voyais telle qu'elle me voyait. Cet autre moi. Cette possibilité de moi. Aiden avait peint cette version de moi que j'étais depuis que je l'avais rencontrée. Une version qui au début n'existait qu'en sa présence, mais qui était en train de prendre de plus en plus de place, de devenir moi tout le temps et avec tout le monde, de la même façon qu'Aiden restait la même version d'elle-même tout le temps et avec tout le monde.

Elle m'a expliqué qu'elle avait loué le mur pour deux mois, et qu'après ça, mon visage disparaîtrait. Je me suis dépêchée de le prendre en photo, même si je savais déjà que j'allais revenir plein de fois.

Après le mur, je l'ai emmenée dans un restaurant japonais, où il fallait retirer ses chaussures avant d'entrer. Aiden était ravie. Elle est fascinée par le Japon depuis qu'elle est petite. On s'est dit qu'un jour, peut-être, on irait là-bas ensemble.

Un million de fois pendant la soirée, j'ai eu envie de l'embrasser. Le truc, c'est que j'avais peur. Il y a un monde entre le premier baiser et tous les autres. De l'amitié à l'amour, c'est comme le passage du lycée à l'université. On est *senior* au lycée, mais quand on arrive à l'université, on est à nouveau *freshman*, et on doit tout recommencer à zéro.

«J'ai rompu avec Lucy hier soir», Aiden a dit alors qu'on sortait du restaurant.

J'ai essayé de la jouer triste. À l'intérieur de moi, c'était le carnaval. Les petits bonhommes qui vivent dans ma tête balançaient des confettis et soufflaient dans des trompettes.

On a croisé beaucoup de couples. Des garçons avec des filles, des garçons avec des garçons, des filles avec des filles. Les couples de filles nous souriaient. Comme si elles pensaient qu'on était des leurs. C'était le cas d'Aiden. Moi, j'étais une touriste parmi elles. J'accompagnais juste Aiden, car où elle allait, j'allais aussi.

Devant le musée d'art de Philadelphie, il y a soixante-douze marches en pierre. On les appelle les Rocky Steps, parce que Rocky Balboa les monte pour s'entraîner dans les films. Comme beaucoup d'autres personnes qui étaient en balade, on s'est assises sur une marche pour regarder le spectacle d'une équipe de jongleurs et de cracheurs de feu en contrebas.

Aiden a mis son bras autour de moi, et j'ai posé ma tête contre son épaule. J'avais envie de lui dire quelque chose, mais je ne pouvais pas, parce que ça ne se dit pas pendant une *first date*.

Quand le spectacle s'est terminé, on a redescendu les marches en silence. Une fois en bas, je me suis tournée vers elle et j'ai commencé à parler, mais elle m'a coupé la parole en pressant ses lèvres contre les miennes.

Comme la première fois sous le gui, le temps s'est arrêté. Littéralement. Je ne peux pas dire si ça a duré cinq secondes ou cinq minutes. À ce moment-là, j'ai tout oublié. Les yeux posés sur nous, les gens qui pensent des choses, les élèves de mon lycée. La Puce du mur s'en fichait.

Nos lèvres se sont séparées. J'ai gardé les yeux fermés, et j'ai senti son visage revenir vers le mien. J'ai passé mes bras autour de son cou. Ses lèvres étaient douces, pleines d'assurance, et cette délicatesse, elle était toute nouvelle.

Lorsque le baiser a pris fin, j'ai eu l'impression que ma petite boule dans le ventre s'était transformée. Non, mieux, elle avait éclos, comme un œuf. Et ce qui en est sorti a déjà commencé à grandir.

Seriously

Mardi 17 mars

Depuis le début du jeu, Sara cuisinait Michael Snyder à petit feu. Flirt, main sur l'épaule, et rire forcé quand il faisait ses blagues pas drôles. Cet après-midi, ce qui devait arriver est arrivé : Michael a proposé à Sara d'aller chez lui pour « regarder un film ». Si vous venez de Jupiter, « regarder un film » c'est de l'adolescent pour « se mettre tout nu et faire des trucs ».

Prise de court, Sara a accepté l'invitation, et s'est donc retrouvée assise dans la voiture de sa cible. Il était juste à côté d'elle, prêt à être cueilli, mais Sara ne pouvait rien faire parce qu'elle n'avait pas de témoin ! Pire, elle allait bientôt se retrouver dans la chambre de Michael pour « regarder un film ».

Après avoir hurlé à l'intérieur de sa propre tête, elle s'est dit : « *Think Sara, think !* » (ce sont ses mots). Et elle m'a envoyé ce texto :

With snyder, heading to his for "movie". Need witness NOW meet us there ASAP

Avec snyder, en route vers chez lui pour « film ». Besoin d'un témoin MAINTENANT. Retrouve-nous chez lui TOUT DE SUITE

Ni une ni deux, j'ai posé la caméra que je tenais pour aider à filmer une interview destinée à la prochaine émission de l'école, et je me suis précipitée dans le grand gymnase, où Vaneck jouait au basket. J'aurais pu aller chercher Soupe, mais le temps qu'il se bouge les fesses, Sara et Michael se seraient disputé la garde de leurs mioches. Je savais que Vaneck serait le garçon le plus motivé du monde pour m'aider.

Ça n'a pas loupé. Il a laissé tomber son ballon et ensemble, on a couru à sa voiture.

Heureusement, on était allés à une fête chez Michael l'année dernière, alors on savait où il habitait, parce que s'il avait fallu pirater l'ordinateur du Klup pour le savoir, Sara n'était pas sortie de l'auberge Snyder.

Pendant ce temps-là, Sara était prise d'une furieuse envie de dévorer une bisque de homard. Coïncidence, le seul endroit où en trouver dans les environs était Wawa, ce qui obligeait Michael à faire un détour avant de rentrer chez lui. (*Fun fact* : Sara déteste le homard.)

Michael a joué le jeu, et a conduit Sara jusque chez Wawa sans protester. C'est un truc que j'ai remarqué sur les garçons. À la base, ils sont plutôt fainéants. Ils rechignent à faire leurs devoirs, à essuyer la vaisselle, ou à sortir le chien. Mais s'il y a du sexe à l'horizon, ils sont capables de vous repeindre une maison en dix minutes.

Vaneck a serré les fesses dans la voiture, parce que d'habitude, il ne roule jamais au-dessus de la limitation de vitesse. On s'est garés à quelques maisons de chez Michael pour ne pas éveiller les soupçons, et on a couru jusqu'à chez lui. On s'est cachés derrière la haie du voisin, haletants, et j'ai envoyé un texto à Sara :

In position. Witness on standby.
En position. Témoin prêt.

Ils sont arrivés moins de trente secondes après nous. On a vu Michael sortir de la voiture, avec l'air réjoui d'un garçon qui s'apprête à « regarder un film » avec une fille qu'il désire depuis trois ans. J'en ai presque eu mal au cœur pour lui.

Sara a sorti son revolver et l'a pointé sur son front.

« C'est une blague ? » il a demandé.

« Pas du tout. »

Sara a sifflé fort entre ses dents, et on est sortis de chez le voisin. On aurait dit un film de gangsters.

Quand Michael Snyder nous a vus, il a perdu son air réjoui.

« *Seriously ?* » il a dit.

Juste avant de tirer, Sara a répondu :

« *Seriously.* »

Fuck Off
Vendredi 20 mars

Est-ce que tous les garçons sont devenus fous ?

La semaine dernière, Ben essayait de m'embrasser. Hier, Liam est venu me demander de l'accompagner à Junior Prom. Et aujourd'hui, c'est JM qui m'a encore invitée à sortir avec lui. Je ne sais pas si mes seins ont grossi ou quoi, mais d'habitude les garçons ne me regardent pas comme ça. On dirait des chiens devant une tranche de gigot. Si on m'avait dit quand j'étais *sophomore* que JM m'inviterait à sortir avec lui, mes jambes auraient fait des castagnettes. Maintenant que je m'en fous, on dirait que ça les attire tous.

Ce matin, je sortais du bâtiment des sciences avec James, quand on a entendu de l'agitation de l'autre côté du *quad*. Vince tenait Vaneck par le col de son pull contre le mur de la cafétéria.

Je me suis précipitée pour aller les séparer, mais le temps que j'arrive, Vaneck avait repoussé Vince, et Vince lui avait mis une droite. Vaneck a répondu en lui donnant un coup de pied dans le ventre, puis il a poussé Vince qui est tombé par terre et s'est cogné la tête contre les pavés. Vince s'est relevé, fou de rage, mais c'est à ce moment-là que je suis arrivée. Je me suis mise devant Vaneck, et j'ai demandé à tous les idiots qui regardaient sans rien faire de retenir Vince.

Ils n'en ont pas eu l'occasion, parce que la directrice est sortie du bâtiment des lettres et a sommé les deux bagarreurs de la suivre jusqu'au bureau du Klup. Je n'avais jamais vu Vaneck en colère comme ça avant.

Vince et Vaneck ont tous les deux été renvoyés chez eux. Trois jours d'exclusion, et réunion avec les parents. C'est triste, parce que Vaneck est l'âme de l'école. Quand le président fait des trucs bien, on a tendance à suivre.

Au déjeuner, Sara nous a raconté ce qui s'était passé.

Hier soir, Vince a trouvé un pull de Vaneck dans la chambre de Sara. Comme Sara est nulle en mensonges, il a senti qu'un truc ne tournait pas rond, il lui a posé plein de questions, et elle a fini par lui avouer pour les massages. Vince a fait comme s'il le prenait bien, mais en fait il ne le prenait pas bien du tout.

Ce matin devant la cafétéria, il a trouvé Vaneck et lui a demandé des explications. Sauf que comme Vaneck est frustré et jaloux depuis des mois, il a dit à Vince de *fuck off*, et c'est comme ça que les deux en sont venus aux mains.

« Tout ça c'est de ta faute », j'ai dit à Sara.

« Quoi ? Pourquoi c'est de ma faute ? »

J'ai regardé Soupe. Il a secoué la tête en soupirant.

« Vaneck est amoureux de toi, j'ai répondu. Arrête de faire comme si tu ne le voyais pas, c'est ridicule. Tu joues avec lui, et il est malheureux. »

Sans un mot, Sara a pris son plateau, et elle est partie

manger avec des Populaires. Soupe a encore soupiré, et puis il est allé noyer ses frites sous la machine à ketchup.

Dans quinze jours c'est les vacances, et on doit partir camper tous les quatre. Ça s'annonce bien, non?

SpongeBob
Lundi 23 mars

James a tué Tyler hier soir. Je lui ai servi de témoin, parce que Naomi était trop occupée à papouiller son Mark pour accepter de le faire. James était contrarié. Officiellement, Naomi l'avait poussé à participer à Assassins et il ne la trouvait pas sympa de le laisser tomber. Officieusement, je crois que c'est ce qu'elle faisait à la place qui l'embêtait.

James avait fait les devoirs de maths de Tom toute la semaine en échange de quelques infos sur Tyler, et avait appris qu'il se rendait à l'église pour des séances de *Bible reading* tous les dimanches soir. Techniquement, ça se passait dans un bâtiment annexe à l'église, et donc techniquement, James avait le droit d'y assassiner Tyler.

Sur le parking, James a placé un petit robot par terre

Il faisait une vingtaine de centimètres et à part la couleur, qui était gris métallique, il ressemblait étrangement à Bob l'éponge, avec les gros yeux et les deux dents de devant. Mon impression s'est confirmée lorsque James m'a dit qu'il avait conçu ce robot quand il avait huit ans, et qu'il n'avait procédé « qu'à quelques petites modifications utiles » récemment.

En plus d'être téléguidé, Bob était équipé d'une caméra. Sur l'écran du MacBook de James, on voyait tout ce que le robot voyait avec ses yeux. Dit comme ça on dirait de la science-fiction, mais quand on connaît James, on n'est pas surpris du tout.

Il commandait Bob avec les flèches de son clavier. Il lui a fait faire quelques tours sur le parking pour s'échauffer un peu, et puis il l'a dirigé vers la salle où était Tyler.

Discrètement, j'ai dû aller entrouvrir la porte, parce que James a beau être un génie, il n'avait pas pensé à équiper son robot d'un système d'ouverture de porte dix fois plus haute que lui. Ensuite, je suis retournée sur le parking pour suivre le déroulement de l'opération avec lui.

Bob s'est avancé lentement et a commencé la traversée de la salle. On ne voyait que les pieds des gens, mais James avait tout prévu, et connaissait par cœur la liste des chaussures que possédait Tyler. Lorsqu'il a repéré une paire de Nike blanc et bleu, il a dirigé Bob vers elles.

Quand Tyler l'a vu s'avancer vers lui, il a fait exactement

ce que James avait dit qu'il ferait. Il l'a ramassé pour le regarder.

Le visage de Tyler est apparu en gros plan à l'écran. J'ai pouffé de rire. Impassible, James a appuyé sur la barre Espace de son clavier, et un petit jet d'eau est sorti de la bouche du robot. J'ai failli m'étouffer en voyant la surprise sur le visage de Tyler, victime des «petites modifications utiles». Après tout ça, James a quand même fini par lâcher un sourire.

Ce que j'ai appris ce matin, c'est qu'en fait, Naomi ne se papouillait pas avec Mark hier soir. Ils sont allés chez Sara pour l'assassiner. Sara sortait les poubelles, et elle a vu arriver Mark avec une espèce de mitraillette à eau. Elle a cru que Mark était son assassin. Elle s'est mise à courir pour rentrer chez elle, mais Naomi l'attendait devant sa porte et lui a tiré dessus avant qu'elle puisse s'échapper.

Sara était en colère contre Soupe. Elle lui a dit que s'il avait fait son travail et éliminé Naomi comme il était censé le faire, elle serait toujours en vie. Soupe a répondu que s'il avait tué Naomi, il aurait hérité de Sara comme cible, il l'aurait tuée aussi, elle serait morte quand même, et en plus il aurait fait en sorte qu'elle souffre vachement, alors qu'elle arrête un peu d'être mauvaise joueuse.

Quant à James, il a hérité de la cible de Tyler, JM. Tous les deux se sont rendu compte qu'ils avaient l'autre pour cible. Ils ont décidé de faire un duel de cow-boys après les vacances. Il paraît que ça va se passer au coucher du soleil.

Ring Mass

Mercredi 25 mars

Ce soir après le dîner, je suis retournée à l'école avec mes parents pour Ring Mass. C'est une messe pendant laquelle les *seniors* reçoivent une bague avec le sceau de l'école. C'est un rituel qui nous unit les uns aux autres pour le reste de nos vies.

J'ai laissé mes parents s'installer dans l'auditorium, et je suis allée rejoindre Aiden à la bibliothèque. À cette heure-là elle est fermée, mais j'avais « emprunté » les clés sur le trousseau de ma mère. Une bibliothèque, c'est un endroit conçu pour étudier et lire des livres. Aiden et moi, on l'a très mal utilisé. On n'a pas étudié, et on n'a pas lu de livres. On s'est mises par terre entre les romans historiques et les manuels de philosophie, et on s'est embrassées pendant dix minutes.

Aiden a dû insister pour qu'on retourne dans l'auditorium, parce que j'aurais bien passé la nuit avec elle. Embrasser Aiden entourée de livres, ça ressemble à l'idée que je me fais de ce que Dieu prévoit pour moi après ma mort s'il existe vraiment.

Quand on est arrivées dans le hall d'entrée, il y avait plein de parents et d'élèves habillés chiquement qui faisaient leur entrée et se saluaient les uns les autres. Moi, je portais la belle robe noire que ma tante Gwen m'a offerte pour célébrer mon accession à la Société honoraire des sciences l'année dernière. Vaneck est passé avec ses parents, l'œil gonflé comme s'il sortait d'un match de boxe.

Avant d'entrer dans la salle, à ma grande surprise, on est tombées sur Ben.

Il m'a dit bonjour, et puis il a remarqué Aiden. J'ai vu dans ses yeux qu'il la trouvait jolie. Son mélange de dreadlocks et de cheveux raides était attaché élégamment au-dessus de sa tête, avec quelques mèches qui retombaient sur ses joues. Sa robe bleu nuit faisait ressortir ses yeux. Quand elle les a posés sur Ben, il a légèrement rougi.

«Aiden, c'est Ben, j'ai dit. Ben, Aiden.»

C'était tellement *awkward* de les voir tous les deux face à face. Aiden savait qui était Ben, mais lui n'avait aucune idée qu'elle existait. Ils se sont salués, et Aiden est entrée seule dans l'auditorium pour me laisser discuter avec lui.

«C'est bien que tu sois venu», j'ai dit.

«Oui… le Klup m'a appelé.»

On n'a pas vraiment pu parler, parce qu'on était interrompus tout le temps. Beaucoup de personnes disaient bonjour à Ben ou lui demandaient ce qu'il faisait là. D'autres nous jetaient des regards curieux. Ils devaient se demander si le couple mythique était de retour.

On s'est regardés, un peu gênés, et puis on est entrés, et on a rejoint les autres *seniors* qui étaient assis aux premiers rangs. Je voulais me mettre à côté d'Aiden, mais Lee avait pris ma place, et Ben m'a fait signe que je pouvais m'asseoir à côté de lui. J'ai jeté un regard déçu à Aiden. Elle a louché pour me faire rigoler, et puis on s'est souri. En anglais, on dit qu'un sourire vaut mille mots, mais celui-là valait beaucoup plus que ça.

Après la messe, qui a duré plus d'une heure, on a tous été appelés sur scène, un par un, pour recevoir notre bague. On aurait dit un défilé de mode. À chaque cérémonie qu'on fait à l'école, les filles portent une robe différente qui coûte un bras et une jambe.

La plupart traversaient la scène avec leur maladresse habituelle. Elles portaient des talons, et on avait l'impression qu'elles venaient d'apprendre à marcher. Dans une salle d'un silence absolu, les coups de talons sur le vieux bois de la scène résonnaient pendant toute leur traversée. On aurait dit des perdrix sur le point de se faire tirer dessus, très mal à l'aise dans un accoutrement qu'elles avaient pourtant choisi. Et croyez-moi si je vous dis que les belles robes, ce n'était pas pour impressionner les garçons. C'était pour impressionner les autres filles.

Quand le tour d'Aiden est venu, j'ai vécu un grand moment. Elle ne portait pas de talons avec sa robe mais des Converse montantes, et elle avait plus de classe et de noblesse dans le petit doigt que toutes ces filles réunies. Une princesse qui ne sait pas qu'elle est de sang royal. Peut-être que c'était dans ma tête, mais j'ai eu l'impression que toute la salle retenait son souffle en la voyant traverser, avec cette robe dont on avait l'impression qu'elle était née avec, et ses cheveux pétillants, qui la séparaient du reste d'entre nous. En la regardant, j'étais tellement fière.

Après la cérémonie, les parents discutaient entre eux, et tous les élèves regardaient leur nouvelle bague. Les garçons se plaignaient que la leur était énorme, mais la nôtre était discrète, jolie, et on était ravies.

En rentrant chez moi, j'ai trouvé une enveloppe de l'Université de Columbia sur mon lit. Je l'ai ouverte, les doigts tremblants. J'ai été admise ! J'ai dû réveiller la moitié des voisins en hurlant. Columbia est une fac à New York, et elle fait partie de l'Ivy League, un groupe de huit universités prestigieuses considérées comme les meilleures du pays. Les autres sont Brown, Cornell, Princeton, Yale, Harvard, Dartmouth, et l'Université de Pennsylvanie.

Le seul problème, c'est que j'ai été « seulement » admise, sans obtenir de bourse. J'ai été acceptée à quelques autres universités, comme celle du Delaware, avec *full ride*, ce qui veut dire que ma scolarité serait payée. Les universités sont tellement chères que les gens comme moi passent la moitié de leur vie à rembourser des prêts. Bientôt, je vais devoir prendre une décision : aller dans l'une des meilleures universités du pays et demander à mes parents de m'aider à payer soixante mille dollars par an pendant quatre ans, ou rejoindre une université moyenne gratuitement.

Quelquefois, j'aurais préféré être une perdrix.

Sorry

Samedi 28 mars

Le premier tour d'Assassins touche à sa fin. Ce week-end était le dernier pour essayer d'assassiner notre cible avant d'être éliminé, parce que lundi et mardi, tout le monde va rester chez soi après les cours pour être sûr de ne pas se faire tuer. C'est pour ça que le dernier week-end est toujours *crazy*.

Avec Aiden, on avait décidé de se débarrasser de nos cibles pour de bon. Elle devait tuer Elodie Dickinson aujourd'hui, et moi le garçon aux pistolets dorés demain.

Ça faisait trois semaines que je demandais à Aiden comment elle comptait tuer Elodie, et à chaque fois, elle me répondait qu'elle avait «besoin de temps». Aujourd'hui, j'ai compris pourquoi : Haley l'aidait à construire une catapulte. Un objet de toute beauté, en bois, que même James a trouvé *awesome* quand je lui ai envoyé la photo par téléphone.

Avant, je croyais qu'un artiste, c'était quelqu'un qui savait dessiner, peindre, ou sculpter. J'ai compris en observant Haley ce qu'est un vrai artiste. C'est une personne qui sait concevoir, dessiner, peindre, bricoler, réparer, assembler, souder, et toute autre chose qui peut lui permettre de matérialiser une vision. Une sorte d'ingénieur sensible, d'inventeur romantique, de créateur moderne, qui prend des bouts de pont en ruine pour en faire des arcs-en-ciel.

On a installé le chef-d'œuvre de catapulte dans le coffre, avec trois bombes à eau qu'on avait préparées. Ça ne servait à rien d'en fabriquer plus, car Aiden n'avait pas droit à l'erreur. Si elle échouait la première fois, Elodie s'enfermerait chez elle, et on ne la reverrait plus.

Sur le chemin, on est passées prendre JM. Il allait être notre complice. Depuis une semaine, je lis des livres sur la stratégie militaire afin de trouver un moyen de me débarrasser de Seemus. Ce qui revient le plus souvent, c'est l'idée d'utiliser une faille dans la carapace de son ennemi. La faiblesse d'Elodie, c'était les beaux garçons, particulièrement les Populaires. JM, c'était l'arme fatale.

Aiden a garé sa voiture juste devant chez Elodie, et on s'est assis derrière, sur le trottoir, pour ne pas être vus. D'après nos informations, Elodie passait tous ses samedis matin à faire ses devoirs dans sa chambre, dont la fenêtre était visible depuis la rue.

Aiden a installé sa catapulte derrière la voiture, à un endroit bien précis qu'elle avait marqué à la craie trois jours plus tôt. Mr Jackson l'avait aidée à calculer précisément, en prenant en compte la masse des bombes à eau, la force de la catapulte, l'angle, et la distance jusqu'à la fenêtre d'Elodie, l'endroit où il fallait la placer pour être sûr de faire mouche. Je trouvais dingue l'idée que ça puisse marcher, mais d'un autre côté, Mr Jackson est un sorcier des maths, et si quelqu'un pouvait réussir un truc pareil, c'était bien lui.

Une fois la catapulte en place et les trois bombes à eau chargées, Aiden a levé son pouce, et JM est sorti de derrière la voiture. Il s'est mis sous la fenêtre d'Elodie et a commencé à balancer des petits cailloux. Après quelques minutes, Elodie n'avait toujours pas réagi. Je commençais à croire qu'elle avait attrapé la séniorite et décidé de ne plus faire ses devoirs le samedi matin.

Mais quelques secondes plus tard, la fenêtre s'est ouverte, et j'ai vu le joli museau d'Elodie s'avancer, surprise qu'elle était de voir le plus beau garçon du lycée devant chez elle.

«*Hi!*» JM a lancé.

«John Michael? Qu'est-ce que tu fais là?»

«Je passais dans le coin. Et toi, qu'est-ce que tu fais?»

«Je fais mes devoirs. J'ai un essai à écr...»

Et *boom*! Les bombes à eau se sont envolées, et Elodie les a ramassées en pleine poire! Je n'en croyais pas mes yeux.

Les cheveux trempés, Elodie s'est mise à bafouiller. Aiden s'est relevée, et a dit à Elodie qu'elle était *sorry* que ça se soit passé comme ça, mais qu'elle n'avait pas trouvé d'autre manière de l'assassiner, parce que Elodie restait toujours chez elle.

JM était plié en deux. Il se tenait les côtes, insensible à la misère mentale et physique dans laquelle il venait de plonger la pauvre Elodie.

On a rangé la catapulte dans le coffre, et on est repartis. Aiden et moi, on chantait *Roar* à tue-tête dans la voiture, les vitres ouvertes, pour célébrer cette magnifique victoire. « *'Cause I am a champion, and you're gonna hear me roaaaaar… Louder, louder than a lion 'cause I am a champion, and you're gonna hear me roaaaaar…* »

Quand on s'est enfin calmées, JM m'a demandé ce que je faisais ce soir, et si je voulais aller à une fête avec lui. C'était ultra-*awkward* qu'il me demande ça devant Aiden.

J'ai commencé à rougir. J'ai regardé par ma vitre, et j'ai dit à JM que j'aurais bien aimé, mais que je devais travailler au Mordor. (En vérité, je finissais à vingt heures et je passais la soirée avec Aiden.)

Après avoir déposé JM, Aiden s'est tournée vers moi.

«Je n'aime pas quand tu mens», elle a dit.

Je ne savais pas quoi dire. Moi non plus je n'aime pas mentir, mais qu'est-ce que j'aurais dû répondre, que je passais la soirée avec ma petite amie, mais que ce serait sympa de ne pas en parler aux autres au lycée, d'avance merci?

« *I'm sorry* », j'ai répondu, penaude.

« Et le fait que tu aurais bien aimé y aller, c'était un mensonge aussi? elle a demandé. Parce que si c'est le cas, tu devrais y aller. »

«Arrête!» j'ai dit en souriant.

Après avoir vérifié que JM était bien rentré chez lui, je me suis avancée vers elle, mais Aiden a reculé la tête. J'ai détaché ma ceinture, je me suis rapprochée, et j'ai forcé Aiden à m'embrasser. Elle s'est mise à rire. Embrasser quelqu'un qu'on aime et qui est en train de rire, c'est lumineux.

Avant mon travail, on est allées faire un peu de baby-sitting chez Maya. On l'a aidée à faire ses devoirs, on a joué, et puis on a partagé le goûter que sa mère avait laissé pour nous.

Je suis fascinée par le voyage dans le temps. Généralement, je pense au passé. Mais quand on était toutes les trois assises par terre dans la chambre de Maya et qu'on habillait ses Barbie, j'ai eu l'impression d'avoir voyagé vers le futur. Comme si on m'offrait un aperçu de mon avenir. Moi et Aiden, et notre petite fille. D'un côté, ça m'a effrayée, parce que j'avais toujours imaginé ça avec un garçon. Mais de l'autre, j'étais totalement excitée. Le moment sonnait juste. Comme si Aiden était la bonne personne pour m'accompagner sur ce chemin-là.

Pendant que j'enfilais mon tablier en cuisine du Mordor, Matt m'a dit qu'il y avait un nouveau qui démarrait ce soir. Je n'ai pas fait attention. Les nouveaux, c'est comme les champignons, il en pousse tout le temps.

Une heure plus tard, je terminais un plateau de burgers en rigolant avec Piotr lorsque j'ai entendu mon prénom. J'ai tourné la tête, et j'ai cru que j'hallucinais.

Devant moi, en uniforme du fast-food, un grand sourire sur le visage, se tenait Nick Xu. Il a pointé son revolver sur moi et il a tiré trois fois.

J'ai compris ce qu'avait ressenti Elodie quelques heures plus tôt. Moi aussi, je me suis mise à bafouiller.

« Mais… tu ne… tu n'as pas de témoin ! » je me suis exclamée.

Il a regardé par-dessus mon épaule. Je me suis retournée et j'ai vu Vaneck, le visage froid, sans émotion. Il m'en voulait d'avoir dit à Sara qu'il était amoureux d'elle, et il m'avait trahie.

« *Sorry* », il a dit.

Nick Xu a rigolé. « Ta cible était Seemus, c'est ça ? »

J'ai hoché la tête, sous le choc. J'avais imaginé gagner Assassins tellement de fois… et mon père allait être terriblement déçu.

Nick a appelé Chandra pour lui dire qu'il ne restait pas.

« Comment ça, tu ne restes pas ? » elle lui a demandé avec son air supérieur.

« J'ai pris un job ici uniquement pour m'infiltrer et tuer Puce, il a dit en rigolant. Je n'ai pas besoin d'argent, mes parents sont riches. Ciao ! »

Il a retiré son tablier, sa casquette et son uniforme. Il les a tendus à Chandra et il est reparti, vêtu seulement d'un caleçon, en sifflotant le thème du *Pont de la rivière Kwaï*.

APRIL

Road Trip
Samedi 4 avril

Une épidémie de séniorite s'est déclarée le mois dernier. Tout le monde a été touché, même Naomi. Quand nos profs ont vu que la chef des Nerds ne faisait plus ses devoirs, je crois qu'ils ont failli tous démissionner. Heureusement, Spring Break est arrivé juste à temps pour calmer les esprits. Nos dernières vacances ensemble avant la fin du lycée. Il fallait qu'elles comptent, alors avec mes amis, on avait décidé d'aller camper près d'un lac dans le nord de la Virginie.

On est partis ce matin. On a pris une heure de retard, parce qu'il a fallu convaincre nos parents que les médias en faisaient toujours trop sur les ouragans, et que celui qu'ils annonçaient passerait sûrement à des milliers de kilomètres au-dessus de nos têtes.

J'écris dans la voiture. Il y a un peu plus de quatre heures de route pour aller là-bas. Normalement, ça passe vite. Mais comme le temps est relatif, c'est le voyage le plus long de ma vie.

Vaneck est fâché contre moi parce que j'ai dit à Sara qu'il était amoureux d'elle. Je suis fâchée contre Vaneck parce qu'il m'a trahie dans Assassins. Sara est fâchée contre Vaneck parce qu'il est amoureux d'elle. Vaneck est fâché contre Sara parce qu'elle est fâchée qu'il soit amoureux d'elle. Sara est fâchée contre moi pour une raison que j'ignore, et je suis fâchée contre Sara parce qu'elle ne veut pas me dire pourquoi elle est fâchée contre moi.

Le seul qui n'a de problème avec personne, c'est Soupe, notre conducteur.

« J'aime bien l'ambiance, il a dit tout à l'heure. On se croirait chez moi le soir où ma mère a trouvé le numéro de téléphone d'une femme dans la poche de mon père. »

Vaneck a ses écouteurs sur les oreilles, Sara fait semblant de dormir, et moi je fais plein de soupirs et je blogue. Il y a un climat de mort. D'ailleurs, on est tous virtuellement morts. Naomi a tué Sara, JM a tué Vaneck, Nick m'a tuée, et personne n'a tué Soupe, mais il n'a pas réussi à tuer Naomi avant la fin du premier tour, et il a été éliminé. Heureusement, il reste Aiden. Sa cible est l'autre jumelle maléfique puante, Katie Christy. J'espère qu'Aiden va sauvagement l'assassiner.

Aiden va me manquer. Je n'ai pas passé une semaine sans elle depuis le mois de décembre. J'ai l'impression que je pars pour un an. Quand on s'est dit au revoir dans sa chambre, Aiden avait peur que je ne revienne pas. Et je ne crois pas qu'elle parlait de mon retour physique.

Mephitis Mephitis
Dimanche 5 avril

« *Feel my legs !* »

Je me penche, et je touche les jambes de Sara.

« *Nice* », je dis. Elle a raison d'être fière. Elles sont toutes douces.

Soupe et Vaneck sont partis acheter du jus de tomate. Sara et moi on prend un bain de soleil dans des chaises longues, devant nos tentes. Moi j'écris, et elle, elle met du vernis à ongles sur ses orteils. Elle a essayé de m'en mettre aussi. Toutes les filles aiment ça, moi je déteste. Je pense que c'est une tentative un peu vaine d'essayer d'oublier qu'on est des animaux, et de se hisser vers quelque chose de supérieur. C'est moche, les pieds, il ne faut pas essayer de les améliorer, ça ne fait qu'attirer l'attention sur eux. Mettre de la couleur sur ses ongles de pied, c'est comme mettre du rouge à lèvres à une guenon. J'ai promis à Sara de l'écrire dans mon testament : quand je serai morte, elle pourra se faire plaisir. D'ici là, bas les pattes.

Hier soir, l'ambiance était encore tendue. Personne ne voulait dormir avec Soupe, parce qu'il ronfle comme un sanglier, mais Sara ne voulait pas dormir avec un garçon qui est amoureux d'elle, et moi je ne voulais pas dormir avec un traître, du coup Vaneck s'est coltiné les ronflements, et moi j'ai dormi avec Sara, qui est plus ou moins fâchée contre moi. Je ne sais toujours pas pourquoi. Ambiance…

Ce matin, on est partis faire une randonnée à vélo dans la forêt. Soupe a été le seul à mettre un casque. Il a dit qu'il valait mieux avoir l'air stupide que de mourir. Vaneck a répondu que l'un n'empêchait pas l'autre, et que s'il devait mourir, il préférait le faire avec élégance. Et puis il a mis sa casquette Michael Jordan à l'envers.

Pendant qu'on pédalait, personne ne parlait, et je commençais à me dire que ces vacances allaient être un désastre. J'ai profité du silence pour apprécier le paysage. On a aperçu des hérons bleus, des fauvettes, et même quelques aigles. Le long du lac, il y avait des cerfs, et des écureuils qui paniquaient en nous entendant arriver.

On s'est arrêtés pour pique-niquer. Soupe trimbalait un air réjoui qui commençait à m'agacer. Je savais ce qu'il pensait. Il pensait que le fait qu'il soit le seul du groupe à n'avoir de problème avec personne faisait de lui un être moralement supérieur. Quelqu'un de plus mature que nous. Le genre de personne qui met un casque pour faire du vélo.

On s'est assis dans l'herbe, au soleil. Pendant qu'on déballait nos sandwiches, Vaneck a tenté une blague, mais personne n'a rigolé. J'ai forcé un sourire pour ne pas être désagréable. Sara ne s'est pas donné cette peine.

Soudain, il y a eu un bruit bizarre dans les fourrés. Soupe s'est levé pour aller voir ce que c'était. Sara a dit qu'il ne fallait jamais aller à la rencontre d'un bruit bizarre dans la forêt, mais comme Soupe se croit toujours plus malin que tout le monde, il n'a pas écouté.

Quelques secondes plus tard, on l'a entendu crier. On s'est tous levés, juste à temps pour apercevoir une petite boule de poils noire et blanche disparaître dans les fourrés.

Soupe ne bougeait plus, alors on est allés voir de plus près.

« Ça pue ! » Sara s'est écriée.

Soupe s'est retourné. Il faisait la grimace la plus drôle que j'avais jamais vue. Il avait effrayé un animal qui l'avait aspergé de son musc jaunâtre et fétide, et il empestait.

Vaneck a été le premier à rire. Ensuite moi, puis Sara, et les rires se sont transformés en éclats de rire, et les éclats de rire sont devenus un gigantesque fou rire. Le mature, le grand sage, venait de se faire pisser dessus. On n'en pouvait plus.

Je riais tellement fort que ça me faisait mal. Sara a dû enlever ses lunettes parce qu'elle pleurait, et elle n'y voyait plus rien. Chaque fois que les rires s'estompaient, on repensait à Soupe et à sa grimace, et on repartait de plus belle.

Pendant qu'on pleurait de bonheur, Soupe s'est précipité vers le lac pour rincer son tee-shirt. Sara a sorti son téléphone de son sac à dos.

« C'était un *Mephitis mephitis* ! elle a crié à Soupe en reniflant. Plus communément appelé "mouffette rayée", si ça t'intéresse. »

Ça ne l'intéressait pas. Il pestait, en essayant de se débarrasser de cette odeur infecte, mais rien n'y faisait.

On a décidé de rentrer au camp pour que ce pauvre Soupe puisse se changer. En chemin, Sara lui a expliqué qu'il avait le choix entre l'ammoniac, l'essence, ou le jus de tomate pour essayer de faire disparaître l'odeur. Elle a aussi précisé que «normalement, les *Mephitis mephitis* ne sortent qu'au crépuscule ». On a encore rigolé quand Vaneck a dit qu'il n'y avait vraiment que Soupe pour croiser le seul putois insomniaque de la forêt.

Deux heures plus tôt, l'ambiance était exécrable et nous promettait des vacances horribles. Et puis un putois, en pissant sur Soupe, a réussi à tous nous réconcilier. Parce qu'il est impossible de partager un tel fou rire et de continuer à s'en vouloir. Le rire est un antidote surpuissant à l'amertume.

Snake, Tip, and Text Police

Lundi 6 avril

Ce matin, l'odeur insupportable du musc de notre chère mouffette rayée avait presque entièrement disparu. Malheureusement, malgré le jus de tomate et les trois douches prises par Soupe, ce n'était pas encore tout à fait le cas hier soir. Vaneck a refusé de dormir avec lui.

« D'abord les ronflements, il a dit. Et maintenant l'odeur ? Où est-ce que ça va s'arrêter ? »

« C'est bon, tu peux dormir avec nous », j'ai répondu.

Sara n'était pas contente, mais j'ai fait abstraction. Soupe a dit qu'on était les pires amis du monde. Il me fait bien rigoler : si Vaneck avait senti mauvais, il aurait été le premier à se précipiter sous notre tente.

Quand on est allés se coucher, Sara a insisté pour que je me mette au milieu.

« Sinon il va me violer », elle a dit.

Vaneck m'a regardée d'un air désespéré. Sara est particulièrement dure avec lui. Le pauvre ne mérite pas ça. Techniquement, tout ce qu'il a fait, c'est tomber amoureux d'elle.

« Je crois que s'il voulait te violer, il l'aurait fait pendant les massages », j'ai chuchoté.

« *Whatever* », elle a répondu.

Je me suis mise au milieu, et après avoir zippé mon sac de couchage, j'ai chuchoté à Vaneck :

« Si tu essaies de me violer, je dis à tout le monde que tu as peur des guêpes. »

Après le petit déjeuner ce matin, on a fait une petite balade sur le lac en canoë. J'étais avec Vaneck, et Soupe avec Sara. Il y avait des branches qui pendaient un peu partout, et on a pu y suspendre nos hamacs pour faire la sieste au-dessus de l'eau. La cime des arbres couvrait le bleu au-dessus de nos têtes. Allongés dans nos hamacs, on se serait crus sur une autre planète, où la terre et le ciel n'existaient pas.

Quand on est repartis, Vaneck devait être encore en train de somnoler, parce que pendant que je regardais mon téléphone pour voir si Aiden m'avait écrit, il a conduit notre canoë tout droit dans la berge, et je me suis retrouvée nez à nez avec un petit serpent vert qui se dorait la pilule au soleil. J'ai pris sur moi pour ne pas hurler (je ne me rappelais plus si les serpents pouvaient entendre ou pas), mais j'ai frappé Vaneck tellement fort avec ma pagaie qu'il a fait demi-tour vachement vite.

On a déjeuné dans un restaurant indien, à quelques kilomètres du lac. J'aime les restaurants indiens, parce que c'est facile d'y trouver des plats végétariens. Ça fait presque cinq mois que je n'ai pas mangé de viande, ni de poisson. J'ai perdu quatre kilos. Peut-être que c'est Dieu qui me dit merci. *You're welcome, God.* Ma mère s'inquiète.

Je lui ai dit que mon seul problème est d'avoir à acheter des vêtements une taille en dessous pour cet été, et d'avoir l'esprit plus clair. Ce sont des problèmes que j'aime.

Ce que j'aime moins, c'est qu'il faut laisser un pourboire au restaurant. J'adore aller en France pendant les vacances parce qu'on n'est pas obligé de faire ça. Ici, les serveurs sont payés moins que le salaire minimum, parfois même moins de trois dollars de l'heure, alors ils dépendent du pourboire pour survivre. En gros, c'est nous qui les payons à la place de leur patron. Et comme j'ai envie qu'on m'aime, je laisse toujours trop. Le pourboire, c'est la culpabilité qui te fait les poches.

Dans la voiture pour rentrer au camp, Aiden m'a enfin écrit.

AIDEN > How's it going?

Comment ça se passe ?

MOI > I miss u. You?

Tu me manques. Et toi ?

AIDEN > You have no idea

Tu n'as pas idée

MOI > Tell me

Dis-moi

AIDEN > I think about you all the time :(

Je pense à toi tout le temps :(

MOI > Me too

Moi aussi

MOI > I mean I think about u all the time, not about myself lol

Je veux dire que je pense à toi tout le temps, pas à moi lol

AIDEN > Haha I understood. Can't wait to see you

Haha j'avais compris. J'ai hâte de te voir

J'ai remarqué que Sara essayait de lire ce que j'écrivais. J'ai rangé mon téléphone dans ma poche.

« À qui tu envoyais un texto ? » elle a demandé.

« Tu es la police des textos, maintenant ? »

« Je demande, c'est tout. »

« C'était Aiden. C'est bon, ou je vais en prison ? »

« Euh, les gars. » Vaneck s'est retourné vers nous, son téléphone à la main. « L'ouragan approche. »

JMALS

Mardi 7 avril

Quand j'étais petite et que je faisais des bêtises, mes parents me confisquaient tous mes livres. Ils avaient même un grand bac qui ne servait qu'à ça. À quatorze ans, j'avais tellement de livres qu'il leur fallait quatre ou cinq bacs, du coup j'ai eu pitié d'eux, et j'ai décidé d'arrêter de faire des bêtises. Ça, c'est ce que je leur dis aujourd'hui. La vérité, c'est que je détestais qu'on m'enlève mes romans préférés, et la dernière fois m'avait traumatisée. Attendre une semaine pour lire la suite de *Narnia* ? J'étais scandalisée. Au moment de m'annoncer la punition, mon père avait dit : « Qui sème le vent récolte la tempête. » Aujourd'hui, lorsque l'ouragan est arrivé, j'ai repensé à cette phrase.

On avait espéré qu'il dévierait de sa trajectoire. Ce matin, il a bien fallu se rendre à l'évidence : il nous arrivait droit sur la tronche. Nos parents voulaient qu'on rentre, mais le vent s'était déjà levé, et le père de Sara a réussi à convaincre les autres parents qu'on serait plus en sécurité dans son abri antiatomique, qui n'était pas très loin, que sur la route pour rentrer. Alors on a démonté nos tentes, et on est partis.

Au téléphone avec son père, Sara a guidé Soupe jusqu'à une sorte de grand hangar, à une demi-heure du campement. J'ai cru qu'il s'agissait de l'abri, mais ce n'était qu'une sorte de garde-meuble avec des tas de containers. Plusieurs personnes étaient déjà là. Elles déchargeaient des affaires ou rentraient des véhicules à l'intérieur.

Le container de Jack faisait la taille de mon garage. À l'intérieur, Sara a attrapé une petite pelle et une clé accrochées au mur. Soupe a embrassé le capot de Cecilia avant de sortir.

Nos sacs de randonnée sur le dos, on a marché le long de la route quelques minutes, et puis on a coupé à travers champ, et on s'est enfoncés dans la campagne. Il faisait froid et humide. La pluie s'intensifiait, et le vent soufflait de plus en plus fort. Personne ne parlait. On était tous un peu nerveux. Sara avait le téléphone collé à son oreille pour écouter les indications de son père.

Après une vingtaine de minutes, elle s'est arrêtée et a commencé à creuser au pied d'un grand chêne. Je me suis approchée de l'arbre. Au début il n'avait rien de particulier, et puis j'ai remarqué des lettres gravées dans le tronc : JMALS. Les initiales des membres de la famille : Jack, Maggie, Anna, Leah et Sara.

Vaneck a pris la petite pelle et a continué de creuser à la place de Sara, jusqu'à ce qu'il tombe sur quelque chose de dur. C'était un petit boîtier en métal avec une serrure, et une poignée à côté.

Sara s'est agenouillée et a enfoncé la clé dans la serrure, puis elle a tiré sur la poignée. À l'intérieur de la boîte, il y avait un petit clavier lumineux. Elle a tapé un code, et on a entendu un clic derrière nous.

Elle a refermé la boîte, Vaneck l'a recouverte de terre, puis on a fait quelques pas en arrière et découvert l'entrée de l'abri, dissimulée dans l'herbe. On était passés devant quelques minutes plus tôt, mais on ne l'avait pas remarquée. C'était une porte circulaire verte, qui m'a fait penser à une trappe sur le toit d'un sous-marin. J'ai regardé les autres, pour voir s'ils faisaient des gros yeux comme moi, et j'ai croisé le regard de Vaneck : il faisait des yeux énormes.

Soupe s'est saisi de la poignée et a tiré fort, révélant un petit escalier. J'ai levé les yeux. Les nuages étaient noirs, gonflés. Le ciel s'apprêtait à exploser. Si l'apocalypse avait été là, il m'a semblé que rien n'aurait été différent.

« Vous êtes prêts ? » Sara a demandé, l'air sérieux.

On a tous hoché la tête. Sara a dit quelques mots à son père, et puis elle a raccroché et s'est engagée dans l'escalier, éclairant les marches à la lueur de l'écran de son téléphone.

Les mots de Jack quelques mois plus tôt me sont revenus. Les yeux brillants d'excitation, il m'avait expliqué que certains abris étaient munis d'un système de sécurité pour repousser les intrus. Il avait mentionné des flammes dans l'escalier, et aussi des projectiles mortels avec des pics, façon Indiana Jones. Je ne savais pas si Jack avait eu le temps de mettre en place son propre système de sécurité, mais dans le doute, j'espérais que l'abri ne considérerait pas que JMALS étaient les seuls autorisés à entrer.

En bas, Sara a allumé la lumière et nous a fait signe de descendre.

« *After you* », Soupe m'a dit.

Comportement typique de garçon. Quand on va dans un café, c'est limite si je ne me prends pas la porte dans la figure quand j'entre après Soupe. Mais quand il s'agit d'un escalier potentiellement mortel rempli de pics et de flammes, on est tout à coup très galant, et on laisse Puce passer en premier.

Alors j'ai pris mes responsabilités, et je me suis engagée dans l'escalier.

The Elephant
Mercredi 8 avril

Ça fait plus de vingt-quatre heures qu'on est ici, et l'abri est beaucoup plus cool que je ne l'avais imaginé. Je m'attendais à une sorte de cave étroite, sombre et froide, alors qu'en fait, Jack a aménagé ça comme un petit appartement. Il y a une cuisine, un salon, une salle de bains, une petite chambre avec six lits superposés, et une réserve où sont entreposés les rations et le matériel de survie. Jack n'est pas le dernier des *preppers* !

On s'est vite sentis à l'aise. Une fois le côté oppressant digéré, l'aspect « fin du monde » est devenu amusant. C'est tellement bien ici, je suis sûre que Jack espère secrètement que la Corée du Nord va nous attaquer ou que des extraterrestres vont nous atomiser, juste pour pouvoir venir ici.

On a trouvé un vieux jeu de Scrabble dans le salon. On a fait quelques parties, mais on a vite arrêté, parce que Vaneck et Sara n'arrêtaient pas d'inventer des mots, et comme on n'avait pas Internet pour le prouver, ça nous rendait fous, Soupe et moi. Quand on sortira demain, je prouverai à Vaneck que « *kakurste* » n'est pas « une sorte de caillou violet très rare qu'on trouve dans l'Himalaya, tellement rare qu'il n'est peut-être même pas dans le dictionnaire ».

Ensuite, on a fait un poker. On misait des piles, des boîtes d'aspirine et des pastilles purifiantes. Sara est trop naïve pour jouer au poker. Chaque fois qu'elle bluffait, elle avait la paupière qui tremblait.

On a mangé *Twinkie* sur *Twinkie*, tout l'après-midi. Ce sont des gâteaux en génoise fourrés à la crème qui ressemblent à de petits lingots d'or. Je ne sais pas pourquoi, mais il paraît que les *Twinkies* sont immortels. On dit qu'en cas de catastrophe, ce serait la seule nourriture à survivre pendant des siècles. Jack en avait stocké plein.

J'ai eu du mal à dormir. Pas à cause des ronflements de Soupe, mais du fait qu'on était quelques mètres sous terre, et qu'au-dessus de nos têtes c'était la tempête. Ça avait quelque chose d'angoissant.

Ce matin, on a passé un peu de temps chacun de notre côté. J'ai lu un livre qu'Aiden m'avait prêté, Soupe et Vaneck ont joué avec leur PlayStation Vita, et Sara a fait des tests dans des magazines féminins. « Savez-vous draguer ? », « Feriez-vous une bonne épouse ? » et « Quel personnage de Disney êtes-vous ? » Sara ne sait pas draguer (mais pense que le test était bidon) et ferait une excellente épouse (et pense que le test était très bien). Quant au personnage de Disney, Sara était la fée Clochette (immature, boudeuse et caractérielle), et moi j'étais Aurore (préfère les animaux aux humains, passive mais s'en fout de l'être, et a un énorme besoin de dormir).

On a passé l'après-midi à préparer notre dîner de fin du monde. On a fait l'inventaire des stocks, et comme je suis la fille de mon père, j'étais chargée de définir notre stratégie pour réussir un dîner trois étoiles avec des rations inhabituelles. Résultat des courses : tuiles au sésame et aux graines de pavot, rillettes de sardines sur son lit de crackers (pour moi j'ai remplacé les sardines par des asperges), crème de lentilles corail accompagnée de falafels, risotto de printemps et petits pois, et pour le dessert, muffins au chocolat et son cœur fondant au beurre de cacahuète. Si ça a l'air délicieux, c'est parce que ça l'était.

Quand est venue l'heure de passer à table, on a même débouché quelques bouteilles de vin pour fêter notre fausse fin du monde. Jack ne nous en voudra pas. Je suis sûre qu'il sera comme un enfant à Noël quand il lui faudra compléter ses stocks.

Lorsqu'on s'est installés dans le salon pour digérer, on était tous un peu *tipsy*. C'est quand vous n'êtes pas encore saoul, mais que vous n'êtes plus tout à fait normal non plus. Vous avez quelques barrières en moins, quoi.

Vaneck s'est assis dans un fauteuil, et Sara sur ses genoux. J'ai fait « oh, oh » dans ma tête, pensant que c'était la pire idée de tous les temps. Mais ce n'était que la deuxième pire idée de tous les temps, parce que cinq secondes plus tard, Soupe, qui était plus *tipsy* que nous, a décidé d'imiter Sara, et de venir s'asseoir sur mes genoux. Je lui ai dit que je ne voulais pas passer ma fin du monde écrasée par un Soupe. J'ai bien choisi mes mots, parce que j'avais peur qu'il pense que je critiquais son poids. Il a répondu qu'il comprenait parfaitement mon point de vue, Capucine, et il s'est affalé sur le canapé à côté de moi.

La tension dissipée depuis quelques jours, le vin démêlant les derniers nœuds, on a commencé à discuter de nos disputes. Vaneck s'est excusé de m'avoir trahie. Je me suis excusée d'avoir dit à Sara qu'il était amoureux d'elle.

Sara a dit à Vaneck qu'elle était désolée d'avoir réagi comme ça, et Vaneck a dit qu'ils pouvaient être amis et qu'il ne l'aimait déjà plus de toute façon. Je n'y crois pas une seconde. C'est encore une entourloupe de garçon. Ils en ont plein les poches.

Après ça, un petit silence s'est installé. Et puis Soupe a relevé la tête.

« *Should we talk about the elephant in the room ?* » il a demandé.

Quand on dit qu'il y a un éléphant dans la pièce, ça veut dire qu'il y a quelque chose d'évident que tout le monde sait, mais que personne n'ose évoquer.

Sara a posé sa tête contre Vaneck.

« Tu sais qu'il y a une rumeur qui court sur toi au lycée ? » elle a demandé.

« Quelle rumeur ? »

« Il paraît que tu es lesbienne. »

J'étais bien contente que la lumière soit tamisée, parce que j'ai senti ma peau rougir. C'était super désagréable d'entendre ça dans la bouche de Sara. La façon dont elle prononçait le mot *lesbian*… Elle le disait avec une sorte de froideur et de mépris, de dégoût presque.

« C'est pour ça que tu me faisais la tête ? » j'ai demandé.

« Katie et Grace disent qu'elles t'ont vue embrasser Aiden. »

Vaneck avait l'air désolé, comme si quelqu'un venait de mourir.

« C'est vrai ? » il a demandé.

« Qu'est-ce qui est vrai ? »

« Que tu es lesbienne. »

« Josh… Ben… Liam… c'étaient des filles ? » j'ai demandé.

« Et Aiden ? » Soupe a demandé.

« Quoi, Aiden ? »

« Tu l'as embrassée ? »

Je n'avais qu'une envie, c'était de m'en aller. Je détestais la façon dont ils me posaient des questions, comme si je leur devais des réponses. Je détestais l'air désolé sur le visage de Vaneck, comme si aimer les filles était une nouvelle sorte de cancer. Je détestais l'air supérieur de Sara, comme si elle était la grande juge de ce qui est bien ou mal. Et je détestais qu'elle ait pu me faire la tête pour ça.

J'avais envie de partir, mais il n'y a pas cinquante endroits où fuir pendant une fausse fin du monde dans un abri souterrain.

J'ai senti les larmes monter. J'en ai marre de pleurer tout le temps. J'ai l'impression d'avoir un surplus de liquide lacrymal en moi, et à la moindre occasion, je déborde.

Soupe s'est redressé, et m'a donné un petit coup d'épaule gentil, comme il le fait quand on rigole ensemble.

« *Hey,* il a dit. On ne te juge pas. Si c'est vrai, on s'en fout. On a juste envie de savoir. »

« Sara n'a pas l'air de s'en foutre », j'ai répondu.

«Je croyais que j'étais ta meilleure amie, elle a dit. Pourquoi tu ne m'en as pas parlé ?»

«Et toi ? Tu crois Grace et Katie plutôt que de me poser la question ?»

«Je te la pose maintenant. »

«Vas-y. »

«Tu es *gay* ?»

«Non. »

Franchement, je n'ai pas eu l'impression de mentir. Je ne crois pas être *gay*, je suis amoureuse d'*une* fille.

«Et Aiden ?» elle a demandé.

«On est amies. »

Bon, là, je sais que j'aurais dû dire la vérité, et je voulais le faire, mais je n'ai pas réussi. C'est pesant d'être jugé par trois personnes dans un si petit endroit, et la discussion qui aurait inévitablement suivi si j'avais dit la vérité, je n'avais aucune envie de l'avoir.

«*Cool,* Soupe a lancé. On peut arrêter d'en parler. Grace et Katie sont juste des *fake ass bitches.* »

On a passé le reste de la soirée à discuter, et Sara à poser sa tête contre celle de Vaneck. À un moment, ils se sont même pris la main. Avant de me poser des questions sur ce que je fais de ma bouche, ils feraient bien de se demander ce qu'ils ont envie de faire de la leur.

Pixie Dust
Vendredi 10 avril

On est rentrés de Virginie ce matin. Soupe m'a laissée conduire. « *Never again* », il a dit après. Ce n'était pas vraiment ma faute.

Soupe dormait profondément, au chaud à côté de moi, la tête contre la vitre. En essayant de mettre l'emballage de mon bonbon dans la petite poubelle encastrée dans ma portière, j'ai fait descendre sa vitre. Il s'est retrouvé brutalement le museau dans le vent à 110 km/h. Quand j'ai vu sa tête, j'ai dû me retenir de rire, parce qu'il faisait la même grimace bizarre que quand la mouffette rayée lui avait fait pipi dessus.

Dans la phrase qu'il a dite après, il y avait quatre fois le *F-Word*. J'ai mis ça sur le compte de la fatigue. Quatre jours de camping, deux jours de fausse fin du monde, un autre jour de camping, ça use.

Quand je suis sortie de la voiture pour rentrer chez moi, j'étais contente de ne plus être en course dans Assassins. Il y a vrai soulagement dans le fait de ne pas craindre pour sa vie constamment. Maintenant je sais ce que ressentent les gens qui ont trahi la Mafia.

En traversant notre allée, j'ai vu la tête de Mrs Moore qui me regardait par-dessus sa haie. J'ai dit *hi*. Elle n'a rien répondu. Il y a deux types de gens dans la vie. Ceux qui disent *hi*, et ceux qui baissent la tête. Moi je dis toujours *hi*. Les gens sourient, je souris, et tout le monde se sent mieux. Si un gène mute et qu'une infection zombie se propage, ce sont ceux qui baissent la tête qui seront chez vous avec un fusil pour voler vos boîtes de conserve. J'ai beaucoup parlé avec le père de Sara, et si c'est un *prepper*, ce n'est pas parce qu'il redoute les volcans ou les tsunamis. Ce sont les humains qui lui font peur, et ce qui se passe quand ils n'ont plus à respecter la loi. L'impunité révèle le pire chez l'homme.

Après une douche et un bisou à tout le monde chez moi, j'ai traîné des pieds pour aller au Mordor. Matt et Piotr n'étaient pas là aujourd'hui, du coup j'étais chef de cuisine. J'ai horreur d'être chef. Il y a des procédures pour jeter la nourriture après quelques minutes si personne ne l'a mangée, mais les *managers* détestent perdre de l'argent, alors ils me mettent la pression pour que je donne de vieux burgers froids aux clients, et moi je me sens coupable. Je dois choisir entre contenter les clients ou contenter mes patrons. Je suis désolée pour les clients, mais je n'ai pas envie de finir aux frites.

Je croisais parfois le regard des clients pendant que j'emballais leurs produits. Ils n'étaient pas fiers. Ils savaient qu'à tout moment, ils pouvaient voir quelque chose qui leur couperait l'envie de manger ce qu'on leur préparait. Très vite, ils détournaient les yeux. Quand on a faim, on n'a pas envie de savoir. Ce qu'on ne sait pas ne peut pas nous faire de mal. Le jour où Black Jack rigolait tellement fort qu'il a bavé dans un sandwich, et qu'on n'avait pas le temps d'en refaire un parce que Creepy Harry nous insultait pour qu'on aille plus vite, est-ce que ça a vraiment changé la vie de la personne qui l'a mangé ? Je ne pense pas. C'est le fait de *savoir* que quelqu'un avait bavé dans son sandwich qui aurait changé sa vie.

C'est dur d'être chef de cuisine. Mais cet après-midi, ce n'était pas dur. Mon job était le plus facile du monde, parce que j'avais des pensées heureuses, et les pensées heureuses, c'est comme dans *Peter Pan*, si on a de la poudre de fée, ça fait voler. Je pensais à Aiden, que je n'avais pas vue depuis une semaine, et au fait qu'elle venait me chercher après mon travail. Aiden, c'est ma poudre de fée.

J'étais assise à une table dehors sur la terrasse, et je grignotais des frites avec quelques collègues. Elle est arrivée à pied. Quand je l'ai vue, je me suis précipitée vers elle, et je lui ai sauté au cou pour l'embrasser. Je savais que les autres me regardaient, mais je m'en fichais.

Je suis vraiment débile d'avoir peur de ce que pensent les autres au lycée, parce que ce n'est pas normal d'avoir honte d'un truc aussi beau. Les gens pensent plein de choses, mais tout ça c'est dans *leur* tête, pas dans la mienne. Le jugement des gens, c'est juste de la bave dans un sandwich.

Duel

Lundi 13 avril

Les cours ont repris aujourd'hui. Je n'arrive pas à croire qu'il reste un mois de classe. Comme tout le monde maintenant, j'ai la séniorite, et pourtant j'apprécie chaque minute de chaque cours, parce que je sais que bientôt ça sera terminé. Les classes de dix à quinze personnes, parfois moins. Les courses vers le tableau pour conjuguer des verbes en espagnol avant les autres, et les fous rires quand quelqu'un trébuche sur un sac à dos en se précipitant. Les compétitions de calcul mental récompensées par des bonbons. Les expériences de chimie qui tournent mal. Les débats enflammés du cours de religion. Les lectures de dialogues avec des personnages historiques écrits par Mr Brock, et tout le monde qui rigole quand Nick fait Jules César en efféminé, ou quand Lee fait Staline avec un accent londonien.

Naomi Chang a reçu le premier point de sa vie aujourd'hui. Elle a été prise en flagrant délit de bisouillage de Mark près des arbres, derrière le bâtiment des sciences. Quand elle me l'a dit, il y avait de la fierté dans ses yeux. Je ne suis pas sûre si c'était pour le point ou le fait qu'elle embrassait un garçon. J'en ai parlé à James, pour le tester. Il a haussé les épaules. Si j'étais présidente du monde, tous les garçons devraient porter des bracelets qui changent de couleur selon leurs sentiments. Comme ça, ils pourraient hausser les épaules tant qu'ils veulent, on saurait à quoi s'en tenir.

J'ai eu tout le temps de réfléchir à la façon dont on ferait passer la loi pendant ma *detention* après l'école. J'avais reçu un point de Mr Crinky parce que je regardais des chaussures sur Internet au lieu de lire un extrait d'une pièce de Shakespeare.

On était cinq misérables, les bras croisés, le regard vide. Señora Rodriguez tapait sur son clavier et levait les yeux de temps en temps pour s'assurer qu'on ne dormait pas.

Un peu après le début de la *detention*, Joe Biglio a ouvert la porte. Par habitude, Señora Rodriguez lui a dit de s'asseoir. Seulement, Joe n'avait pas reçu de point aujourd'hui. Detention Man était libre d'aller où il voulait, mais il était tellement habitué aux *detentions* qu'il n'avait pas pu s'empêcher de venir quand même pour nous narguer. Il nous a souhaité une bonne *detention* et nous a traités de *losers* en rigolant. Señora Rodriguez lui a donné un point pour nous avoir insultés et lui a dit de poser son sac et de rester.

Après ça, on avait tous rendez-vous pour le grand duel entre James et JM. Ça s'est passé à quelques kilomètres du lycée, dans un vieux supermarché désaffecté. JM, Seemus et Tom y sont allés ce week-end et ont cassé une vieille fenêtre pour qu'on puisse tous entrer.

Un par un, on est passés par la fenêtre. On a traversé le magasin désert jusqu'à la grande allée principale. On se serait crus dans l'un de ces films post-apocalyptiques où tout le monde est mort, sauf vous.

On a fait deux rangées de chaque côté de l'allée, et James et JM se sont fait face au milieu. JM portait un chapeau de cow-boy beaucoup trop petit pour lui (il l'avait emprunté à son petit frère). James avait son éternel épi. Tous les deux caressaient la crosse de leur revolver, qui était enfoncé dans un étui à leur ceinture. C'était une vraie opposition de styles : le plus beau des Populaires contre le plus brillant des Nerds.

Seemus a branché son téléphone à des enceintes, et une musique épique a démarré. À côté de moi, Henry le cinéphile a chuchoté que c'était la musique du western *Il était une fois dans l'Ouest*.

James et JM faisaient de petits allers-retours dans la largeur de l'allée, lentement, en se jetant des regards noirs. Dans l'immense magasin vide, un harmonica s'est mis à résonner. JM a baissé l'avant de son chapeau ; on voyait à peine ses yeux. James n'avait pas de chapeau, mais on voyait à peine ses yeux aussi, parce que déjà il est chinois, et en plus il les plissait, comme si le soleil l'éblouissait.

Les notes de guitare électrique flottaient dans l'espace vide. James et JM se sont rapprochés l'un de l'autre. L'orchestre a pris la relève, et les deux cow-boys en uniforme de lycéen se sont immobilisés. JM a fait mine d'approcher la main de son revolver, et puis il s'est gratté le ventre. J'ai retenu ma respiration.

Tout est allé très vite. Je crois que James a dégainé le premier, mais JM a réagi si rapidement qu'il était impossible de savoir qui avait tiré d'abord. Tous les deux avaient le visage mouillé. On s'est tournés vers Raylin, qui avait filmé le duel avec son iPhone. On a revu la scène trois, quatre, cinq fois, et puis il a fallu se rendre à l'évidence : ils avaient tiré en même temps.

« Mutual destruction », Seemus a dit, l'air blasé, comme si c'était un truc connu.

C'était la première fois que ça arrivait dans l'histoire du jeu. JM était déçu, mais James avait l'air soulagé. Je crois qu'il participait pour faire plaisir à Naomi, mais que ça ne l'amusait plus tellement.

Lorsque Raylin est ressortie du supermarché par la fenêtre, une bombe à eau a atterri sur sa tête. À peine le duel fini, Seemus était monté sur le toit à l'aide d'une échelle qu'il avait cachée la veille, et il avait attendu de voir la queue-de-cheval et le chouchou noir de cette pauvre Raylin. Pendant que j'aidais Raylin à se sécher, James est reparti à pied avec Naomi. Comme d'habitude, ils parlaient, et ils s'écoutaient l'un l'autre avec plus d'attention qu'ils n'écouteraient jamais quelqu'un d'autre. On sent vraiment qu'ensemble, ils sont la meilleure version d'eux-mêmes. La façon dont Naomi regarde James, j'ai l'impression de la connaître. Je crois que c'est parce que je regarde Aiden comme ça.

Je me demande ce qu'il faudra pour qu'ils admettent leurs sentiments et acceptent d'en parler. Naomi est si fière, si têtue, et James est si introverti, si détaché de ses propres émotions, j'ai l'impression qu'on n'est pas près d'y arriver. Une amitié garçon-fille avec de l'amour au milieu, c'est un duel de cow-boys amoureux, où les deux attendent que l'autre bouge pour dégainer leurs sentiments.

Promposals
Mercredi 15 avril

Le printemps est ma saison préférée. Les jours s'allongent, les magnolias bourgeonnent, les œufs des papillons éclosent… et les *promposals* font leur apparition.

Promposal est un mélange entre Prom et *proposal* (quand on demande quelqu'un en mariage). C'est comme ça qu'on dit quand un garçon invite une fille à l'accompagner à Prom. C'est un petit événement. Ça rend les garçons nerveux, et nous on attend, on appréhende, on angoisse, on s'impatiente… Parfois, c'est même carrément *awkward*. L'année dernière pour Junior Prom, un garçon m'a fait sa demande, mais j'ai refusé parce que j'attendais le *promposal* de Ben. Deux jours plus tard, Ben a fait passer un avion téléguidé devant la fenêtre de ma chambre. L'avion traînait une petite bannière avec « *Will you go to Junior Prom with me ?* » écrit dessus. Le pauvre a dû faire voler son engin pendant une demi-heure avant que je finisse par le remarquer.

Ce matin, Soupe a demandé à Fang si elle pouvait lui prêter sa calculatrice pour un *quiz*, prétextant qu'il avait oublié la sienne. Il a passé le déjeuner caché dans la bibliothèque avec James à programmer des fonctions. Quand il a rendu sa calculatrice à Fang, le graphique affichait des courbes un peu particulières :

« PROM ? »

Elle a dit que c'était « *so adorable* » et qu'elle voulait bien aller à Prom avec lui. Je n'avais jamais vu Soupe aussi fier.

Depuis quinze jours, Sara me saoule parce que Vince ne lui a toujours pas fait de *promposal*. J'espère qu'il va bientôt se bouger les fesses, parce que j'en ai marre d'entendre Sara en parler. Quant à Vaneck, il hésite sur la fille à qui il va demander. La plupart des filles l'adorent, alors il a le choix. Il a même commencé à faire une liste pour/contre de toutes ses prétendantes. Quand j'ai vu qu'il avait écrit des trucs comme « a des gros seins », « pourrait coucher avec moi », je lui ai mis un coup de poing dans l'épaule. Depuis, il est sûr qu'il a une hémorragie interne et qu'il n'ira jamais à Prom parce qu'il sera mort avant.

Un vrai *promposal* devrait toujours être surprenant, mais certains nuls font ça par texto. C'est moche, mais pas aussi moche que de ne recevoir aucun *promposal*. C'est la peur de toutes les filles. Je me demande si ça ne va pas m'arriver cette année. J'ai toujours pensé que j'irais à Prom avec Ben, mais je n'avais pas prévu qu'il déménagerait et que tout deviendrait aussi compliqué. Liam a compris qu'il ne m'intéressait plus, et JM est trop populaire pour risquer de se prendre un nouveau râteau avec moi. C'est comme ça que vous dites, non, un «râteau»? C'est ma cousine française Lili qui m'a écrit ça l'autre jour. Elle disait qu'elle s'était «pris un râteau» avec un garçon qui s'appelle Corentin. Au début j'ai cru qu'un râteau leur était tombé dessus à tous les deux en même temps, ensuite j'ai pensé qu'ils avaient acheté un râteau ensemble, et puis elle a fini par m'expliquer, et c'est devenu beaucoup plus logique.

Je sais avec qui je veux aller à Prom, mais je ne sais pas si je peux. Je n'ai même pas encore avoué à mes amis qu'on sortait ensemble. Mais Aiden est ma personne préférée. Tout le monde rêve d'aller à Prom avec sa personne préférée. On pourrait y aller comme amies... mais ce serait comme demander à un ours de rester sagement assis sur un pot de miel.

Mon père m'appelle. Lui n'est jamais allé à Prom,

parce que ça n'existe pas en France. Les Français n'ont pas Prom, ils ont des râteaux.

get turned down

The Licorice Trick
Vendredi 17 avril

Aujourd'hui, c'était Clash Day. Il fallait s'habiller de la manière la plus disharmonieuse possible. Je portais des chaussures rouges, un short vert fluo avec des collants violets, et une veste de jogging grise immonde sur un tee-shirt rose très moche. J'ai fait preuve d'un excellent mauvais goût. Vaneck portait une cravate bleue à pois rouges avec un polo de golf, une veste de motard en cuir, un short de basket et des chaussures pointues vernies. Aiden a félicité Mr Brock d'avoir eu l'idée de mettre des chaussettes avec ses sandales, summum de la ringardise. Sauf que Mr Brock ne savait pas que c'était Clash Day.

Seuls Payas et Becca étaient bien habillés. Ils portaient un costume et un tailleur, parce qu'ils s'affrontaient dans un débat présidentiel, et on ne peut pas avoir l'air d'un clown quand on veut devenir le leader du monde libre.

Tous les ans pendant quelques semaines, une fausse

campagne est organisée entre deux *seniors*. Chaque candidat a une équipe constituée d'une dizaine d'élèves et de deux ou trois profs. Ils diffusent des vidéos, impriment des tracts, et recouvrent les murs d'affiches. Pendant le débat, ils ont tout abordé : politique intérieure, économie, emploi, santé… Mr Jackson faisait le modérateur, et il avait mis un nœud papillon aux couleurs du drapeau pour l'occasion.

Quand on est retournés en classe après le débat, on a voté sur nos MacBook, et à la fin de la journée, Becca a été élue présidente virtuelle. J'avais voté pour elle, même si elle était républicaine. Elle était juste trop forte. Quand Payas a parlé du gaz de schiste, Becca lui a demandé les chiffres exacts. Après avoir bafouillé, il a dit : « Donnez-les, vous, si vous les savez. » Et Becca les a donnés. *Ouch !*

Après l'école, je suis allée faire le guet devant une YMCA (pas la chanson, mais la chaîne de salles de sport) avec Aiden. JM nous avait dit que Katie Christy y prenait des cours de danse.

Le problème, c'est que quand elle est sortie, on a vu double. Depuis que le jeu a démarré, Katie et Emily s'habillent et se coiffent exactement de la même façon pour que personne ne sache qui est qui, et c'était impossible de les distinguer. Aiden avait sa catapulte prête derrière sa voiture, mais elles marchaient éloignées l'une de l'autre exprès, et si on visait la mauvaise sœur, on allait perdre notre effet de surprise.

Aiden voulait essayer quand même, mais je l'ai convaincue que ce n'était pas prudent. Je me sens un peu coupable, parce que je crois que j'avais surtout peur que ça énerve Katie, et qu'elle décide de dire encore plus fort à tout le monde qu'elle m'avait vue embrasser Aiden.

Au moment où on allait partir, un brouhaha s'est fait entendre derrière nous. Une petite foule s'était formée autour de Seemus, qui répondait aux questions d'un policier sur ses pistolets dorés. À quelques secondes près, il aurait assassiné Aiden, et on n'aurait rien vu venir. J'ai eu peur pour Seemus, parce qu'il a toujours un peu d'herbe dans les poches, mais il faut croire que la truffe du vieux chien que les policiers tenaient en laisse ne fonctionnait plus très bien.

Quand Aiden m'a déposée au Mordor, on a eu beaucoup de mal à se séparer. Chaque fois que j'allais ouvrir ma portière, nos bouches étaient attirées l'une par l'autre comme des aimants. Il paraît que quand on commence une relation, il y a une phase «lune de miel». Peut-être que quand on sort avec une fille, la phase lune de miel dure plus longtemps. Mon corps me fait des trucs bizarres depuis quelque temps. Comme s'il demandait à ma tête de bien vouloir le rapprocher de celui d'Aiden et de le laisser libre de découvrir plein de trucs, d'avance merci.

Mais il fallait bien que j'aille travailler. Pour entourlouper nos bouches, Aiden a avalé un bonbon à la réglisse.

Je déteste la réglisse. Si le diable existe, il en cultive tous les matins dans son jardin. Quand je me suis approchée d'Aiden pour l'embrasser, j'ai fait la grimace, et les petits bonhommes qui vivent dans ma tête ont dit un truc du genre : « C'est bon les gars, laissez tomber, la bouche est compromise, y'a de la réglisse. Je répète, y'a de la réglisse, *abort the mission.* »

Pendant ma pause au travail, j'ai reçu un texto mystérieux de Naomi. Je l'ai appelée pour essayer de comprendre, et pendant que je grignotais mes *potatoes,* elle m'a raconté ce qui lui était arrivé ce soir.

À 19 h 30, Mark sonnait à la porte de chez elle et lui offrait un paquet.

« Qu'est-ce que c'est ? » elle a demandé.

« Ouvre », il a répondu.

Imaginez l'excitation qui a empli la poitrine de Naomi, joyeusement surprise de voir son Mark venir jusque chez elle pour lui offrir un cadeau romantique. Et pendant qu'elle déballait le carton, *boom* ! Une bombe à eau lui est arrivée en plein visage.

Eugene est sorti de derrière la voiture de Mark. Naomi a compris, le cœur lourd, que son petit ami venait de la trahir.

Considérant que la faiblesse de Naomi était Mark, Eugene était allé le trouver à l'école et lui avait demandé son aide pour la tuer. En échange, il promettait de l'aider à assassiner sa cible. N'ayant plus que quelques jours pour tuer Joe Biglio avant d'être éliminé du jeu, Mark avait vendu son âme au diable (qui les collectionne sûrement dans des bocaux à côté de son potager plein de réglisse).

Naomi n'a même pas pris la peine de regarder ce qu'il y avait dans la boîte. Elle a tourné les talons, et elle a claqué la porte.

Mais Mark a parlé à Payas qui a parlé à Fang qui a parlé à Soupe qui a parlé à Sara qui m'a dit que dans la boîte, il y avait des chocolats, et un mot de Mark : « *I'm sorry.* »

J'étais vraiment triste pour Naomi. Ce n'est qu'un jeu, mais se faire manipuler par un garçon qu'on aime, c'est moche.

Le texto mystérieux qu'elle m'avait écrit, c'était ça :

How do you break up?
Comment tu fais pour rompre ?

Whispers
Vendredi 24 avril

Ce matin, tous les *seniors* ont pris le bus pour aller dans la forêt. La directrice nous a dit que le but de cette sortie était de renforcer encore un peu plus les liens qui nous unissent tous avant de quitter le lycée.

Mon groupe était mené par un animateur qui s'appelait Jesús. Pas « jésu » comme en français, ni « djizeus » comme en anglais, mais « réssousse ». Quand on s'est présentés, il m'a demandé si j'étais une briseuse de cœur.

« Carrément, je lui ai dit. Faut pas me regarder dans les yeux. »

Il s'est marré, et il nous a emmenés au premier atelier. C'était une toile d'araignée géante faite de cordes, accrochée entre deux arbres. Il y avait des trous à plusieurs endroits, plus ou moins grands. Certains en hauteur, d'autres près du sol. On avait dix minutes pour faire passer notre groupe de l'autre côté sans toucher la toile, et sans utiliser le même trou deux fois, sans quoi on réveillait l'araignée géante et elle venait nous dévorer.

On a pris deux minutes pour réfléchir ensemble, et puis on s'est mis à plusieurs pour se porter les uns les autres à l'horizontale et se faire passer à travers les trous dans la toile. C'était hyper dur de ne pas la toucher. Chaque fois que ça arrivait, Jesús disait que l'araignée nous attaquait, et il retirait quelque chose à celui qui l'avait touchée. Elodie s'est fait manger le bras droit, alors elle a dû le mettre sous son pull, et Jesús a mis un bandeau sur les yeux de Vaneck parce qu'il avait reçu un jet d'acide et était devenu aveugle.

Quand j'ai aidé les autres à porter Colleen, elle a fait

une tête bizarre, comme si elle venait de se rendre compte qu'elle avait avalé une limace. J'aurais juré qu'elle ne voulait pas que je la touche. Je ne pouvais pas m'écarter, sinon elle serait tombée par terre, mais je n'ai pas trop compris, parce qu'il y avait plein de garçons qui la touchaient aussi, et ça n'avait pas l'air de la déranger.

On a bien rigolé à la fin, quand Vaneck a demandé à Soupe où il était.

«Je suis là», Soupe a dit.

«Où ça, là?» Vaneck a répondu.

«Bah, ici.»

«Comment tu veux que je sache où c'est?»

Aucun des deux ne savait que l'autre avait les yeux bandés.

On a fait cinq ou six ateliers comme ça. Mon préféré a été quand il a fallu traverser une fausse rivière pleine de piranhas imaginaires. Il y avait des petits rondins de bois enfoncés dans le sol, et quelques planches qu'on pouvait utiliser stratégiquement pour passer d'un rondin à l'autre. Sauf qu'il n'y avait pas assez de planches pour tout le trajet. Il a fallu bien réfléchir pour enlever les planches sur lesquelles on venait de passer et les réutiliser ailleurs. On ne pouvait pas tous tenir sur les rondins, alors on était parfois six en équilibre sur une planche, collés, à attendre que le reste de l'équipe installe la planche suivante.

Je me suis retrouvée écrasée entre Colleen et Emily,

et cette fois, toutes les deux avaient l'air d'avoir avalé une limace. Je ne suis pas trop du genre à chercher la confrontation, mais là ça commençait à m'énerver. Je leur ai carrément posé la question :

« Un problème ? j'ai demandé. J'ai mauvaise haleine ou quoi ? »

Elles ont fait comme si elles n'avaient pas entendu, et elles ont attendu la fin de l'épreuve pour se chuchoter des trucs à l'oreille. Je ne crois pas que j'avais mauvaise haleine, parce que je mâchais un chewing-gum à la menthe. Je crois juste que Grace leur a parlé de moi et Aiden, et qu'elles sont complètement débiles.

Dans le bus pour rentrer, j'ai raconté à Aiden ce qui s'était passé. Elle m'a dit de ne pas faire attention. Dans son ancienne école, elle a eu l'impression que des filles avaient avalé des limaces des tas de fois, et maintenant ça ne lui fait plus rien. Elle a attrapé l'abeille *zombee* accrochée à son sac à dos et lui a fait faire un bisou sur ma joue.

Quand on est entrés sur le campus, mon cœur a fait un bond. Ben était là, debout, en plein milieu du *quad*. Derrière lui, il y avait un grand panneau en bois sur lequel il avait écrit, en français :

« *S'il vous plaît… viens à Prom avec moi.* »

Tout le monde s'est arrêté de marcher et s'est tourné vers moi. Les *freshmen* et les *sophomores* qui revenaient de leur journée à la plage, les *juniors* qui sortaient de la bibliothèque… Même la directrice était là, devant le bâtiment des lettres, avec ma mère, et toutes les deux souriaient en regardant Ben, et puis moi. La directrice avait autorisé Ben à venir à Prom ? Et à venir sur le campus pour me faire un *promposal* ? Ça ne m'étonnait qu'à moitié. Elle avait toujours pensé que Ben et moi étions un symbole de l'école.

Certains ont sorti leur téléphone pour prendre des photos. D'autres ont commencé à murmurer. J'ai senti quelqu'un me pousser doucement dans le dos. C'était Vaneck. Il souriait.

Les yeux humides, j'ai regardé Aiden à côté de moi. Ses yeux ont glissé vers le sol.

Poussée par Vaneck et Soupe, et peut-être aussi par la pression de la foule, j'ai commencé à marcher. Quand je suis arrivée devant Ben, il m'a embrassée sur la bouche. J'ai entendu des sifflets et des applaudissements derrière moi.

Je me suis approchée de Ben, et j'ai chuchoté quelque chose à son oreille.

Je me suis retournée. Aiden n'était plus là.

Wet

Dimanche 26 avril

Vendredi, après le *promposal* de Ben, j'ai cherché Aiden partout sur le campus, mais elle était partie. Je lui ai envoyé deux textos pendant la soirée. Elle ne m'a pas répondu. Je ne pouvais rien faire de plus. On sait tous que le harcèlement commence à trois textos.

Le lendemain, je travaillais toute la journée. J'ai fait semblant d'aller aux toilettes au moins vingt fois pour vérifier mon téléphone dans mon casier. Attendre un texto, espérer, et trouver un écran vide, c'est horrible. Chaque fois, j'ai l'impression que les petits bonhommes qui vivent dans ma tête ont une corde à la main et demandent comment ça se passe pour faire un nœud coulant.

En fin d'après-midi, je suis rentrée chez moi pour me changer et me coiffer, et j'ai attendu que Vaneck passe me chercher. Ça faisait des semaines que Sara préparait une *surprise party* pour son anniversaire. Elle avait tout prévu. Y compris offrir un week-end à ses parents dans un spa pour être sûre d'avoir quartier libre et organiser la fête chez elle. C'est moi qui étais chargée d'amener Vaneck. Je lui avais dit qu'on allait au cinéma, et qu'on devait passer prendre Sara.

Le nombre de personnes qui étaient là pour crier

« *Surprise !* » était incroyable. Sérieusement, il devait y avoir les trois quarts des *seniors* du lycée, et au moins la moitié des *juniors*. Sara avait même invité des gens qu'elle n'aime pas. J'ai trouvé ça fort. En plus, elle avait réussi à convaincre tout le monde de garder le secret. Dans une école comme la nôtre, ça tenait vraiment de l'exploit.

Il faisait un temps magnifique, comme si l'été était déjà là. La fête s'est répartie entre le grand jardin de Sara, où il y avait plusieurs barbecues, et le salon, la cuisine, le sous-sol, et au fur et à mesure que la soirée avançait et que les gens buvaient, les chambres à l'étage ont commencé à être occupées aussi.

J'étais heureuse pour Vaneck, mais toujours contrariée de n'avoir pas pu parler à Aiden. En plus, Ben était là, ce qui n'arrangeait rien. Il voulait discuter de son *promposal*, de ce que je lui avais dit à l'oreille, et moi je n'en avais pas envie.

Le soleil se couchait, et je partageais une brochette de légumes avec Soupe, lorsqu'un petit groupe bruyant est arrivé avec des cadeaux plein les mains. Haley, Becca, Lee, Simon, Henry, et Aiden. Ils sont allés faire un *hug* géant à Vaneck pour lui souhaiter un bon anniversaire.

Quand Aiden s'est retournée, nos regards se sont croisés. J'espérais qu'elle allait venir me parler, mais elle a fait un petit sourire triste, et elle a rejoint les autres à l'intérieur. Ma petite boule dans le ventre a ressuscité. Depuis des semaines, j'avais imaginé que je viendrais à cette fête avec elle. Que d'ici là, j'aurais trouvé le moyen de dire à tout le monde qu'on était ensemble. Ça aurait dû être notre première soirée en public.

Soupe a bien vu que ça n'allait pas, et avant qu'il ne commence à me poser des questions, je lui ai dit que je devais aller aux toilettes.

J'avais peur d'entrer dans la maison et d'aller voir Aiden, mais j'ai trouvé le courage de le faire en me disant qu'un bus pouvait me renverser la prochaine fois que je faisais du vélo, et que si ça arrivait, je n'avais pas envie de mourir avec des regrets plein les poches.

J'ai trouvé Aiden dans la cuisine. Elle aidait Sara à découper des parts de gâteau.

« Je peux te parler ? » j'ai demandé.

Elle a tendu son couteau à Henry pour qu'il la remplace et elle m'a suivie dans le salon. Il y avait déjà quelques personnes, mais vu le contexte, monter dans une chambre pour être tranquilles me semblait être une mauvaise idée. Alors j'ai chuchoté.

« Pourquoi tu n'as pas répondu à mes textos ? »

« Pardon. Je n'avais pas envie de parler. »

« Tu aurais dû me laisser m'expliquer. »

Elle a retiré ses lunettes, et elle a commencé à en nettoyer les verres avec le bas de son tee-shirt. Aiden fait souvent ça quand elle est contrariée.

Voir un bout de son ventre, son nombril, cette peau

qui avait l'air si douce, ça m'a donné envie de déposer des milliers de baisers dessus. Je ne sais pas de quoi sera fait l'avenir, mais à l'heure où j'écris ces lignes, c'est le seul ventre au monde qui me donne envie de faire ça.

«Je n'ai pas osé repousser Ben quand il m'a embrassée, j'ai chuchoté. Toute l'école nous regardait… je sais que j'aurais dû. C'est de ma faute. Mais tout de suite après, je lui ai dit que je ne pouvais pas.»

Elle a remis ses lunettes, et elle s'est mise à faire tourner son piercing entre ses doigts. Je lui ai expliqué que ça avait été super dur pour moi aussi, que j'avais réalisé tout de suite que j'allais devoir faire du mal à Ben, que je tenais à lui, et que c'était pour ça que j'avais pleuré.

«Je suis désolée, j'ai dit. Je fais tout de travers…»

Sans m'en rendre compte, j'avais rapproché mon visage du sien. Je me suis arrêtée de parler, parce que Aiden regardait derrière moi. Je me suis retournée. Le salon s'était rempli, et tout le monde nous observait.

«Alors? Katie a lancé. Je vous avais dit qu'elle était lesbienne.»

Sara s'est avancée. «Laisse-les tranquilles. Elles sont juste amies.»

À partir de là, j'étais dans une *lose-lose situation*. Si je disais le contraire, je blessais Sara. Si je ne disais rien, je blessais Aiden. Sauf que je venais déjà de blesser Aiden la veille, et je n'avais aucune envie de la perdre en recommençant.

« Non, j'ai dit. On n'est pas juste amies. » J'ai essayé d'ignorer le sourire sur le visage de Katie. « *We're together.* »

La minute qui a suivi a été la plus longue de ma vie. D'abord j'ai vu Ben. Je venais de lui briser le cœur. Ensuite, Soupe et Vaneck. Je les avais déçus. JM a baissé la tête, gêné. Et puis Sara. Affronter son regard, c'était glacial.

Elle est partie dans le jardin. Vaneck est allé la retrouver. Soupe a dit à tout le monde de circuler, qu'il n'y avait rien à voir, et la fête a repris son cours. Il est venu poser sa main sur mon épaule. Il m'a dit que ça s'arrangerait, et que lui et Vaneck parleraient à Sara. Qu'ils ne m'en voulaient pas.

Je me suis tournée vers Aiden. Elle avait l'air triste.

« *I'm so sorry* », elle a murmuré.

« *It's not your fault.* »

« *Come with me.* »

Elle m'a prise par la main et m'a emmenée dehors. Sur la terrasse, elle a attrapé une petite bouteille d'eau et m'a guidée à travers la foule jusqu'aux barbecues. Si la curiosité est un vilain défaut, les yeux des gens étaient très vilains, parce qu'on était l'attraction de la soirée.

« Quoi de neuf, mesdemoiselles ? » Seemus a lancé quand Aiden s'est arrêtée devant lui. Elle a ouvert la bouteille d'eau et l'a vidée sur sa propre tête.

« Qu'est-ce que tu fais ? » j'ai demandé.

« Je me suicide, Aiden a dit. Seemus, je suis morte. Ma cible était Katie Christy. Elle est à toi. »

«*Awesome*, Seemus a répondu. Je vais l'atomiser.»

Je suis rentrée en trottinant chez Sara, et je suis revenue avec une serviette trouvée dans un placard. Je n'ai pas laissé Aiden la prendre. Je lui ai essuyé moi-même les cheveux.

«Pourquoi tu as fait ça?» j'ai demandé.

«Je suis nulle à ce jeu. Katie allait arriver dans les finalistes à cause de moi.»

«Mais pas avec Seemus.»

«Pas avec Seemus», elle a dit en souriant.

Elle était rigolote, avec sa serviette sur la tête, et les gouttes qui descendaient encore le long des verres de ses lunettes. Je l'ai embrassée sur la joue. Cette joue douce et fraîche qui sentait le bébé.

«*Thank you*», j'ai dit.

Je me suis collée contre elle. Elle était encore mouillée, mais je m'en fichais. C'est comme ça qu'on sait qu'on a rencontré une personne importante. Quand on a envie de se coller contre elle, même quand elle est mouillée.

MAY

Silent Treatment

Vendredi 1er mai

Sara ne me parle plus depuis une semaine. Ça s'appelle *silent treatment*. Le fait qu'on ait une expression pour ça en dit long sur notre culture. D'après mon père, quand il avait mon âge en France, lui et ses amis se « disaient les choses ». Ici on préfère le *silent treatment*.

Pendant la *surprise party* de Vaneck samedi, je suis allée voir Sara pour m'expliquer, mais elle a refusé de me parler. Soupe dit qu'il faut lui laisser du temps. Du coup à l'école, depuis lundi, je déjeune avec lui, et Sara avec Vaneck. On est comme un couple divorcé, et on a chacune la garde d'un enfant. Dommage qu'il n'y ait pas une mouffette rayée sur le campus pour pisser sur Soupe et régler tous nos problèmes.

Lundi a marqué le retour à l'uniforme d'été. Adieu collants, adieu chemisiers qui grattent, et vive la liberté, les jambes nues et les polos.

Mardi, j'ai apporté un panier de muffins à Liz, la secrétaire de la directrice, et je lui ai demandé si *please please please* elle pouvait me donner le numéro de téléphone des parents d'Aiden. J'en avais besoin pour élaborer mon *promposal* en secret. Après avoir humé l'odeur exquise de mes muffins à la fleur d'oranger, elle n'avait plus le choix : elle m'a donné le numéro en me disant de ne le répéter à personne. Il y avait une bible sur son bureau, alors j'ai posé la main dessus, et j'ai promis.

Mercredi après l'école, il y avait une réunion pour s'inscrire au tournoi de beach-volley qui aura lieu pendant Senior Week. La semaine après la remise des diplômes, tous les *seniors* louent des maisons sur la plage pendant une semaine. Elles sont réservées depuis le mois d'octobre. À l'époque, tout le monde ne parlait que de ça, et il y avait plein d'histoires pour savoir qui allait habiter avec qui. Moi je me suis mise avec Soupe, Vaneck, Sara, Vince, Seemus, Tyler, James, Naomi, et récemment tout le monde a accepté qu'Aiden vienne aussi, mais seulement si elle ne prenait pas une chambre supplémentaire. Je serai donc obligée de dormir avec elle, quelle terrible nouvelle !

L'alcool coule à flots pendant Senior Week. Les profs font semblant de ne pas le savoir, mais c'est un secret de Polichinelle. Il y a même un bus qui tourne en ville tous les soirs pour ramasser ceux qui sont ivres et les ramener dans leur maison. Les générations précédentes ont inventé un nom pour chaque jour de la semaine : Margarita

Monday, Tequila Tuesday, Wine Wednesday, Thirsty Thursday, Fucked Up Friday, et Sangria Saturday.

Hier soir, ma tante Gwen est venue dîner à la maison. Je l'adore. Elle a toujours plein d'histoires hippies à raconter, elle est super belle (elle ressemble à ma mère en blonde), et elle jongle tout le temps avec plein d'hommes trop *hot*. Quand j'étais petite et que je jouais dans ma chambre, je prétendais que j'étais elle et que j'avais cinq maris : Mike, Theodore, Calvin, Neil et Paolo (il était italien, et jaloux de mes autres maris).

« La semaine prochaine, je vais faire mon *promposal* à Aiden », j'ai annoncé pendant le dîner.

Mon père a levé un sourcil, comme la fois où je lui ai dit que j'avais aimé un livre de Marc Levy. (Quand j'aime bien Hugo ou Hemingway, il me fait un clin d'œil.)

« Et Ben ? il a demandé. Ta mère m'a dit que tu y allais avec lui. »

« Non, j'ai répondu. Je veux y aller avec Aiden. »

« C'est bien aussi d'y aller avec une amie, ma chérie », ma mère a dit.

« Aiden n'est pas mon amie, j'ai dit. *She's my girlfriend.* »

Ma mère a cligné des yeux plusieurs fois, comme un robot qui bugge, et puis elle s'est tournée vers mon père, qui l'a regardée aussi, perplexe.

« Pourquoi c'est la première fois que j'entends parler de ça ? ma tante Gwen s'est exclamée. Ça fait combien de temps ? »

«Un mois et demi», j'ai dit fièrement.

« Good for you ! »

Ma mère a continué de manger son gratin de chou-fleur à la béchamel au sarrasin sans rien dire, l'air préoccupé. Mon père s'est gratté la tête. J'ai commencé à avoir peur qu'eux aussi me fassent le coup du *silent treatment*. Entre eux et Sara, je ne sais pas si j'aurais survécu à toute cette isolation psychologique. Il paraît qu'on est des êtres sociaux et qu'on peut mourir si on n'a pas assez de contact avec les autres.

Heureusement, quand le dessert est arrivé, je me suis rappelé pourquoi j'aime autant mes parents.

«On ira vous trouver deux belles robes la semaine prochaine», ma mère a dit en posant le cheesecake au milieu de la table. Mon père m'a fait un clin d'œil.

Star Wars Day
Lundi 4 mai

Avant, je pensais qu'il y avait des bonnes et des mauvaises journées. J'ai changé d'avis. Il y a des journées qu'on réussit, et d'autres qu'on rate. Évidemment, si un individu de type psychopathe décide de crocheter la serrure de chez vous et de placer un oreiller sur votre visage pendant que vous faites la sieste, vous avez moins de chances de réussir votre journée. Mais il faut faire de son mieux.

Aujourd'hui avait commencé comme une journée typique. Café avec Soupe et Vaneck, *pop quiz* de littérature, exposé d'histoire, déjeuner avec Aiden et bisou rapide, cachées derrière notre écran de MacBook, temps libre à la bibliothèque, conversation dans les couloirs avec le Klup pour lui donner mon avis sur son choix fantasque de se laisser pousser un bouc, et une moitié de cours de biologie où je ne comprends rien et une autre où James m'explique.

Ensuite, mon père est venu me chercher pour me ramener à la maison. Je me suis changée, et puis j'ai enfilé un costume de Chewbacca. Pour ceux qui n'ont aucun gène geek dans leur ADN, il s'agit d'un wookiee (une sorte de yéti marron ultra-poilu). C'est Anna, la sœur de Sara qui travaille à Broadway, qui avait utilisé son carnet d'adresses pour me faire livrer un costume à ma taille.

Si je le voulais absolument, c'est parce que c'est le personnage préféré d'Aiden, et qu'aujourd'hui, c'était Star Wars Day. Aiden m'en parlait depuis des semaines. Dans *Star Wars*, ils disent « *May the Force be with you.* » Aujourd'hui, c'était le 4 mai, *May the 4th*. Du coup les fans disent « *May the Fourth be with you* », et le 4 mai est le jour officiel de l'épopée galactique.

C'est donc affublée d'un costume de wookiee que je suis arrivée à la gare pour le train de 16 h 18 à destination de New York. Il y a quinze jours, Aiden m'a demandé de l'accompagner à un concert qu'elle va donner avec son groupe là-bas. Officiellement, je ne pouvais pas venir, mais officieusement, je voulais lui faire la surprise. La semaine dernière, j'ai appelé ses parents pour savoir quel train elle prenait, et quel siège elle avait.

Quand je suis arrivée dans le wagon, Aiden était assise près de la fenêtre et dessinait sur un carnet à croquis. Je ne voyais pas bien à travers mon masque poilu, mais je crois qu'elle a failli avoir une crise cardiaque en apercevant son personnage préféré, surtout quand je me suis assise à côté d'elle. Elle s'est mise à rire, elle a dit que j'étais *awesome*, et qu'elle adorait *Star Wars*. Évidemment, elle ne savait pas que c'était moi. J'ai juste hoché la tête. On s'est saluées comme deux inconnues, et Aiden s'est remise à dessiner, le sourire jusqu'aux oreilles.

Discrètement, j'ai regardé ce qu'elle gribouillait : moi ! En uniforme, avec le même polo que j'avais porté aujourd'hui à l'école. Ce coup-ci, c'est moi qui me suis mise à sourire.

Patiemment, j'ai attendu qu'elle finisse. Lorsqu'elle a tourné la page, j'ai posé ma main poilue sur son carnet, et j'ai montré son crayon gris. Hésitante, elle l'a posé dans ma grosse main. J'ai pris le carnet de croquis sur mes genoux, et j'ai essayé de tenir le crayon gris entre mes doigts. C'était super dur, mais il s'agissait de ne pas tout faire foirer maintenant.

Les yeux d'Aiden braqués sur la page, j'ai dessiné une bulle qui partait de ma bouche, et j'ai écrit à l'intérieur :

« *Will you go to Prom with me ?* »

Hébétée, elle a regardé le dessin, puis moi, puis encore le dessin. J'ai retiré mon masque.

« *Oh my God !* » elle s'est écriée.

« *Happy Star Wars Day* », j'ai dit.

Elle s'est jetée sur moi, et elle m'a embrassée à pleine bouche. J'ai éclaté de rire, et je me suis cassé la figure dans l'allée centrale. Aiden m'est tombée dessus, et on a continué de s'embrasser en riant, et les gens qui revenaient des toilettes ont dû attendre que cette scène étrange entre deux filles (dont une très poilue) prenne fin avant de pouvoir retourner à leur place.

On a passé la soirée à New York. Pour le concert, j'ai revu Franklin, Charlie, et Lucy. Ça, c'était un peu *awkward*. Elle est toujours amoureuse d'Aiden, ça crève les yeux. Je ne crois pas qu'elle me déteste, mais on ne passera pas nos vacances ensemble.

Après le concert, on a marché dans Manhattan, et Aiden m'a emmenée dans le quartier *gay*. On se tenait la main. On voyait plein d'autres couples de filles. Je n'avais plus peur de rien. C'était le bonheur.

Ensuite, on a repris le train pour rentrer chez nous. J'avais réussi ma journée.

Chang Drama
Mercredi 6 mai

Lundi matin, James était contrarié. Il s'était fait engueuler par son père parce qu'il n'est pas assez sociable. Quand je pense à son père qui l'engueule, je les imagine en personnages de BD, avec plein de caractères chinois et de points d'exclamation dans les bulles. Mais ce n'était pas l'engueulade qui avait contrarié James. Son père lui avait dit qu'il devait aller à Prom. Il avait jusqu'à la fin de la semaine pour inviter une fille, sinon il n'avait pas le droit d'aller à la dernière compétition de robotique de l'année. J'ai trouvé ça marrant, mais James était un peu paniqué.

Ce midi, il est venu me voir pendant le déjeuner, et il m'a demandé de l'aider à parler à notre prof de biologie. Il voulait faire son *promposal* pendant le cours, et il avait besoin de sa complicité. Il pensait que la prof avait « mille fois plus de chances d'accepter » si je l'aidais à lui parler. James est plus fort en sciences qu'en persuasion de prof. Je lui ai dit de s'asseoir avec Aiden et moi, et qu'on irait après le déjeuner.

Il avait déjà mangé, mais il est parti se resservir deux assiettes de *chicken wings*, des frites, et trois parts de pizza. Je ne sais pas comment il fait pour caser tout ça dans un si petit corps. Les petits bonhommes qui vivent dans son ventre doivent être en panique à chaque fois qu'il remet ça, et grommeler à ceux qui ont pris leur après-midi qu'il vaudrait mieux qu'ils reviennent au bureau.

« À qui tu vas faire ton *promposal* ? » j'ai demandé.

J'ai dû donner un dollar à Aiden, parce que j'avais parlé la bouche pleine. Je lui donne un dollar quand je parle la bouche pleine, et elle me donne un dollar quand elle fait une référence à *Star Wars* que je ne comprends pas. Jusqu'ici, je lui ai donné cinq dollars, et elle trois.

« Raylin », James a dit.

« Pourquoi pas Naomi ? Elle est libre, maintenant. »

Il a haussé les épaules. J'ai regardé Aiden. Elle a haussé les épaules. À croire que c'est contagieux, parce que j'ai fait pareil.

« Avec qui tu y vas, toi ? » James m'a demandé.

Je ne voulais pas parler la bouche pleine, ni m'arrêter de manger ma délicieuse tarte aux oignons, alors j'ai montré Aiden avec ma fourchette. James n'écoute pas les rumeurs, et il ne va pas aux fêtes. Il n'était pas au courant qu'on sortait ensemble.

« Oh, il a fait. *Cool.* »

« Puce m'a montré tes robots sur le blog de l'école, Aiden a dit. Ils sont terribles. Surtout celui qui ressemble à R2-D2. »

James a toujours l'air un peu endormi. Mais là, c'était comme s'il venait de se prendre une grande claque dans la figure. Tous les deux sont partis dans une discussion sans fin sur les droïdes de *Star Wars*, puis sur leurs mangas préférés et les films de Miyazaki, et moi je n'ai plus eu l'occasion de parler la bouche pleine une seule fois.

Après le repas, j'ai accompagné James jusqu'au bâtiment des sciences. On a convaincu la prof de biologie de l'aider à rendre Mr Chang fier de son fils. C'était beaucoup plus facile qu'on ne l'avait imaginé. Dès qu'elle a su que James voulait inviter une fille à Prom, elle a accepté. Elle a dit que c'est le genre d'événement qui n'arrive pas tous les jours dans la vie d'un homme. Ça n'a pas du tout aidé James à se détendre.

Trois heures plus tard, pendant la classe, il a fait mine d'aller aux toilettes et est parti préparer son *promposal* dans le bureau de la prof. Quand j'ai reçu son mail qui disait « *Ready !* », j'ai fait signe à la prof.

« Raylin, elle a dit. J'ai oublié des photocopies sur mon bureau, tu veux bien être une *darling* et aller les chercher ? »

« *Sure* », Raylin a répondu.

Quand elle est revenue cinq minutes plus tard, elle avait un bouquet de fleurs et une boîte de chocolats dans les mains, et un grand sourire sur le visage. J'étais verte de ne pas avoir pu assister au *promposal*, mais James m'a tout raconté.

Raylin l'a trouvé assis en tailleur sur le bureau, avec une chemise blanche et une cravate rouge, un bouquet de fleurs et une boîte de chocolats entre les mains, et puis une grande pancarte accrochée au mur, sur laquelle était écrit PROM ? avec des diodes électroluminescentes.

Évidemment, Raylin a dit oui. Je ne connais pas une fille normalement constituée qui dirait non à un garçon qui a passé sa soirée à souder des diodes électroluminescentes pour elle.

Elle a beau dire le contraire à chaque fois que je lui parle de James, je crois qu'il y a une autre fille qui aurait aimé être à la place de Raylin. J'ai eu pitié de Naomi quand Raylin est revenue avec les fleurs et que tout le monde a applaudi. Il y a des émotions qu'on peut dissimuler, et d'autres qui transforment notre visage. Naomi était terriblement jalouse.

Après la classe, je l'ai rattrapée dans le couloir, et je lui ai demandé si ça allait. Elle a fait comme si elle ne savait pas de quoi je parlais. J'ai trouvé ça dur, parce que si elle ne m'en parle pas à moi, à qui elle va en parler ?

Eugene vs Seemus
Samedi 9 mai

Il y a huit mois, on m'expliquait comment mettre des cornichons sur des tranches de pain, et j'avais envie de hurler. Aujourd'hui, on a fait une bataille de cornichons, et je ne m'étais jamais autant amusée de ma vie.

C'était mon dernier jour au Mordor. La bataille de cornichons est une tradition. Ce qui n'était pas une tradition, c'était qu'une vieille dame en reçoive un sur le front. Quand c'est arrivé (c'était ma faute), j'ai poussé un petit cri et j'ai regardé Chandra, paniquée.

Il y a huit mois, elle m'aurait hurlé dessus et ordonné d'aller nettoyer les toilettes. Mais les choses ont changé. Les relations au travail, c'est comme des chaussures neuves. Au début elles sont rigides, elles font un peu mal, et puis quelques mois plus tard, vous avez vécu plein de choses ensemble, elles se sont faites à vous, et vous vous êtes fait à elles.

Avec le temps, des nouveaux sont arrivés, et l'amertume de Chandra s'est reportée sur eux. Les anciens comme moi sont devenus ses complices. Elle criait sur les nouveaux, et nous on rigolait. Il n'y a pas à se sentir coupable, c'est la règle du jeu. Les nouveaux d'aujourd'hui sont les anciens de demain, et ils feront la même chose.

Quand j'ai touché la vieille dame en essayant d'atteindre Vaneck, Chandra est allée s'excuser et lui a offert un repas gratuit. Elle m'a fait une tape dans le dos et m'a dit de retourner en cuisine, «*you idiot*». Quand je l'ai rencontrée, son «*idiot*» était glacial, presque haineux. Là, elle l'a dit en souriant. C'était la première fois de ma vie qu'une insulte m'émeuv... m'émouv... me rendait émue.

Après avoir reçu mon cadeau de départ (un tablier signé par tout le monde), j'ai rejoint les copains du lycée pour le grand événement du week-end : la finale d'Assassins entre Eugene et Seemus. Plutôt que de les laisser s'entre-tuer au pistolet à eau, on avait décidé d'organiser un dénouement qui marquerait l'histoire du jeu pour les générations futures. Payas et Fang avaient mis au point trois défis, et le premier à en réussir deux accéderait à la gloire, et accessoirement, aux cinq mille dollars.

Sur la route vers le premier défi, on aurait dit un convoi pour un mariage. Tous les *seniors* étaient là. Certains klaxonnaient, d'autres aboyaient par leur vitre ouverte pour faire sursauter les passants. C'est ça aussi, la séniorite.

On s'est arrêtés sur le parking de Walmart. Pour remporter le défi, il fallait être le premier à ressortir du magasin avec quatre articles :

1. un épluche-légumes
2. une bougie parfumée à la vanille
3. une canette de Dr Pepper fraîche
4. un tee-shirt XXXXL de couleur bleue

Eugene et Seemus devaient payer le montant exact, et seulement avec des *pennies*. Tom et Tyler leur ont remis un gros sac rempli de pièces à chacun, et ils se sont postés devant les caisses pour vérifier que tout se passait selon les règles.

Seemus voulait faire fumer Eugene, parce que c'était une épreuve qui demandait de la vivacité, et il se sentait désavantagé. Eugene a accepté, alors les garçons l'ont mis dans une voiture, et pour la première fois de sa vie, il a fumé un joint. On m'a dit qu'il avait beaucoup toussé. Le problème, c'est que contrairement à Seemus, Eugene n'a pas l'habitude d'être *high*. Il est sorti de la voiture à quatre pattes, et il a demandé si on savait que Pluton n'était plus une planète. Maintenant, Eugene était dés-avantagé. Heureusement, Seemus a accepté de fumer un autre joint pour être encore plus *high* et équilibrer les choses. À son tour, il est entré dans la voiture, et il a fumé pendant que d'autres faisaient le guet.

Ensuite, Fang et Payas ont donné le départ, et Seemus et Eugene se sont précipités à l'intérieur du magasin. Enfin, je pense qu'ils avaient l'impression de se précipi-ter, mais nous on voyait deux garçons assez lents qui bougeaient beaucoup les bras mais qui n'avançaient pas très vite.

On a attendu en papotant, adossés aux voitures. Cer-tains qui ne conduisaient pas avaient mis de la bière dans des bouteilles de jus de pomme. Moi je grignotais des Cheetos Crunchy. J'ai tendu le paquet à Sara, mais elle m'a ignorée. Je lui ai dit qu'elle n'était qu'un gros bébé. Curieusement, ça n'a rien arrangé.

Seemus est sorti le premier. Il a couru vers Payas pour lui montrer ses quatre articles.

«Hmm… épluche-légumes, *check*. (Il a senti la bougie.) Bougie parfumée à la vanille, *check*. (Il a pris la canette dans sa main.) Canette de Dr Pepper fraîche, *check*. Et le tee-shirt? (Il a regardé l'étiquette.) Refusé!»

«*What?!!*» Seemus s'est exclamé.

«C'est un triple XL.»

Seemus dit toujours qu'il a besoin de ses lunettes quand il est *high*. Mais aujourd'hui, il était tellement *high* qu'il avait oublié de mettre ses lunettes. Avant qu'il ne puisse aller échanger son tee-shirt, Eugene est arrivé, et Fang a validé tous ses articles. Eugene: 1, Seemus: 0.

Pour le deuxième défi, on a conduit jusqu'au seul endroit qu'on connaissait où il y avait deux *liquor stores* l'un en face de l'autre. Chacun devait ressortir d'un magasin avec une bouteille d'alcool, sans utiliser de fausse carte d'identité.

D'abord, Seemus a demandé à un vieil homme de l'accompagner à l'intérieur.

«Je te couvrirai d'or», il a dit. (Il avait adoré *Astérix et Obélix: Mission Cléopâtre* qu'ils avaient regardé avant Noël en cours de français.)

Mais l'homme a refusé, et Seemus a crié qu'il le jetterait aux crocodiles. Quand il s'est retourné, Eugene avait disparu.

«Il est où?!» Seemus s'est exclamé.

Pendant que Seemus discutait avec le passant, Eugene

avait embauché Grace pour faire du charme au vendeur de son magasin pour qu'il puisse voler une bouteille en douce. Il lui avait promis dix pour cent de ses gains s'il était vainqueur.

Quand il a su ça, Seemus a demandé à JM de faire comme s'il avait une crise d'épilepsie à l'intérieur de son magasin. Il lui a offert trois pour cent de ses gains, mais JM lui a dit d'aller sauter dans un lac et si possible avec des gros cailloux plein les poches, du coup Seemus s'est aligné sur l'offre d'Eugene en grommelant, et tous les deux ont disparu dans l'autre *liquor store*.

On n'arrêtait pas de traverser la rue, passant d'un magasin à l'autre pour essayer de voir par les vitrines. Au final, l'épilepsie a pris l'avantage sur le charme, parce que Grace a laissé le vieux vendeur de marbre, et il a sorti son fusil quand il a vu Eugene essayer de filer avec une bouteille. Eugene a préféré la reposer. Pendant ce temps-là, JM et sa crise d'épilepsie ont affolé la vendeuse du magasin de Seemus, qui a réussi à s'emparer d'une bouteille de whisky et à sortir sans être vu. Eugene : 1, Seemus : 1.

Quand la vendeuse a dit qu'elle allait appeler le 911, JM s'est rétabli vachement vite. Grace était vexée. Selon elle, le vendeur était *totally gay*, sinon il n'aurait jamais pu lui résister comme ça.

« Un peu de whisky ? » Seemus a proposé pour la réconforter.

On a attendu qu'il finisse sa danse de la victoire, puis Fang a annoncé le dernier défi. C'était de loin le plus difficile : mettre en ligne l'enregistrement vidéo d'un prof de l'école disant le *F-Word*.

Seemus s'est mis à caresser le duvet qui lui sert de moustache, et Eugene a commencé à faire les cent pas. On a tous réfléchi pour savoir ce qu'on aurait fait à leur place.

Là, il m'est arrivé un truc qui ne m'arrive jamais : j'ai eu une idée de génie. Techniquement, je ne pouvais pas aider Eugene, alors je me suis discrètement approchée de lui, et je lui ai dit :

« Tu te souviens il y a deux mois, quand je suis venue te voir pendant que tu sculptais ? »

« Pas maintenant, *Capoutchine*. »

« Tu t'en souviens ? »

« Oui. Mais là je suis en finale d'Assassins et ce n'est pas le moment de… »

« Tu te souviens de *tout* ce que je t'ai dit ce jour-là ? »

« Qu'est-ce que… »

Il s'est arrêté de marcher. Soudain, son visage s'est illuminé, et il a sauté sur Tyler pour lui demander de le conduire.

Une heure plus tard, pendant que Seemus se faisait enguirlander par la directrice pour avoir osé venir chez elle un samedi après-midi pour lui demander « le pire mot qu'elle connaissait », Eugene mettait en ligne une vidéo filmée par Tyler avec son téléphone. On s'est tous réunis autour de l'iPad de Payas, et on a regardé l'échange entre Eugene… et ma mère.

« Bonjour madame. »

« Qu'est-ce que tu fais là, Eugene ? »

« J'avais une question pour mon cours de français. »

« Pffff. Dépêche-toi, ou je te donne un point. »

« *How do you say 'seal' in French ?* »

« Phoque. »

Et c'est comme ça qu'Eugene a gagné Assassins.

The Wish

Mercredi 13 mai

J'ai décidé d'aller à Columbia. Ça va coûter cher, mais il paraît qu'une bonne éducation n'a pas de prix. Bon, en fait, ça a carrément un prix : deux cent quarante mille dollars. Mais mes parents m'ont dit qu'ils allaient m'aider, et qu'ils ne m'avaient pas fait de petit frère ou de petite sœur exprès pour garder tout leur argent pour moi. Quelque part, j'ai sacrifié mon enfance, je l'ai passée dans la solitude, ce serait quand même idiot de ne pas en profiter maintenant.

Sara et Soupe ont été acceptés à l'Université du Delaware, et Vaneck à l'Université de New York. Je serai dans la même ville que Vaneck, et à deux heures de Sara et Soupe. Je savais bien que je pouvais compter sur l'esprit qui vit sous la cloche fissurée du vieux Varsovie. C'était mon vœu, quand j'avais dû tourner autour à cloche-pied : ne pas être séparée de mes amis l'année prochaine.

Le problème, c'est qu'à l'époque, je n'avais pas encore compris que j'étais amoureuse d'Aiden, et je n'ai pas pensé demander à l'esprit de ne pas me séparer d'elle. Aujourd'hui, elle a été acceptée dans une école en Californie. J'ai pris sur moi pour la féliciter, mais entre nous, j'ai vraiment peur qu'elle y aille. Je suis une amie heureuse, et une amoureuse triste.

La question qui me brûle les lèvres, c'était quelle école elle choisira si elle est aussi prise à New York. Je n'ai pas osé lui demander. J'avais trop peur de sa réponse. Depuis que je suis au lycée, j'ai toujours entendu dire qu'aucun couple de diplômés n'avait survécu à une relation longue distance.

Je retournerais bien en Pologne pour faire un nouveau vœu, mais l'esprit trouverait que j'abuse un peu. Il doit avoir des règles, du genre ne pas exaucer plus d'un vœu par personne et par an.

Qu'est-ce que je peux faire ? Je ne peux pas prier. Après tout ce que j'ai dit sur lui, Dieu me demanderait si je me moque de lui. Je vais éviter les chats noirs, les échelles et les miroirs, et je vais rester à l'affût au cas où je verrais un arc-en-ciel, une étoile filante ou une coccinelle. Ne comptez pas sur moi pour croiser les doigts, parce que ça ne marche pas du tout. Quand j'étais petite, j'ai croisé les doigts pendant une semaine avant Noël pour être sûre de recevoir des romans de Jules Verne, et tout ce que j'ai eu cette année-là, c'est des poupées et du maquillage.

Aujourd'hui, après l'école, je voulais être seule et réfléchir à tout ça, alors j'ai fait quelque chose que je voulais faire depuis des semaines. J'ai pris une couverture, une thermos de café, quelques crêpes à la vanille, et je suis allée passer la soirée à Philly, seule, en face de mon portrait.

Je me suis assise au soleil, par terre sur ma couverture, et pendant des heures, j'ai repensé à tout ce que j'avais vécu cette année. Demain, on effacera mon visage pour laisser la place à autre chose. Ce n'est pas grave. Cette version de moi, elle disparaîtra du mur, mais seulement du mur. Elle est moi, et je suis elle. Le meilleur moi possible.

Je suis sortie de mes rêveries quand je me suis rendu compte que les passants me balançaient des pièces.

Prom
Dimanche 17 mai

Depuis que je suis petite, j'ai imaginé Prom un million de fois dans ma tête. Je me suis inventé des robes, des cavaliers, des danses romantiques, des nuits d'amour… Évidemment, pas une seule fois je n'avais imaginé que j'irais avec une fille. Au début, ça m'a rendue triste. Je devais faire le deuil de mes rêves de petite fille. Et puis j'ai réalisé que j'avais de la chance, parce que les choses qu'on n'imagine pas ont une saveur particulière. C'est comme regarder un film sans avoir vu la bande-annonce.

Hier en fin d'après-midi, Aiden est venue à la maison pour se préparer avec moi. Mes parents nous ont vues nous embrasser sur le pas de la porte. Ça n'a rien fait à mon père, mais j'ai eu l'impression que ma mère avait avalé une mouche.

On s'est changées dans ma chambre. J'ai souvent été en sous-vêtements avec des filles, mais jamais je n'avais eu envie de leur sauter dessus avant. Aiden a un corps long et fin, comme les mannequins dans les magazines, avec la peau toute douce. Si un jour on est faites prisonnières par des cannibales pendant nos vacances en Amazonie, j'ai beau offrir plus de viande, c'est Aiden qui se fera bouffer en premier, c'est sûr, elle fait trop envie.

Je me suis retenue de sauter sur elle, parce que ma

mère allait venir nous voir plus tard, et il valait mieux qu'elle commence par avaler sa mouche avant de nous retrouver sous les draps.

Aiden et moi, on avait la même robe, sauf que la mienne était noire, et la sienne blanche. C'est à peu près tout ce que je peux vous dire de précis, parce que décrire une robe en français pour moi, c'est un peu comme essayer de nommer les différentes pièces d'un puits de pétrole. J'ai regardé sur Internet, mais si je vous parle de mousseline et d'encolure asymétrique, ça vous dit vraiment quelque chose ? Disons qu'elles étaient près du corps, avec une ouverture horizontale qui laissait entrevoir juste assez de ventre pour être qualifiées de « modernes et sexy », mais pas suffisamment pour provoquer une crise de panique chez le Klup. J'étais bien contente d'avoir perdu du poids, parce que sans ça, j'aurais eu l'air d'une saucisse sous cellophane.

Pour une fois, je me suis maquillée. Enfin, Aiden m'a maquillée. C'est plus agréable, quand c'est quelqu'un d'autre qui le fait. Ça chatouille. Ensuite, je l'ai coiffée. Je fais ça souvent. J'adore arranger ses beaux cheveux blonds, lui faire des petites tresses, attacher les quelques dreadlocks qu'il lui reste et qui se mélangent avec ses cheveux raides. Aiden, c'est ma Barbie. Ses cheveux, c'est un peu les miens aussi. J'ai mis un ruban noir dedans, pour rappeler ma robe, et elle a mis un ruban blanc dans les miens.

Chez Vaneck, tout le monde était déjà là. Soupe et Fang, Sara et Vince, et Vaneck était accompagné de Winter Azoni, la plus jolie fille de l'école (après Aiden). En gros, c'est JM en fille. Quand j'étais *sophomore*, j'avais toujours peur qu'elle sorte avec Ben. Pendant qu'on prenait des photos, Sara lui parlait d'une manière suspicieusement chaleureuse… ou chaleureusement suspicieuse, je ne suis pas sûre.

C'est Orcel, le frère de Vaneck, qui a pris les photos. Pour la première fois de ma vie, je n'ai pas rougi devant lui. Je crois que c'est parce que je suis amoureuse d'Aiden. Les autres ne me font plus rien. Même JM, je le trouve « bof ». Je ne suis ni hétérosexuelle ni homosexuelle, je suis Aidensexuelle.

Prom avait lieu dans le manoir. À l'intérieur, ça ressemble à la salle où ils mangent dans *Harry Potter*, sauf que c'est plus petit. Mais c'est tout aussi élégant, avec des fontaines, des chandeliers au plafond, et des vitraux sur les murs. Le manoir date de la fin du dix-neuvième siècle. C'est le genre de salle qui rappelle combien coûte une année dans ce lycée.

Eugene était au bras d'une *sophomore* canon. Ça m'a surprise au début, mais c'était logique. Techniquement, à cause de la hiérarchie socio-sentimentale, il n'aurait dû avoir qu'une *sophomore* moyenne, parce qu'il est *weird*, et ça enlève plein de points. Seulement, il venait de gagner à Assassins, et ça, c'était jackpot pour sa réputation.

Après le dîner, rigide et ennuyeux, la soirée a commencé à s'animer. Certains sont partis danser, d'autres sont allés sur la terrasse pour s'embrasser sans être vus, et beaucoup passaient d'une table à l'autre pour discuter.

Je suis allée dans le photomaton avec Aiden. On a pris des photos en noir et blanc. Ensuite, j'ai fait une photo de groupe avec Vaneck, Soupe et Sara. Elle ne me parle toujours pas. Ça commence à être pénible.

Quand je suis sortie de la cabine, j'ai entendu les premières notes de ma chanson préférée et j'ai vu Aiden s'éloigner du DJ. On a dansé l'une contre l'autre. J'ai fermé les yeux pour ne plus voir tous les curieux qui nous observaient. Ils n'avaient jamais vu deux filles en phase lune de miel, ou quoi?

Miss Mass' est passée près de nous juste au moment où on allait s'embrasser, et elle s'est raclé la gorge. JM ne s'est pas privé pour embrasser Madison, et le Klup lui a dit de garder sa langue dans sa bouche et de ne pas encombrer celle de Madison avec.

Après quelques danses, on est retournées à notre table. Du coin de l'œil, Naomi regardait James parler avec Raylin, pendant que son cavalier Henry essayait vainement de capter son attention. Et puis Raylin est partie aux toilettes, et James est venu voir Naomi. Il n'avait plus de sujets de conversation en magasin, et il demandait conseil à sa meilleure amie.

À ma grande surprise, Naomi a joué le jeu. Elle lui a

dit qu'il devait danser avec Raylin. James n'avait jamais dansé. Elle l'a pris par la main, et elle est allée lui montrer. Henry est resté comme un imbécile. Mais pas longtemps, parce que Aiden l'a invité à danser. C'est pour ça qu'Aiden est un meilleur être humain que moi. J'avais bien vu qu'il avait l'air d'un imbécile, mais je n'avais pas pensé à le sortir de là.

Lorsque Raylin est revenue, elle aussi s'est retrouvée comme une imbécile. Elle ne pouvait pas rivaliser. Les deux amis d'enfance, ceux qui étaient souvent pris pour frère et sœur, se tenaient par la taille, et il y avait comme une lueur qui émanait d'eux. Évidemment, James ne le savait pas. Il était concentré sur les pas de danse que lui montrait Naomi. Je les trouvais magnifiques.

« C'est moi ou il se passe un truc entre James et Naomi ? » j'ai demandé à Aiden quand elle est revenue.

Elle les a bien regardés, et puis elle les a dessinés sur ma serviette de table. James était en smoking, Naomi portait une belle robe de mariée, et ils se faisaient un bisou esquimau. À leurs pieds, il y avait un petit enfant chinois qui tenait la robe de Naomi. Ensuite, Aiden nous a dessinées toutes les deux derrière, en train de sauter de joie.

« Pourquoi on saute de joie ? j'ai demandé. C'est juste un bisou esquimau. »

« On saute de joie parce que nos amis viennent de se marier. »

«Pourquoi ils ne s'embrassent pas sur la bouche?»

«James est pudique.»

Aiden a rajouté un journal qui s'envolait, avec la date sur la couverture. J'étais contente. Aiden pense qu'on sera encore ensemble dans quinze ans.

Afterprom
Dimanche 17 mai

Un peu avant minuit, la directrice est venue nous chercher pour l'Afterprom dans le grand gymnase. C'est un peu comme une fête foraine, organisée par les parents d'élèves chaque année après Prom. Le thème est gardé secret jusqu'au dernier moment, et cette année, c'était la plage.

On s'est tous changés avec les vêtements que nos parents avaient apportés pour nous en cachette. C'était plutôt marrant : un instant vous voyiez une fille avec des talons et une magnifique robe de soirée, et l'instant d'après, elle portait un short et des claquettes.

Le gymnase tout entier était recouvert de sable. Il y avait des lampes chauffantes au plafond, qui donnaient l'impression qu'on était sous le soleil. Seemus et Soupe ont passé la soirée à essayer de frapper le plus fort possible sur une cloche avec un grand maillet pour montrer au monde toute leur masculinité. Moi, j'ai passé la soirée avec Aiden à manger de la barbe à papa, à me perdre dans le labyrinthe, et à poser devant la prof d'art pour repartir avec un beau portrait. On est aussi allées dépenser un peu de faux argent au faux casino, et on a rigolé comme des folles quand on a joué à Twister, ce truc avec des taches de couleur par terre où il faut poser les mains et les pieds, et à la fin tout le monde est emmêlé et plus personne ne sait à qui appartient quel bras et quelle jambe, et tout le monde se marre.

Sauf quand Joe Biglio en a profité pour me mettre la main aux fesses. Là je ne me suis pas marrée. Une fois le jeu terminé, je lui ai donné un coup discret dans les bijoux de famille, puis un mouchoir pour qu'il sèche la larme qui coulait sur sa joue. Il pleurait de joie d'avoir touché mes fesses, c'est sûr.

Vers la fin de la soirée, il y a eu du *drama* : Sara a rompu avec Vince. Ils se sont crié dessus devant tout le monde pendant le concours de châteaux de sable. Je suis allée la voir pour la réconforter, mais ô surprise, Vaneck était déjà là, et ô surprise, Sara a continué de m'ignorer. Petite anecdote : une tête de mule, ça se dit en français et en anglais.

James et Naomi ont remporté le concours de châteaux

de sable haut la main. Leur château fort était non seulement plus beau et plus détaillé que tous les autres, avec un pont-levis, des douves et tout le reste, mais en plus il était assez grand pour faire tenir la petite équipe de Nerds qu'ils avaient dirigée pendant la construction du chef-d'œuvre. Une fois le château terminé, James et Naomi se sont assis à l'intérieur avec Fang, Raylin, Shing-Shing et Payas, et ils ont attendu les résultats en sirotant des cocktails, isolés du reste du monde.

Avec Aiden, on s'est aventurées dans une tente mystérieuse. Ça s'appelait *Sea the Future*, et il y avait un haut-parleur qui diffusait le bruit de l'océan devant l'entrée en forme de vague.

À l'intérieur, Mr Brock attendait, avec une fausse moustache, un turban, et une boule de cristal devant lui.

On n'a pas du tout aimé ce qu'il avait à dire, parce que selon lui, je rencontrerai mon mari l'année prochaine, et Aiden s'en ira voyager en Europe et y rencontrera une fille. J'ai dit que si c'était pour nous dire des choses comme ça, ce n'était pas la peine, et que sa moustache était moche, de toute façon.

Je suis sortie de la tente et j'ai attendu Aiden, qui s'éternisait à l'intérieur.

« Qu'est-ce que tu faisais ? » j'ai demandé quand elle est sortie.

« Je lui expliquais qu'il s'était trompé. »

«Ah oui? j'ai dit en souriant. Tu lui as dit quoi?»

«Que je pense rencontrer une fille plutôt en Asie, pas en Europe.»

Aiden a essayé de me rattraper, mais je me suis mise à courir, et je l'ai semée dans la foule.

Quand elle m'a retrouvée, j'étais dans le petit gymnase, allongée au milieu du château gonflable. Mon corps faisait des petits bonds à chaque fois que les autres sautaient.

Elle s'est allongée à côté de moi et m'a demandé si j'étais vraiment fâchée.

«*Nope*», j'ai répondu, ne parvenant pas à garder un air fâché à cause des petits bonds ridicules que faisait ma tête.

Aiden a posé sa main sur ma joue, et délicatement, a guidé mes yeux vers elle. La regarder était presque douloureux. Je n'arrivais plus à sentir où commençaient mes sentiments, et où ils s'arrêtaient. Même avec Ben, je n'avais jamais ressenti quelque chose d'aussi puissant. J'étais amoureuse de tout : de ses yeux, de ses cheveux, de son odeur, de ses lunettes, de sa peau, de ses lèvres, de chacune des courbes de son corps, et même du tee-shirt «*Han shot first*» qu'elle portait et dont la signification m'échappait. Et cette bonté, cette douceur, cette sagesse, cette affection pour moi, cette confiance entre nous, cette complicité, cette magie qui effaçait ma médiocrité et me rendait belle, si tout ça disparaissait de ma vie?

Aiden était devenue une évidence, la certitude de vivre heureuse, et ma tête n'arrivait plus à appréhender l'idée de perdre un trésor aussi gigantesque, comme on n'arrive pas à appréhender l'idée qu'il n'y a peut-être rien après la mort. Sans Aiden, le néant, et je ne savais pas comment vivre avec ça.

Le château s'est arrêté de trembler. Nos visages s'étaient rapprochés, et tout le monde avait arrêté de sauter pour nous regarder nous embrasser. Comme on n'était pas au zoo et qu'ils n'avaient pas payé l'entrée, j'ai aidé Aiden à se relever, et je l'ai emmenée aux châteaux de sable.

Le concours était terminé, mais les châteaux étaient toujours là. On s'est faufilées à l'intérieur de celui de James et Naomi. On s'est allongées sur le sable, dans la pénombre chaude. Aiden m'a embrassée. Je me suis mise à trembler, mais je n'avais pas froid. Je crois que c'était juste le trop-plein de sentiments.

On s'est enlacées, bien décidées à ne pas bouger tant que le château de sable tiendrait debout.

The Time Machine

Aujourd'hui, c'était le dernier jour de classe. Avant de partir, les profs avaient une surprise pour nous : la lettre qu'on s'est écrite à nous-même quand on était *freshmen*. J'ai pensé que ça serait sympa de la partager avec vous. Alors voilà :

Chère Senior Puce,

Si tu lis ces lignes, tu as dix-huit ans. Félicitations. J'espère que tu n'as pas pris trop de poids, que tu ne bois pas d'alcool, et que si tu bois de l'alcool, tu ne t'es pas fait tatouer une lan-goustine sur les fesses un jour où tu en avais bu trop.

Si tout s'est bien passé, tu peux conduire où tu veux depuis au moins deux ans. Tu dois être trop heureuse. Moi j'ai qua-torze ans, et pour l'instant c'est la galère. J'ai demandé un poney pour me déplacer, ou au moins un âne, mais personne ne m'a écoutée.

C'est mon premier jour dans cette nouvelle école. Je me suis déjà perdue deux fois depuis ce matin. Je ne sais pas où sont mes classes. J'espère que mes profs seront sympas, et qu'on n'aura pas trop de devoirs. J'espère qu'ils ne me crieront pas dessus devant tout le monde quand je dirai quelque chose de stupide. Tu sais que ça nous arrive parfois, quand notre bouche va plus vite que notre tête. J'espère que j'apprendrai des trucs

intéressants, et surtout qu'on aura plein de livres à lire.
J'espère que tu n'as pas attrapé la séniorite, et que tu as été
acceptée dans une grande université. Si oui, je suis fière de toi.
Si non, ne t'en fais pas, on se débrouillera.

À côté de moi, il y a une fille blonde avec des lunettes trop
grandes. Elle parle vachement fort. Je sens que je ne vais pas
beaucoup l'aimer. Mais j'espère qu'on va m'accepter ici, et que
tu t'es fait plein d'amis.

Je ne sais pas ce que je veux faire plus tard. Peut-être que toi
tu sais. Rappelle-toi ce que nous a dit Papa quand on avait
huit ans : réparatrice de machines à voyager dans le temps,
sculpteuse de nuages, et interprète animalier, ce n'est pas possible. Mais n'écoute pas pour autant les gens qui veulent que
tu fasses un truc ennuyeux. Il faut qu'on fasse un truc bien.

Est-ce que tu as un petit ami ? Je ne sais pas pourquoi je te
pose une question, parce que tu ne peux pas me répondre.
Disons que tu me répondras dans ta tête, dans quatre ans, et
ce sera un peu comme si tu me répondais à moi, puisque je suis
toi, et que tu es moi. Ce serait trop bien si tu avais un petit ami.
Un garçon grand, mignon, adorable. S'il existe, peut-être que
tu as couché avec lui. Ooooh ! J'espère que c'était bien.

On nous demande de rendre les lettres, et je suis la seule à ne
pas avoir fini, alors je vais devoir te laisser. Ça m'a fait plaisir
de te parler. Tu ne peux pas m'écrire, mais si tu veux me parler, il te suffit de fermer les yeux, et de penser à moi.

—Freshman Puce

Love & Tooth Brushing
Dimanche 24 mai

Hier soir, pour fêter la fin des derniers examens de notre vie de lycéen, on s'est tous retrouvés chez Nick Xu.

Nick avait dit que ça allait être *legendary*, mais il n'avait pas idée à quel point il avait raison. Tout le monde reparlera encore de cette fête dans dix ans.

Au début, c'était une fête plutôt banale. Sauf que presque tous les *seniors* étaient là. Et qu'il y avait beaucoup d'alcool. Genre, vraiment beaucoup. Je ne sais pas comment Nick avait fait pour en réunir autant, mais on se serait cru chez Bacchus, le dieu du vin et de la folie. J'ai vu des Nerds jouer à Beer Pong comme s'ils avaient fait ça toute leur vie. Chaque fois qu'ils buvaient, ils faisaient une grimace, et puis ils prenaient un air dégagé, comme s'ils avaient trouvé ça délicieux.

Il y avait quand même quelques personnes qui ne buvaient pas parce qu'ils étaient *DD* (*Designated Drivers*). C'est tout nous. Si on doit faire un truc illégal, on le fait de manière responsable.

D'habitude, Seemus ne boit pas, parce qu'il pense que boire et fumer des joints en même temps est « *too much* », mais je l'ai quand même retrouvé en train d'uriner dans l'évier de la cuisine en milieu de soirée, et à mon avis il n'en est pas arrivé là en buvant de la grenadine.

JM était super *tipsy*, et il m'a avoué qu'il avait flashé sur moi au début de l'année, pendant la fête chez Grace Quinn. Moi je n'étais pas *tipsy* du tout, du coup j'étais un peu gênée. J'en ai presque eu des regrets. Maintenant je m'en fiche, mais à l'époque, si je n'avais pas perdu mon temps avec Liam, j'aurais pu savoir ce que ça faisait d'embrasser JM, et je suis sûre que ça m'aurait fait vachement plaisir. J'aurais pu frimer et les Populaires auraient été super jalouses.

JM m'a demandé ce que ça fait d'être avec une fille. Venant d'un garçon qui a été avec dix mille filles, j'ai trouvé ça marrant. Je voulais le lui expliquer, mais je ne savais pas comment. Et puis je n'avais pas envie de lui dire que c'était mieux qu'avec un garçon, parce que ça aurait été comme dire à mon père que je préfère la cuisine de ma mère.

J'ai vu Soupe monter à l'étage avec Elodie Dickinson. Je ne savais pas si je devais rire ou pleurer. Soupe en avait marre que les autres garçons se moquent de lui, et si ça le rendait heureux de faire ça avec elle, moi j'étais heureuse pour lui.

James et Naomi étaient là aussi. Je crois que c'était la première fois qu'ils venaient à une fête. James avait l'air aussi à l'aise que mon chien Hercule quand on lui donne un bain. Naomi a bu une bière, et elle avait la tête qui tournait. J'espérais qu'elle embrasserait James, mais il ne s'est rien passé du tout. Quand je lui en ai parlé, elle m'a dit qu'ils étaient «*just friends*». Et moi je suis la reine Elizabeth en claquettes.

Vers 3 heures du matin, tout a basculé, et la fête *awesome* est devenue *crazy*. J'étais dans le sous-sol, assise sur un canapé à côté de Soupe, qui venait de devenir un homme et qui bombait le torse. On a entendu :

«*Cops !! Cops are here !!*»

Et au moment où on se demandait si on avait bien entendu, on a vu un uniforme qui descendait les escaliers. J'ai cru que j'allais avoir une crise cardiaque. Tout le monde a sauté par les fenêtres (heureusement, le sous-sol n'était pas sous terre). Une fois dehors, on s'est tous mis à courir. Dans ma vision périphérique, j'ai vu les lumières rouges et bleues de la voiture de police, garée juste en face de chez Nick.

La fête était *bopped*. Pendant l'année, les Populaires ont toujours peur que leurs fêtes soient *bopped*, parce que la plupart d'entre eux font partie de familles importantes, ils ont un brillant avenir devant eux, et ils ne peuvent pas se permettre d'avoir des ennuis avec la loi qui viendraient compromettre ce brillant avenir.

Nick habite juste à côté d'une forêt. Tout le monde s'y est précipité, dégringolant et hurlant dans la grande descente en terre recouverte de feuilles qui menait aux bois. On était au moins quatre-vingts à courir comme des fous qui avaient pris feu, répartis en petits groupes qui s'étaient formés au hasard. J'étais avec Tom, Naomi,

Tyler et Grace. Techniquement, c'était les forces de l'ordre, de la paix et de la justice qui nous couraient après, mais on avait l'impression de fuir pour sauver nos vies. Tout ce qu'on savait, c'est qu'on était poursuivis, et qu'ils étaient armés.

Après quelques minutes de chaos totalement folles, on s'est arrêtés, à bout de souffle. On a tendu l'oreille.

« *Stop where you are !* »

C'était la voix rauque d'un homme en colère, dont je suis sûre qu'il portait une moustache. Comme on croyait qu'il s'adressait à nous, on n'a pas bougé, parce qu'on ne voulait pas se faire tirer dessus comme des lapins. Mais très vite, on a entendu la voix de Seemus, qui disait :

« *Ow ow ow please stop, no, please stop. Nooo !* »

Et là, il y a eu comme un grésillement électrique. Seemus était en train de se faire taser ! On s'est remis à courir tellement vite qu'on ne sentait plus nos jambes. L'adrénaline était partout dans notre corps. On n'était plus que des petites boules de nerfs et de peur. Je suis sûre qu'on aurait pu nous mettre à côté d'un sprinteur olympique, on n'aurait pas été ridicules.

On a passé un cours d'eau, de la boue, des ronces, et finalement, on s'est retrouvés dans une école primaire, à la sortie de la forêt. On était à au moins deux kilomètres de la maison. J'avais l'impression que ma poitrine allait exploser. On s'est cachés dans le petit abri où ils entreposent les jeux pour les enfants, et on a repris notre souffle.

« Qu'est-ce qui… s'est passé ? Tom a demandé. Qui a appelé… la police ? »

« Je suis sûre que c'est les voisins », Grace a dit.

« On… faisait… trop de bruit ? » j'ai demandé.

« Non. Il y a deux abrutis qui sont allés le faire dans une voiture, et elle était garée juste devant leur maison. »

« Qui ça ? » Naomi a demandé.

« Vaneck et Sara. Je les ai vus quand on est sortis. »

« Hein ? j'ai demandé. Tu rigoles ? »

« J'ai l'air de rigoler ? »

Grace n'avait pas l'air de rigoler. Elle était en colère d'avoir eu à salir ses beaux vêtements dans la forêt, et elle en voulait à Vaneck et Sara.

Je n'avais pas dit que ça finirait mal, cette histoire ? Si tu fais des massages à un garçon dans ta chambre contre quelques devoirs, il faut t'attendre à coucher avec lui dans une voiture pendant une fête ensuite, et à mettre tout le monde dans le pétrin. Enfin, même si je m'attendais à un dénouement tragique, j'ai été choquée d'apprendre que mes deux meilleurs amis venaient de coucher ensemble.

On a attendu une bonne demi-heure que ça se tasse, et puis Eugene est passé nous chercher, et il a ramené tout le monde jusqu'aux voitures. Par la fenêtre du salon, on a vu deux officiers de police qui discutaient avec Nick. Je me suis sentie mal de le laisser comme ça, mais je ne voyais pas bien ce que je pouvais faire pour l'aider.

« Messieurs les officiers, tout ça est un malentendu, mes amis devaient juste se faire des massages, pas coucher ensemble dans une voiture et attirer votre attention sur cette fête… »

Sur la route pour rentrer chez Aiden, j'ai envoyé un texto à Sara :

Vaneck is your Aiden. You lied too. We should be even. Miss u, u imbecile

Vaneck est ton Aiden. Tu as menti aussi. On devrait être quittes. Tu me manques, imbécile

Quelques minutes plus tard, elle m'a répondu :

Fair enough. Miss u too, u bigger imbecile

D'accord. Tu me manques aussi, imbécile pire

Je suis restée dormir chez Aiden. Ses parents n'étaient pas là, alors on avait la maison pour nous. On s'est fait des sandwiches tofu-concombre-tomate-sauce barbecue, qu'on a mangés en regardant une rediffusion d'*American Idol*. Le paradis. Ensuite on est allées se laver, parce que avec la course-poursuite dans la forêt, on ressemblait à des soldats de tranchée pendant la Première Guerre mondiale.

J'ai discuté avec Aiden pendant qu'elle était sous la douche. Son corps nu était flouté par la vitre.

«Qu'est-ce que tu as vraiment dit à Mr Brock dans la tente, pendant Prom?» j'ai demandé.

«Je lui ai parié cinquante dollars qu'on serait encore ensemble quand on reviendra à l'école l'année prochaine pour Homecoming.»

J'ai souri. Cette réponse me convenait beaucoup mieux que celle qu'elle m'avait donnée ce soir-là pour me taquiner.

Quelques minutes plus tard, la guerre était finie. On était à nouveau des filles, et on sentait bon. Je portais un short et un tee-shirt trop grand des Philadelphia Eagles, et Aiden un pyjama en flanelle avec des petits Yoda dessus.

J'étais assise au bord de son lit, et j'essayais de dessiner un éléphant en tutu sur son iPad. J'ai levé les yeux. Aiden se brossait les dents en me regardant.

J'ai posé la tablette, et je me suis approchée d'elle. Elle m'a dévisagée avec ses grands yeux bleus qui me font des trucs dans le ventre.

«*I love you*», j'ai dit.

Ses yeux se sont agrandis. La brosse à dents a cessé de faire des allers-retours dans sa bouche. C'est sûr, je n'avais pas attendu qu'on soit sur une plage, devant un soleil couchant. Mais quand les mots débordent de vous, que votre corps tout entier réclame que vous les disiez, c'est forcément le bon moment.

Aiden devait penser que c'était la même chose pour les baisers, parce qu'elle m'a embrassée au Colgate à la menthe, sensation fraîcheur, et j'avais du dentifrice partout.

« *I love you too* », elle a dit, et on a éclaté de rire.

Graduation
Dimanche 31 mai

Je suis dans la voiture, entre Sara et Aiden. Soupe conduit Cecilia, Vaneck est à côté de lui. Personne ne parle. On est en route pour Senior Week. On devrait être surexcités, mais on est tous plongés dans nos pensées. On porte encore nos beaux habits, parce qu'on vient de partir du lycée. J'ai toujours cru que j'exploserais de joie et de soulagement en recevant mon diplôme. Tout ce que je ressens, c'est de la tristesse et de la mélancolie.

Pendant la cérémonie, on portait le *cap*, cette espèce de chapeau avec un cordon qui pend, et la *gown*, cette toge un peu pompeuse qui nous donnait l'impression d'être de grands savants. Il faisait super chaud là-dessous. On transpirait comme des chiens dans un hammam.

Avant de monter sur scène, on a attendu dans la bibliothèque que les parents s'installent dans l'auditorium.

Il y avait des pères qui prenaient des photos, des mères qui pleuraient, des petits frères qui s'en fichaient, et des grands-parents qui demandaient à s'asseoir.

Aiden est venue vers moi, et elle a dit qu'il fallait qu'elle me parle, d'un air sérieux qui m'a un peu inquiétée.

On est allées dans le rayon Géographie, et j'ai ajusté sa toge. Je lui ai dit qu'elle était belle, parce que j'avais peur de ce qu'elle allait me dire et que je voulais gagner du temps, et puis parce qu'elle était belle aussi.

«Je suis sur la liste d'attente pour New York», elle a murmuré.

Ma poitrine s'est serrée. J'ai pris un air réjoui, je lui ai dit qu'on verrait bien ce qui se passerait, et que c'était déjà bien d'être sur la liste. Mais je savais ce qui se passerait. Si elle reste sur la liste d'attente, elle ira en Californie, là où il y a plein d'artistes végétariennes qui aiment les filles, et aucune Capucine.

Au moment de monter sur scène, j'avais le cœur lourd, mais j'ai essayé de ne pas y penser.

La cérémonie a duré presque deux heures. D'abord, il y a eu les récompenses. Ce n'était pas très passionnant, mais on a bien rigolé parce que James a reçu tellement de médailles de sciences qu'à la fin on l'entendait arriver à trois kilomètres, comme une vache avec des clochettes autour du cou.

Ensuite, le *salutatorian* a prononcé son discours. C'est l'élève qui a eu les deuxièmes meilleurs résultats pendant les quatre années de lycée. Cette année, c'était Naomi Chang. Elle aurait sûrement eu la première place si elle n'avait pas découvert les garçons en milieu d'année.

À la fin de la cérémonie, ça a été au tour de la *valedictorian* de prononcer son discours. La meilleure des meilleures. C'était Raylin. *Badass Raylin.* J'avais peur qu'elle nous endorme tous, mais elle a ému tout le monde, et elle nous a fait rire aussi.

J'ai enregistré le discours avec mon téléphone, pour pouvoir vous le traduire :

Mesdames et messieurs, parents, grands-parents, professeurs, camarades,

Je me tiens devant vous aujourd'hui complètement fauchée. J'ai perdu mon portefeuille pendant l'Afterprom (rires). Mais je commence à m'en remettre. S'il y a une chose que j'ai apprise en venant à l'école ici, c'est que l'argent et les possessions matérielles sont tous remplaçables. Mais pas les gens, et pas les souvenirs. Mon portefeuille de souvenirs est rempli à ras bord. Mes expériences ici valent bien plus que quelques billets de vingt dollars et un permis de conduire.

Je veux remercier tous nos profs, qui nous ont amenés là où nous sommes aujourd'hui. Merci de nous avoir fait nous sentir chez nous, plus que dans n'importe quelle autre école où je suis allée. Merci d'avoir nourri nos esprits, répondu à nos mails, toléré nos critiques, et noté nos devoirs durement quand on pen-

sait mériter mieux. Merci de nous avoir écoutés quand on se plaignait, et appris ce que vous saviez, même quand on était fatigués. Merci d'avoir ri avec nous, mais jamais de nous. Merci de ne jamais nous avoir considérés comme des enfants. Et quand vous deviez nous engueuler, merci d'avoir toujours attendu qu'on soit seuls pour ne pas nous humilier devant les autres.

Je mentirais si je disais que les quatre dernières années de ma vie ont été faciles. Elles ne l'ont pas été. Comme beaucoup d'entre vous ici, j'ai dû surmonter bien des obstacles. La charge de devoirs, les entraînements de sport éreintants, les disputes entre élèves, les grippes, et les quizzes pervers de Mr Crinky (rires). Mais ça valait le coup. On l'a fait, tous ensemble. On a grandi ensemble. Enfin, vous, en tout cas, vous avez grandi (rires). De freshmen minuscules à seniors confiants, on a tout partagé. Ensemble, on a envahi le terrain de volley le jour de la victoire en finale du championnat d'État. Ensemble, on a fait une bataille de ketchup dans la cafétéria, et on s'est retrouvés à quarante-huit en retenue, le record historique de l'école. Ensemble, on a ri devant nos pièces de théâtre, et pleuré devant nos comédies musicales. Alors je veux vous dire merci. Merci de m'avoir acceptée, et merci de nous avoir donné à tous le sentiment que pour toujours, il y aurait ici un endroit où on serait à notre place.

On espère tous découvrir la lune au fond d'un puits. On voit une boule brillante à la surface de l'eau, et toute notre vie, on cherche à s'en saisir. Et puis un jour, on lève les yeux, et on finit par se rendre compte qu'elle n'était qu'un reflet un peu vague, difforme, sans commune mesure avec l'originale. La vraie est

magnifique, mais hors de portée. Ça fait mal. Mais durant mes
quatre années ici, j'ai compris que ce n'était pas grave. Que l'im-
portant, ce n'est pas de la toucher, mais de savoir qu'elle existe.

Après avoir reçu nos diplômes, on a passé le cordon de notre *cap* du côté droit au côté gauche, et on a crié de joie.

On est sortis dehors pour faire une photo de groupe. Tous les *seniors*, sur le *quad*, près de la fontaine, comme une grande famille. Mon fond d'écran pour les dix prochaines années.

Ensuite, tous les profs de l'école ont formé une longue ligne, et on est allés les saluer, un par un, pour qu'ils nous félicitent et nous donnent leurs vœux de réussite. C'est là qu'on a commencé à perdre pied. Voir tous nos profs comme ça, réunis pour nous, avec des sourires et des *good luck* et des *I will miss you*, c'était dur de ne pas pleurer.

Parfois c'était un peu *awkward*, parce qu'on ne savait pas si on devait leur serrer la main ou les prendre dans nos bras, et puis d'autres fois on les aimait tellement, et on savait qu'ils nous aimaient aussi, et on n'était plus prof ou élève, on était deux êtres humains qui se réconfortaient et se souhaitaient de réussir leur vie. Leur *vie*.

Mr Brock m'a dit que j'allais faire de grandes choses. Quand je me suis retrouvée face à Mr Crinky, j'ai éclaté en sanglots. Lui qui était si froid d'habitude, si distant, arborait un sourire sincère, et il a ouvert ses grands bras maigres pour m'accueillir contre lui.

Heureusement, Sara n'était pas très loin de moi dans la file. Quand j'ai terminé mon tour des profs, elle était là pour prendre le relais. On a pleuré l'une contre l'autre. Aiden aussi sanglotait. C'est pour ça que notre école est unique. Aiden n'a été là qu'un an, mais c'était assez pour la faire pleurer.

Mes parents ont enfin pu rencontrer ceux d'Aiden. On a fait plein de photos, avec les copains, avec nos profs, avec la directrice. J'ai même fait une photo avec Eugene. Lui aussi maintenant, c'est un copain.

Maya était venue avec ses parents. Elle portait une toute petite robe jaune. Aiden l'a soulevée, et on a pris une photo toutes les trois. Notre possibilité de futur.

Et puis il a bien fallu se séparer, même si on allait très vite se retrouver pour Senior Week. On a dit au revoir à nos parents, et avec Aiden, Sara, Soupe et Vaneck, on a marché jusqu'au parking, bras dessus bras dessous. Je n'ai pas encore compris si Sara et Vaneck sont ensemble, mais Sara a promis de me raconter dès qu'on arriverait à la plage.

Quelques minutes plus tard, on est encore sous le choc. On repense aux quatre années qu'on a passées à l'école. Moi, comme toujours, j'écris mon blog. C'est ma bouteille à la mer. Ça m'aura fait tellement de bien de vous raconter ma vie, cette année. Vous avez peut-être parfois cru que j'inventais des choses, et pourtant, tout était vrai. C'était la vie normale d'une Homo sapiens femelle avec un nom de plante herbacée dans une *college prep* du Delaware.

Je ne sais pas ce qui m'attend l'année prochaine. Je ne sais pas si j'écrirai encore. J'ai commencé pour compenser l'absence de Ben. Maintenant, j'ai Aiden. J'espère juste qu'elle va rester près de moi. Mais quoi qu'il arrive, je suis sereine.

Je sais qu'elle existe.

THANK YOU!

Papa, Maman & Julie.

Doug Fraser, Anne Kernéis, Pierre-Marie Compain, Nath Canevy, Marina Trampert.

Nick Costa, Grace Pfeifle, Becca Peet, Henry Moore, Alexis Vondran, Meredith Vondran, Frances Buckley, Ashley Graef, Brian Zhang, Michael Esposito, Kristen Mulvihill, Savannah Quinn, Anna Baxter, Haley Moore, Raylin Xu, Justine Zhang, Jonathan Lobo.

Colleen Carney, Clee Malfitano, Alexandra Nielsen, Ally Maged, Megan Reynolds, Sarah Disabella, Gillian Sweeny, Emily Bradford, Nicole Spaeder, Carrie Waldis, Lauren Yoslov, Johnny Spadaro, Caleb Wang, Avery Jamison, Conor Furey, Phil Ryan, Aaron DaCosta, Melissa Bellew, Rachel Ritter, Victoria Batt, Kerith Wang, Ian Mengers, Devon Wilkinson, Vaneck Kounga, Leah Anne Malangyaon, Maddie Keating, Geoffrey Merz, Kenny D'Aurizio, Nancy Cui, Alexandra Cassidy, Maddie Guido, Kerry Walsh, Alana Bradley, Katie Dempsey, My'Kelya Dickerson, Leigh Henjes, Nicole Kushner, Camryn Hicks, JM Nocket.

Lena Wakengut, Thierry Vanpevenage.

L'AUTEUR

Erwan Ji est né en 1986 à Quimper. Il aime les feux de cheminée qui crépitent, l'odeur du blé noir, quand la tête d'un bébé kangourou sort de la poche de sa maman, et les descriptions de pique-nique dans *Le Club des cinq*. Il n'aime pas quand la mousse du bain s'est envolée, les gens qui chantent faux mais qui chantent quand même, ceux qui demandent «Ça va?» sans écouter la réponse, et abandonner devant une pistache trop fermée. Lorsqu'il avait sept ans, il a mangé du sable en pensant pouvoir obtenir les pouvoirs de son idole, Superman. *J'ai Avalé un Arc-en-Ciel* est son premier roman.

ENVIE DE DÉCOUVRIR
DES EXTRAITS D'AUTRES ROMANS?
ENVIE DE PARTAGER
VOS AVIS SUR VOS LECTURES PRÉFÉRÉES?
ENVIE DE GAGNER DES ROMANS EN EXCLUSIVITÉ?
REJOIGNEZ-NOUS SUR

www.lireenlive.com

ET SUIVEZ EN DIRECT L'ACTUALITÉ
DES ROMANS NATHAN

N° d'éditeur : 10244058
Achevé d'imprimer en février 2018 par CPI Brodard et Taupin
(72200 La Flèche, Sarthe, France)
N° d'impression : 3027466